D1479891

Syntaxe du français
moderne et contemporain

DU MÊME AUTEUR
dans la même collection

Phonétique et morphologie du français moderne et contemporain, 1992

SYNTAXE DU FRANÇAIS
MODERNE ET CONTEMPORAIN

Hervé-D. Béchade

Professeur à la Sorbonne
Directeur de l'Institut de langue française (Paris IV)

3e édition revue et augmentée

PRESSES UNIVERSITAIRES DE FRANCE

ISBN 2 13 045863 7

Dépôt légal — 1re édition : 1986, novembre
3e édition revue et augmentée : 1993, octobre

© Presses Universitaires de France, 1986
108, boulevard Saint-Germain, 75006 Paris

AVANT-PROPOS

C'est sans nul doute à notre expérience de l'enseignement de la langue française à l'Université qu'est dû cet ouvrage.

Non qu'étudiants et enseignants eussent manqué de grammaires descriptives et normatives du français dans son ensemble. Mais il nous est dès longtemps apparu — le témoignage des usagers l'atteste — que ces livres offraient tellement que leur utilisation s'en trouvait parfois mal commode.

En somme, en considérant comme acquis tout ce qui concerne la phonétique ou la morphologie, en écartant l'histoire des mots ou les questions de métrique, on a voulu se cantonner au domaine qui intéresse proprement le fonctionnement de la langue : la syntaxe.

C'est bien là que semblent se rencontrer parmi les plus fortes difficultés. On a estimé utile de centrer l'attention sur elles en regroupant, autant que faire se pouvait, les descriptions, les observations ou les explications que pouvait nécessiter chaque système rencontré. Cette méthode ne permet certes pas d'esquiver toutes redites, mais il nous a paru pédagogiquement plus approprié de courir au besoin le risque de la répétition et d'éviter en revanche de fastidieux renvois ou de lassantes recherches. Est-il possible, par exemple, de ne pas évoquer le cas du sujet il d'impersonnel tant quand on parle du verbe que du sujet ? En tout état de cause, l'index devrait permettre de réunir, chaque fois que de besoin, ce qui se trouve éventuellement dispersé pour des raisons obligées.

Le titre de cet ouvrage indique son orientation et son ambition — fût-elle excessive. Il s'agit de présenter, avec la conscience des lacunes qu'implique un tel projet, l'état général de la syntaxe du français de naguère et d'aujourd'hui. On ne pouvait, hélas, tout dire, et tout n'est pas dit. Mais on a voulu procurer une image aussi fidèle que possible de la façon dont fonctionne notre langue en cette fin du XXᵉ siècle. C'est pourquoi l'immense majorité des exemples littéraires qui illustrent les exposés sont tirés d'auteurs de notre temps et on a tout particulièrement dépouillé la littérature contemporaine.

Mais, de même que le fruit ne doit faire oublier ni la tige ni la fleur, on n'a dans ce parti pris de modernité nullement ignoré l'ancienne langue et surtout la langue classique : les nota bene y font fréquemment remonter dans la mesure *où il serait vain de vouloir présenter tel ou tel fait particulier sans la lumière d'un état de langue antérieur qui seul peut l'éclairer. Peut-on aborder le problème de é dans l'inversion interrogative de je à la première personne de l'indicatif présent sans référence à un état ancien de la langue ? Et ainsi pour combien d'autres phénomènes inexplicables sans un retour aux sources.*

On a, en chaque occasion où la pédagogie y gagnait, tiré parti des recherches et des découvertes opérées ces dernières décennies. Il ne paraît plus licite, aujourd'hui, de parler de sujet réel et apparent ou de complément d'attribution, de faire du conditionnel un mode à part ou de chercher une valeur temporelle aux autres modes que l'indicatif, d'ignorer le rôle de l'intonation, etc. Il est franchement illicite d'adjoindre au conditionnel, sous l'appellation hérétique de « conditionnel passé deuxième forme », ce qui est le subjonctif plus-que-parfait ou de considérer qu'il y a accord du verbe avec l'attribut dans le cas des séquences ce sont + substantif *au pluriel.*

En revanche, on s'est volontairement abstenu d'utiliser un vocabulaire autre que celui généralement admis par la communauté des grammairiens. On a estimé préférable que les faits évoqués le fussent dans des termes accessibles afin que ces faits, souvent de présentation et d'interprétation délicates, n'apparussent pas d'une complexité encore plus redoutable.

Enfin, quand cela a paru nécessaire ou intéressant, on n'a pas hésité à prendre en compte le langage parlé et familier ou celui des enfants ou même celui de milieux éloignés de la culture : les exemples qu'on en procure se justifient dans la mesure où ils illustrent un certain état ou une certaine évolution de la langue et où ils portent témoignage sur le français vivant.

Cet ouvrage, quoique destiné par priorité à l'enseignement supérieur, peut aussi intéresser un public plus large eu égard à sa conception et à sa finalité générales. Quels qu'en soient les usagers, son auteur recevrait avec gratitude leurs commentaires : il n'en est pas de si ténus qui ne soient susceptibles d'interpeller et d'alimenter une réflexion tout entière appliquée, modestement mais avec ardeur, au service de la langue française.

Cette troisième édition apporte certaines précisions supplémentaires et, par un Index *refondu et augmenté, vise à améliorer la consultation de l'ouvrage.*

H.-D. B.

PRÉAMBULE

La phrase est une unité de sens délimitée en général sur le plan formel à l'écrit par des signes graphiques, majuscule au début, ponctuation forte au terme de son énonciation, qui encadrent une mélodie variable selon les modalités (cf. p. 224, 227, 229, 231). La ponctuation forte prend la forme du point, du point d'exclamation et du point d'interrogation. Les autres signes — virgule, point-virgule, deux points — dénotent à l'intérieur de la phrase divers mouvements mélodiques qui ne concluent pas à la manière des signes de ponctuation forte.

I - PROPOSITION ET PHRASE SIMPLE

Le schéma le plus ordinaire de la phrase se présente sous la forme sujet + verbe, ou sujet + verbe + attribut ou complément selon la nature du verbe. On appelle cet ensemble plus ou moins élaboré *proposition* :

> « L'imagination suffit » (A. Pieyre de Mandiargues).

> « Ce déjeuner n'avait pas été bavard » (C. Rochefort).

> « J'aime l'aube » (Y. Régnier).

Mais la proposition peut très bien revêtir des formes réduites et n'en conserve pas moins son statut, l'idée qu'elle véhicule demeurant complète, qu'elle soit exprimée par un verbe seul, un élément ou plusieurs sans verbe, et même un mot invariable (cf. p. 223).

La proposition, quand ses éléments s'ordonnent autour d'un seul verbe dans un ensemble clos et même quand elle se présente sous des formes réduites, est appelée *phrase simple*.

Le verbe constitue ordinairement le pivot de la proposition. Les autres éléments se rapportent à lui directement ou indirectement quand lui-même ne se rapporte à rien. Ces autres éléments peuvent se faire accompagner de compléments. Sous sa forme la plus courante, la proposition apparaît donc comme un ensemble d'éléments dont certains, essentiels, entretiennent entre eux des rapports grammaticaux appelés *fonctions*, cet assemblage offrant un sens complet. Les mots remplissant des fonctions sont appelés *termes*, par opposition à d'autres mots les accompagnant qui ne font qu'assurer un rôle grammatical de liaison (conjonctions, prépositions) ou expriment des catégories (déterminants, certains adverbes).

La proposition est dite *indépendante* quand elle ne dépend d'aucune autre proposition et n'en tient aucune autre sous sa dépendance :

> « Pendant les fêtes le temps est arrêté. / Tout le monde a le même âge. / On en est tous au même point » (P. Courtade).

Parmi les propositions indépendantes se range la proposition *intercalée* (ou *incise* ou *incidente*), rarement susceptible de devenir phrase complexe, qui est une proposition souvent enchâssée entre virgules à l'intérieur d'une phrase. Elle n'entretient aucun lien grammatical avec le reste de la phrase. Elle présente les propos d'un locuteur sous des formes telles que « je crois », « s'exclama-t-il », « que je sache », etc. :

> « "Ces choses-là", *m'a-t-il dit*, [...] "ça vient de loin, ça vient du sang" » (M. Arland).

> « J'espère qu'on vous reverra, *lui avait-elle murmuré* » (J. Cayrol).

> « Madeleine n'en parlait jamais et n'avait eu pour elle, *que je sache*, aucune indulgence » (A. Gide).

II - PHRASE COMPLEXE (OU COMPOSÉE)

Quand une phrase est formée de plusieurs propositions, on l'appelle *phrase complexe* (ou *composée*). Quels que soient le nombre et la nature des propositions qu'elle intègre, elle conserve une unité de sens comme la phrase simple.

A - Juxtaposition

La phrase complexe peut être constituée de propositions indépendantes simplement juxtaposées, c'est-à-dire contiguës, sans aucun élément qui les lie entre elles (phrase de *juxtaposition*) :

> « Solange s'acharne, se tord le poignet, fait une grimace » (C. de Rivoyre).

B - Coordination

La phrase complexe peut être constituée de propositions indépendantes coordonnées par une conjonction de coordination ou, parfois, un adverbe jouant un rôle de coordonnant (phrase de *coordination*) :

> « Soudain une étrange lueur se répand .*et* gagne le tréfonds des êtres exsangues » (J. Brosse).

> « Le vent s'insinuait dans la rue, *puis* s'élevait le long des maisons avec la lenteur des spectres » (J. de Bourbon-Busset).

De nombreuses nuances séparent les phrases de coordination suivant la valeur qu'affecte l'élément coordonnant. On peut ainsi distinguer d'abord la structure la plus courante, où la coordination est *copulative*, c'est-à-dire que l'élément coordonnant marque simplement la réunion des propositions et leur addition. Les éléments coordonnants employés sont *et*, le plus souvent, *aussi, ensuite, puis*, etc. :

> « Elle visa *et* tira dans le dos de son mari » (C. Arnothy).

Ensuite les nuances se répartissent entre la coordination *adversative*, qui oppose les propositions; les éléments coordonnants sont *mais*, le plus souvent, *au contraire, cependant, néanmoins*, etc. :

> « Je me laissais aller, *mais* ce n'était plus comme avant » (Y. Berger).

la coordination *causale* (ou *explicative*), qui introduit une proposition expliquant ce qui vient d'être exposé; les éléments coordonnants sont *car*, le plus souvent, *en effet, de fait, tant*, etc. :

> « Et pourtant je te prie de mordre, *car* toi aussi tu es un appât » (H. Queffélec).

la coordination *consécutive* (ou *conclusive* ou *déductive*), qui introduit une proposition marquant la conséquence de ce qui vient d'être exposé; les éléments coordonnants sont *donc*, le plus souvent, *alors, aussi, c'est pourquoi*, etc. :

> « J'écrivais sur le mur ces douces paroles : "Je pense, *donc* je ne suis pas" » (M. Blanchot).

la coordination *disjonctive*, qui oppose deux propositions ou offre le choix entre l'une et l'autre; les éléments coordonnants sont *ou*, le plus souvent, *ou bien*, *soit, soit... soit*, etc. :

« Ferme cette fenêtre, Fabrizio; ferme-la *ou* je fais du scandale » (J. Gracq).

Toutes les formes de propositions indépendantes peuvent cohabiter dans la phrase complexe par coordination ou juxtaposition et même, éventuellement, se trouver réunies par conjugaison des deux procédés :

« Tu n'es pas irréprochable, / tu sais /, toi non plus » (F. Sagan).

« Ainsi, au cours des ans, l'eau d'un bassin affouille le rocher, / et rien ne se voit, / rien ne bouge » (Vercors).

C - Subordination

La phrase complexe peut se présenter, sous une forme élémentaire, comme un ensemble phraséologique dans lequel une proposition dite *subordonnée* dépend d'une proposition dite *principale* (phrase de *subordination*). La relation de dépendance s'établit le plus souvent par l'intermédiaire d'un outil de subordination relatif ou conjonctif fondant un certain type de rapport grammatical, donc de fonction. La phrase complexe est souvent susceptible de prendre des formes très élaborées, intégrant plusieurs principales et plusieurs subordonnées dans des combinaisons d'une grande variété.

On peut définir la proposition principale comme une proposition qui, sans dépendre d'aucune autre proposition, en tient une ou plusieurs sous sa dépendance; et la proposition subordonnée comme une proposition qui est régie par une autre proposition et prend dans la phrase la fonction d'un mot :

« Je crois / que je ferais mieux de vous parler du Brésil » (M. Déon).
• Proposition principale + proposition subordonnée complétive complément d'objet direct.

« Les propagations et interférences continuent à développer leurs jeux, / lorsque la main s'est arrêtée » (A. Robbe-Grillet).
• Proposition principale + proposition subordonnée complément circonstanciel de temps.

Il peut arriver qu'une proposition subordonnée ait sous sa dépendance une autre proposition. Elle n'en demeure pas moins subordonnée par rapport à la principale et joue seulement le rôle de principale par rapport à la proposition qui dépend d'elle :

> « Il pensa / qu'elle se savourait elle-même dans la glace / *ainsi qu'elle semblait le faire en toute chose* » (A. Schwartz-Bart).
> • Proposition principale + proposition subordonnée complétive + proposition subordonnée de comparaison complément de la complétive.

De même que les propositions indépendantes, les propositions principales et subordonnées multiples peuvent être juxtaposées ou coordonnées, les outils coordonnants prenant les mêmes valeurs que dans la phrase de coordination :

> « *Car je sais, Auguste,* / *je sais* / que vous écrivez un roman » (M. Mithois).
> • Deux principales juxtaposées.

> « Elle cherchait à se persuader / *qu'elle vivait* /, *que rien ne s'était passé* » (B. Pingaud).
> • Deux subordonnées complétives juxtaposées.

> « Dans la classe du bachot, j'eus comme professeur de français un homme / *que j'ai beaucoup aimé* / *et dont je reparlerai* » (A. Memmi).
> • Deux subordonnées relatives coordonnées.

On appelle aussi *parataxe asyndétique* (= « juxtaposition non liée ») la simple juxtaposition, *parataxe syndétique* (= « juxtaposition liée ») la coordination et *hypotaxe* (= « dépendance ») la subordination.

III - SYNTAXE DE LA PROPOSITION ET SYNTAXE DE LA PHRASE

La proposition est, comme on l'a vu, un assemblage d'éléments dont un verbe est en général le centre. Tous les termes de la proposition s'organisent autour de ce terme essentiel; ils entretiennent des rapports soit avec lui (verbes d'action), soit par son intermédiaire (verbes d'état), soit entre eux.

Quand on a affaire à une phrase complexe de subordination, ce sont les propositions prises comme entités qui entretiennent des rapports entre elles, les subordonnées prenant les mêmes fonctions que le nom et ses équivalents, l'adjectif ou l'adverbe.

Examiner la syntaxe du français revient donc pour l'essentiel à examiner dans la proposition le fonctionnement du verbe et des termes qui l'entourent, et, dans la phrase complexe, le fonctionnement des propositions.

première partie

LE VERBE

Sommaire

GÉNÉRALITÉS

Si l'on compare le verbe avec d'autres parties du discours, même très importantes dans la structure de la langue, comme le substantif ou l'adjectif qualificatif par exemple, on est amené à constater que le verbe, parmi tous les éléments constitutifs de l'énoncé, bénéficie du plus de privilèges.

Son étymologie même apparaît significative : il vient du latin *verbum* qui veut dire « mot », « parole ». Le verbe est donc le mot fondamental, le mot par excellence, et on a pu l'appeler l' « âme du discours ». Les grammairiens de l'Antiquité le concevaient déjà comme l'élément essentiel de l'énoncé.

Le nom (ou substantif) désigne les êtres — les animés — *(chien, berger)* et les choses — les inanimés — au sens le plus large : il peut s'agir d'une idée *(beauté)*, d'un état *(maladie)*, d'une action *(fuite)*, d'un sentiment *(haine)*, etc. L'adjectif qualificatif indique que l'être ou la chose dont il est question participe à une certaine qualité, qualité signifiant une manière d'être, le plus souvent sans implication morale : « un ami *fidèle* », « une *grande* maison », « un manteau *blanc* ».

L'importance du nom et de l'adjectif qualificatif est donc extrême et leur rôle, dans le rendu de la pensée, capital. Mais, à y regarder de plus près, on voit le caractère limité, par essence, de ce rôle : le mot *chien*, malgré l'amplitude de son sémantisme, évoque toujours le quadrupède bien connu. L'adjectif *fidèle* n'offre pas de fortes variations sémantiques. En d'autres termes, le nom ou l'adjectif sont, pour ainsi dire, prisonniers de leur signification : ils portent un sens, susceptible assurément de se diversifier, se nuancer, mais ce sens leur confère une certaine rigidité d'emploi, de même qu'est fort rigide leur morphologie, juste fléchie éventuellement par les marques de genre et de nombre — rigidité encore bien plus caractéristique avec d'autres parties du discours telles que, par exemple, les prépositions.

Le verbe, comme le substantif, peut désigner un *état* ou une *action*. L'action est faite :

« *J'ai quitté* la maison » (J.-P. Sartre).

ou subie par le sujet :

> « Un acte n'est pas "humain" pour la seule raison qu'*il a été posé* par un homme » (P.-H. Simon).

Il faut d'ailleurs prendre le mot *action* au sens le plus large : ainsi, particulièrement quand le sujet est un inanimé, le verbe rend davantage compte, bien des fois, d'une relation entre le sujet et l'objet que d'une action :

> « Tout *sentait* la ruine fraîche » (J. Romains).

L'état, lui, est exprimé par un certain nombre de verbes tels que *être, devenir, pleurer, rester*, etc. :

> « Je ne *suis* pas le pauvre Antoine » (F. Sagan).

> « Ne *reste* pas trop seule » (J. Anouilh).

Il convient de noter que l'on englobe souvent état et action dans le mot *procès*, du latin *processus*, « ce qui avance, ce qui se passe ». Ce mot désigne une notion générale recouvrant les notions particulières d'action, faite ou subie, et d'état rapportées à un sujet.

Si le verbe et certains substantifs ont en commun d'exprimer une action ou un état, le verbe présente des caractéristiques qui lui sont fondamentalement propres.

- I - *Temps*

Le verbe, et c'est là une première et fondamentale caractéristique, peut seul présenter état et action à des moments différents : *maladie* ou *fuite* ne peuvent en rien par eux-mêmes signifier une localisation dans la temporalité. En revanche, un verbe peut inscrire une notion dans tous les moments possibles de la chronologie grâce aux *temps* (les « tiroirs verbaux ») :

> « Eh bien, oui, na, *j'adore* les pommes de terre au lard » (E. Ionesco).
> • Présent.

> « Ann, *je n'ai pas réussi* à vous parler samedi » (M. Butor).
> • Passé.

> « Cet hiver, *nous irons* ensemble en Egypte » (P. Drieu La Rochelle).
> • Futur.

Et l'on verra à quel point le présent ou les temps du passé peuvent recouvrir de nuances variées.

- 2 - *Modes*

Seconde et également fondamentale caractéristique, le verbe peut présenter état ou action selon des modalités différentes. Les *modes* expriment les manières (du latin *modus*, « manière ») dont le sujet conçoit l'action, ils précisent son attitude en face de ce qu'il énonce : l'action ou l'état sont présentés :

— soit comme des faits actualisés avec l'indicatif :

> « Mon fils Octave vous *aime* » (M. Aymé).

— soit comme des faits voulus ou simplement pensés avec le subjonctif et l'impératif, la notion verbale véhiculant alors une conception de l'esprit :

> « Je ne puis croire que vous *n'ayez jamais entendu* parler de moi » (A. Adamov).

> « *Ne répète pas* tout ce que Mademoiselle dit » (M. Achard).

On range traditionnellement parmi les modes l'infinitif, le participe et le gérondif. Cela n'est qu'une simple commodité de classement non fondée eu égard au fonctionnement de la langue, car aucun de ces « modes » n'exprime de modalités sinon par rapport au verbe personnel qu'ils accompagnent. Quant au conditionnel, loin d'en faire un mode, on lui restituera la place qui est la sienne en l'insérant dans le paradigme de l'indicatif dont il n'est qu'un temps (cf. p. 56).

- 3 - *Aspects*

Enfin, troisième caractéristique du verbe, il indique des *aspects*, c'est-à-dire si une action commence : aspect inchoatif ou ingressif :

> « Dans les déchirures du ciel, les locomotives en furie *s'enfuient* » (B. Cendrars).

si elle dure : aspect duratif :

> « Il *tisonnait* le feu avec des pincettes » (B. Pingaud).

si elle est achevée : aspect terminatif ou résultatif :

> « Pour le meilleur comme pour le pire, nous *sommes liés* à la patrie » (A. Malraux).

On trouve également des aspects marquant la répétition (itératif), la progression (progressif), etc. En somme, on pourrait décrire l'aspect, dont la définition est délicate et controversée, comme la manière dont on considère le développement de l'action. Il ne faut confondre cette notion, induite par la forme simple ou composée du verbe *(chanter, avoir chanté)*, sa préfixation ou suffixation *(s'enfuir, vivoter)*, son auxiliarisation *(commencer à parler)*, ni avec celle de temps ni avec celle de mode.

Le verbe possède encore un autre privilège, mais ressortissant plutôt au domaine stylistique et qu'on n'évoquera que pour souligner davantage son importance : il représente, en règle générale, le mot essentiel de la phrase. Sa place, en soi, vaut signe : théoriquement situé vers le milieu, le verbe équilibre la phrase, il unit dans le processus celui qui fait l'action et l'objet de l'action :

« Arsule *a préparé* deux tartines de pain » (J. Giono).

ou le patient et l'agent de l'action :

« Tout mon temps *est grevé* de niaiseries » (P. Valéry).

le bénéficiaire d'un état et l'objet du bénéfice :

« La prière *est* un devoir, le martyre une récompense » (G. Bernanos).

Il n'est que d'essayer de supprimer le verbe pour que l'énoncé perde toute signification explicite : « Arsule... deux tartines de pain » = ?, « Tout mon temps... de niaiseries » = ?, « La prière... un devoir, le martyre une récompense » = ?.

Avec le verbe on a affaire à un mot qui permet au sujet parlant ou écrivant de s'exprimer avec infiniment plus de force ou de nuances qu'avec n'importe quel autre mot offert par le système de la langue. On sait sa morphologie la plus compliquée de toutes les parties du discours (cf. simplement les variations en nombre et en personne), on verra que sa syntaxe, contrepartie nécessaire à sa richesse, est elle aussi d'une délicate complexité.

1

transitivité
et intransitivité

Le verbe peut se construire en étant complété de diverses façons (transitivité) ou se construire seul (intransitivité). Mais des échanges se produisent entre ces catégories, sauf pour les verbes d'état qui par définition n'admettent pas de complément. C'est pourquoi il est difficile d'établir un classement rigoureusement fondé sur la nature des verbes. Parler de verbes transitifs ou intransitifs, plutôt que de verbes à construction transitive ou intransitive, est en somme une simple commodité terminologique traditionnelle.

I - TRANSITIVITÉ

A - Verbes transitifs directs

Si on prend une phrase comme :

« Il commanda le vin » (M. Duras).

l'action du verbe porte sur le terme *vin*. On dit alors qu'on a affaire à un verbe *transitif*, étant donné que l'action passe, s'exerce sur un objet (latin *transitivus* : « qui passe d'un endroit à un autre »). On dit aussi, mais moins habituellement quoique le mot paraisse plus logique, plus syntaxiquement fondé, verbe *objectif*, le procès s'appliquant sur un objet. Ces verbes par eux-mêmes ne portent pas un sens complet, et il leur faut, en principe, un complément qui indique le point d'application du procès (cf. p. 182, *NB* - 2 -). Comme l'action passe directement sans l'intermédiaire d'une préposition sur l'objet, on précise la nature de ces verbes en les nommant transitifs (objectifs) *directs*. Sur cette question, cf. *le complément*, p. 183, *2, a*.

B - Verbes transitifs indirects

La catégorie des verbes transitifs ne se limite pas à la seule structure en construction directe. Si on dit « je me fie », « je nuis », « je prétends », etc., la phrase reste incomplète et comme en suspens.

Soit, en revanche, cette phrase :

« Ne vous fiez pas à mon écriture tremblante » (R. de Obaldia).

Elle offre alors un sens complet, le verbe *se fier*, verbe transitif, ayant un complément d'objet, *écriture*, sur lequel porte l'action. Mais une préposition est nécessaire pour marquer le passage de l'action sur l'objet : on appelle ces verbes transitifs (objectifs) *indirects*. Sur cette question, cf. *le complément*, p. 183, *2, b*.

En somme, on peut observer qu'un verbe totalement transitif se construit sans préposition, qu'un verbe moins transitif demande une préposition « légère » *(à, de)*. Mais la préposition n'ôte en rien aux verbes ainsi construits leur caractère de verbes transitifs.

C - Verbes transitifs doubles

A côté de ces deux catégories de verbes transitifs, il en existe une troisième. Dans une phrase comme :

« Le clair de lune lui permit de discerner dans le sable les traces d'une chute » (F. Mauriac).

on observe que le verbe *permettre* a un double objet, l'un direct, *discerner*, l'autre indirect, *lui*. Les verbes de ce type ne prennent leur sens complet qu'avec leurs deux objets. On les appelle transitifs (objectifs) *doubles*. Sur cette question, cf. *le complément*, p. 183, *2, c*.

II - INTRANSITIVITÉ

Soit, enfin, cette phrase :

« Bien sûr, avec Hortense, il savait que ça ne durerait pas toujours ni même très longtemps... » (F. Mauriac).

L'action de *durer* ne passe sur rien, il n'y a pas d'objet. On dit alors qu'on a affaire à un verbe *intransitif*; comme l'action ne concerne et n'intéresse que le sujet, on dit aussi verbe *subjectif*. Avec ce type de verbe, l'action est limitée au sujet et se suffit à elle-même.

III - CHANGEMENT DE CATÉGORIE

Cette répartition des verbes en transitifs directs, indirects ou doubles et en intransitifs ne règle cependant pas complètement le problème du classement. En effet, il y a, dans l'emploi, des glissements d'une catégorie à une autre, de la catégorie des transitifs à celle des intransitifs et *vice versa*.

A - De la transitivité à l'intransitivité

Soit la phrase :

> « Je parle au cardinal d'Espagne » (H. de Montherlant).

Le procès du verbe est limité dans son champ d'application par le complément d'objet *cardinal d'Espagne*. Ce complément précise qu'à l'exclusion de toute autre personne possible (serviteur, courtisan, etc.) c'est le *cardinal d'Espagne* qui se trouve concerné par l'action de parler. Si Montherlant avait écrit simplement : « Je parle », l'action n'eût alors porté que sur le sujet, et le verbe *parler*, quoique par essence transitif, aurait joué le même rôle qu'un intransitif. Les transpositions de ce type, assez nombreuses en français, se rencontrent lorsqu'il ne paraît pas utile de désigner l'objet soit parce qu'on le juge connu, soit parce qu'il se trouve suffisamment indiqué par les circonstances:

> « *Fume* un peu, ça te calmera » (P. Drieu La Rochelle).

Peu importe ce qu'Alain, le héros, est invité à fumer (pipe, cigarette, etc.), ce qu'on veut dire, c'est qu'il doit fumer quelque chose.

> « C'était un gros type!... peuh... pas bien intéressant. Il *buvait* et il battait sa femme » (Colette).

Peu importe, de même, ce que buvait le tambour de ville (vin, bière, etc.), ce qu'on veut dire, c'est qu'il était un alcoolique (cf. p. 182, *NB* - 2 -).

La littérature a su tirer parti de cette possibilité syntaxique dans un but stylistique. Quand un auteur veut éviter de limiter la portée d'un verbe par un complément d'objet, en sorte que son sémantisme porte de façon totale sur le sujet, il l'emploie ainsi de façon *absolue*. Aussi H. Bosco peut-il écrire :

> « Tout à coup la lune se leva et, par une large trouée, inonda le sol. Alors je *vis* » (H. Bosco).

En n'adjoignant pas de complément d'objet au verbe, il n'en restreint pas la portée, seul le sujet est concerné par le concept du verbe. On doit comprendre que la sensation du narrateur est globale et enveloppe tout ce que perçoit son champ de vision : une longue et fastidieuse énumération des choses ou êtres qu'il voit — en l'occurrence, une jeune fille, une harde de sangliers, des friches, etc. — ne pourrait l'évoquer avec tant de force.

B - De l'intransitivité à la transitivité

Il s'agit alors du phénomène exactement inverse. On peut dire « vivre sa vie », « pleurer des larmes de sang ». *Vivre* et *pleurer*, verbes par essence intransitifs, sont cependant ici employés transitivement et prennent un complément d'objet direct appelé *interne* (cf. lat. « jucundam vitam vivere »). Mais cette substitution se fait en théorie sous deux conditions :

1 / Le complément d'objet est de même radical que le verbe *(vivre/vie)* ou du même champ sémantique *(pleurer/larmes)* ;
2 / le complément d'objet est accompagné d'un déterminant *(sa, des)*, au besoin d'une épithète *(de sang*, complément du nom à valeur adjective. Ainsi, on ne pourrait pas dire « pleurer des larmes », qui ne serait qu'une mauvaise tautologie), parfois de la seule épithète (« jouer gros jeu »).

Ce procédé a été, comme le précédent, souvent utilisé en littérature, particulièrement en poésie :

> « Et n'ai-je pas *sué la sueur de tes nuits* » (P. Verlaine).

> « Mon cheval arrêté sous l'arbre qui roucoule, je *siffle un sifflement plus pur...* » (Saint-John Perse).

Parfois, à l'extrême, le passage de l'intransitivité à la transitivité peut se faire à la faveur d'un rapprochement inattendu :

> « "Tu *pleures du sang*", dit soudain Golda étonnée » (A. Schwartz-Bart).

> « Corneilles et corbeaux *hurlant* rauque *leur peine*
> De l'ombre de leur vol rayaient les sarcophages » (R. Desnos).

Ici, pas de complément entretenant un rapport de sens avec le verbe : il s'agit d'un cas limite.

Il y a donc différentes façons de passer de l'intransitif au transitif, mais les exemples qu'on vient de voir montrent les possibilités de la langue. Toujours est-il que ces innovations ne se rencontrent pratiquement que dans la langue littéraire ou des expressions figées. Mais il faut être en mesure de reconnaître et de décrire ce phénomène syntaxique. Sur cette question, cf. p. 184, *NB* - 3 -.

2

les voix
les verbes auxiliaires
et semi-auxiliaires

I - LES VOIX

On appelle *voix* les façons dont le verbe est utilisé : on parle alors de voix *active* (sujet agent), *passive* (sujet patient) ou *pronominale* (sujet agent et patient). A ces trois catégories on ajoute les *verbes impersonnels* et la *forme (construction) impersonnelle* qui ne constituent pas à proprement dire une voix, mais impliquent un type particulier d'utilisation du verbe.

A - Voix active et voix passive

1. Caractéristiques réciproques

Soit les deux phrases suivantes :

> « Femme tu mets au monde un corps toujours pareil
> Le tien » (P. Eluard).

> « La place de la Concorde est soudain envahie par la foule » (J. Dutourd).

Dans la première phrase, dont le verbe est à la voix active, le sujet fait l'action *(mets au monde)* qui se trouve considérée à partir de l'agent du procès *(tu)*. Dans la seconde phrase, dont le verbe est à la voix passive, le sujet subit l'action *(est envahie)* qui se trouve considérée à partir de l'objet du procès *(la place de la Concorde)* ; le sujet apparaît dans un état résultant d'une action.

Mais là ne réside pas la seule différence. Dans la phrase à la voix active, on s'intéresse à *une femme*, dans la phrase à la voix passive, on s'intéresse à *une place*. Si l'on retourne ces phrases, le sujet sur lequel porte l'intérêt n'est plus le même : « un corps est mis au monde » / « la foule envahit la place ». Ces constructions ne sont donc pas synonymes.

Une autre observation montre la différence entre les deux tours. Dans la construction passive, le sujet agissant *(la foule)* passe tout à fait au second plan, et *place de la Concorde* occupe le premier plan. Cela est si vrai qu'il peut arriver que l'agent soit totalement omis comme secondaire, en tout cas pas nécessaire au sens de la phrase :

> « Je ne veux pas *être enfermée*, je ne veux pas *être battue* » (R. Vailland).

Il n'y a pas d'agents; R. Vailland les a supprimés dans la mesure où ils n'intéressaient pas et où, en revanche, c'était le *je*, sujet grammatical, qui constituait le centre d'intérêt. De même :

> « La corbeille *fut* vite *vidée*... » (A. Gide).

Par qui ? peu importe, ce qui compte c'est que *corbeille* en tant que sujet « agi » soit mis en valeur.

Il est donc bien clair que les deux tours ne sont pas identiques et qu'on emploiera l'actif pour la mise en relief du sujet agissant et le passif quand on estimera secondaire le sujet agissant.

> *NB :* Pour ce qui concerne l'utilisation du passif, on peut mettre à cette voix, en principe, tous les verbes transitifs directs. Mais il faut noter que parfois on ne peut tourner de tels verbes par le passif : « M. X... a perdu son épouse. » Les verbes transitifs indirects ne peuvent s'employer à la voix passive sauf *obéir, désobéir, pardonner* (cf. p. 185, *b*); comparer : « je doute de sa parole » et « vous serez obéi ». Les verbes intransitifs, de même, ne peuvent avoir de passif : *aboyer, dormir, périr*, etc., mais certains d'entre eux peuvent se tourner au passif lorsqu'ils sont pris transitivement (cf. p. 22, B) : « Cette situation est vécue quotidiennement. » Quant aux verbes pronominaux, ils ne peuvent jamais s'employer au passif.

2. De *et* par + *complément d'agent*

La voix passive pose le problème du complément d'agent et des prépositions qui l'introduisent (cf. p. 200-203). Le complément d'agent indique par qui ou par quoi l'action est accomplie, l'animé ou l'inanimé qui agit, et il peut être introduit par deux prépositions en concurrence : *de* et *par*. Ces deux prépositions ne s'emploient pas indifféremment, mais leur exacte distribution dans l'emploi constitue une grosse difficulté de la langue française et un problème qui divise les grammairiens.

En général, *par* s'emploie plutôt après un verbe exprimant une action matérielle ou morale momentanée :

> « Cette apparition, qui *fut saluée par un murmure d'extase*, ne fit qu'ajouter à la solennité du festin » (M. Tournier).

On ne peut concevoir l'action *(fut saluée)* comme ininterrompue, permanente. Elle n'a pu avoir lieu que ponctuellement.

En revanche, *de* s'emploie plutôt après un verbe exprimant un état, matériel ou moral, durable. Le sens du verbe s'est affaibli et exprime un état résultant de l'action subie, continu, permanent; la valeur du participe passé est proche de celle de l'adjectif :

> « La phrase française *est composée d'une série de membres phonétiques* » (P. Claudel).

Une autre distinction subtile établit que *de* est employé quand l'agent est interne, *par* quand l'agent est externe :

> « Elle s'étira, puis essuya son front *mouillé de sueur* » (G. Apollinaire).

> « Le cor qui ne résonne que *touché par des lèvres pures...* » (E. Renan).

On peut observer aussi que *de* s'emploie souvent avec les verbes pris au sens figuré et *par* avec les verbes pris au sens propre :

> « Sur la terre *gercée de douleurs*
> Un visage éclaire et réchauffe les choses dures » (P. Reverdy).

> « La lettre *fut saisie par une de ces dames* » (F. Mauriac).

Ou que *de* s'emploie souvent avec les verbes de sentiment et *par* avec les verbes de sens concret :

> « Je reconnais qu'en général *tu étais toujours estimée et souvent même aimée de ces gens* qui méprisent les maîtres faibles » (F. Mauriac).

> « Leurs mouvements comme leurs mimiques *sont figés par le dessin* » (A. Robbe-Grillet).

NB : Historiquement, *de* était généralement plus employé que *par* pour introduire le complément d'agent, et dans des constructions que n'admet plus la langue d'aujourd'hui :

> « Je suis vaincu *du temps* » (Malherbe).

> « J'étais tourmenté *de la muse* » (Chateaubriand).

Mais aucun usage bien strict n'a jamais prévalu. Aujourd'hui, la préposition *par* a tendance à l'emporter, étant sentie comme plus signifiante que *de*, devenue dans bien des emplois un simple outil grammatical. De toute façon, cette question fait problème et constitue une difficulté à la résolution incertaine. Sur le complément d'agent, cf. *le complément*, p. 200, C.

B - Voix pronominale

Certains considèrent cette voix comme un cas particulier de la voix active. On la reconnaîtra comme troisième voix, appelée aussi *réfléchie* ou *moyenne*.

On dit qu'un verbe est à la voix pronominale quand il est conjugué avec un pronom qui le précède (sauf à l'impératif : « tais-toi »), de la même personne que le sujet et représentant le même être ou la même chose que le sujet (ce peut être l'un ou l'autre des pronoms *me, te, toi, se, nous, vous*).

Mais il ne s'agit là que d'une définition extérieure, purement morphologique. Elle ne tient pas compte du sens, qui permet d'établir un classement distinguant trois grandes catégories : les pronominaux *réfléchis*, les pronominaux *non réfléchis* (ou *subjectifs* ou *faux réfléchis* ou *simplement pronominaux* ou *de sens lexicalisé*, c'est-à-dire dont le sens doit figurer au lexique) et les pronominaux *réciproques*, qui ne sont, en fait, qu'une variété des pronominaux réfléchis dont ils ne se distinguent que par le sens.

1. Pronominaux réfléchis

On dit qu'un verbe pronominal est réfléchi lorsque l'action qu'il exprime et qui est faite par le sujet revient (se réfléchit) sur le sujet; le pronom *me, vous*, etc., a une fonction définie : il représente comme objet direct ou indirect le sujet de l'action et, dans l'analyse, il est distingué de la forme verbale :

> « A peine un futur clairon *s'exerçait-il* dans les jardins lumineux sur un clairon d'argent » (J. Giraudoux).

> « Il saisissait avec un art subtil toute occasion de *se nuire* » (A. France).

2. Pronominaux non réfléchis

On dit qu'un verbe pronominal est non réfléchi lorsque le sujet ne fait pas réellement l'action sur lui-même. Le pronom conjoint *me, vous*, etc. — appelé aussi *agglutiné* ou *censément préfixé* — fait corps avec le verbe, ne peut s'analyser et marque seulement que le sujet est intéressé par l'action. Dépourvu de fonction grammaticale, le pronom conjoint est inséparable de la forme verbale qu'il accompagne et avec laquelle il forme un tout. On a affaire à une sorte de gallicisme, d'idiotisme : *s'endormir, se hâter, se moquer, se promener, se repentir, se souvenir*, etc. Aucun de ces verbes ne doit se confondre avec un réfléchi. On ne peut analyser ainsi « je me promène = je promène moi », même si, en remontant à l'étymologie ou à un état ancien de la langue, on trouve un sens réfléchi (de même avec *s'effrayer, se tromper*, etc.). Aujourd'hui, ces verbes ne sont plus du tout sentis comme réfléchis :

« On ne m'épargne aucune des hésitations du personnage : sera-t-il blond, comment *s'appellera-t-il* ? » (A. Breton).

« Les rires *se turent* aussitôt » (M. Aymé).

Parmi les non-réfléchis, il en existe qui ne s'emploient qu'à la forme pronominale : appelés *essentiellement pronominaux*, ils s'opposent aux non-réfléchis *accidentellement pronominaux*. Si à *s'endormir* correspond *endormir* ou à *se rappeler*, *rappeler*, il n'en est pas de même pour *se repentir* ou *se souvenir* auxquels ne correspondent pas de verbes *repentir* ou *souvenir* :

> « Il y a déjà trois ans qu'on a parlé de son décès. Je *m'en suis souvenu* par association d'idées! » (E. Ionesco).

Certains non-réfléchis peuvent avoir le même sens qu'un verbe passif. Cet usage est fréquent. Il ne se rencontre pratiquement qu'à la troisième personne et l'agent, implicite, n'est jamais indiqué (cf. passif sans CA, p. 26). Le sujet est généralement un inanimé, très rarement un animé :

> « Le domaine d'Ortello *se découvrait* de loin au flanc d'une colline raide » (J. Gracq).

> « La confiance *ne se décrète pas* » (F. Mauriac).

NB : - 1 - Dans un état ancien de la langue, et jusqu'au XVIIe siècle, le pronominal employé à la place du passif pouvait avoir un complément d'agent introduit par la préposition *par* :

> « L'autorité du gouverneur, qui doit être souveraine sur lui, *s'interrompt et s'empêche par la présence des parents* » (Montaigne).

> « Les meilleures actions *s'altèrent et s'affaiblissent par la manière* dont on les fait » (La Bruyère).

- 2 - Les non-réfléchis peuvent être transitifs *(se rappeler quelque chose | se fier à quelqu'un)* ou intransitifs *(se taire)*. Cf. p. 181, A.

3. Pronominaux réciproques

On dit qu'un verbe pronominal est réciproque quand plusieurs personnes ou plusieurs choses font l'action les unes sur les autres : l'action est accomplie et subie par chacune. Le pronom signifie « l'un l'autre », « les uns les autres » ou « l'un à l'autre », « les uns aux autres ». Ces verbes se rencontrent surtout au pluriel (au singulier avec *on* ou collectif sujets : « on / la troupe se bat ») :

> « Pour ses yeux *les corps de bâtiments se bousculent* autour de la cour » (L. Aragon).

> « Alors, pendant de longues heures, pendant des journées entières, *ils ne se parlaient plus* » (G. Pérec).

Cette forme n'est parfois pas très claire et l'on pourrait se demander si l'action est réciproque ou simplement réfléchie :

« Ils *se regardaient*, ils *se trouvaient* laids » (G. Pérec).

Chacun des protagonistes observe-t-il et juge-t-il l'autre ou lui-même ?

Pour remédier à cette ambiguïté, lorsque le contexte ne permet pas de rancher de façon évidente, le français renforce éventuellement la valeur réciproque du pronominal par *l'un l'autre, entre eux, mutuellement*, etc. :

« Ils *s'étaient embrochés mutuellement* » (J. Anouilh).

NB : - 1 - En français moderne, le verbe pronominal se conjugue aux formes composées avec l'auxiliaire *être* (« je me suis coupé », « elle s'est évanouie »). Au Moyen Age, on employait également l'auxiliaire *avoir*, mais avec une nuance différente : « Je m'ai coupé (aoriste) / je me suis coupé (terminatif, état résultant d'une action) », cf. l'opposition « j'ai vieilli / je suis vieilli ». En ne gardant que l'auxiliaire *être*, le français a sacrifié une nuance, mais simplifié la morphologie. Aujourd'hui, l'emploi de *avoir* est une grave impropriété (cf. le langage enfantin : *je m'ai coupé, *je m'ai servi).

- 2 - Après le semi-auxiliaire *faire* (et aussi *envoyer, laisser, mener*) le pronominal infinitif perd théoriquement son pronom. Cette norme a été respectée jusqu'au XIXᵉ siècle :

« On *menait* les écoliers *baigner...* » (Chateaubriand).

Mais, depuis la fin de ce siècle, la tendance est de maintenir le pronom malgré l'avis des puristes. Ainsi s'opposent deux constructions :

« Dis-moi quelle fut la chanson
Que chantaient les belles sirènes
Pour *faire pencher* des trirèmes
Les Grecs qui lâchaient l'aviron » (M. Jacob).

« On la *fit s'asseoir* » (B. Pingaud).

Il faut reconnaître qu'il est souvent impossible de supprimer le pronom, sauf à donner un autre sens au verbe ou à rendre inintelligible la phrase :

« *Laisse* les autres *se débrouiller* tout seuls ! » (A. Salacrou).

L'effacement du pronom ôterait tout sens à cette phrase.

C - Verbes impersonnels et forme (construction) impersonnelle

Il s'agit de verbes ou locutions verbales qui s'emploient à la troisième personne du singulier précédée de *il*, éventuellement *ça, ce* et même *cela*, sortes d'indices neutres de troisième personne du singulier.

On distingue les *verbes impersonnels* par essence et la *forme* (ou *construction*) *impersonnelle* où le verbe n'est impersonnel qu'occasionnellement.

1. *Verbes impersonnels*

a | *Valeur et emploi général*

Ces verbes rendent compte pour la plupart de phénomènes atmosphériques, quelques-uns expriment des idées abstraites. Pour aucun d'eux le procès n'a d'agent : *il neige, il pleut, il tonne, il vente,* etc., et *il appert, il faut,* etc. :

« Tout le long de la maison court un trottoir de carreaux rouges très commodes quand *il pleut* » (Vercors).

« *Ça pleut* pourtant fort » (M. Proust).

« Tout ce qui est dans l'amour, dans le crime, dans la guerre, ou dans la folie, *il faut* que le théâtre nous le rende » (A. Artaud).

Le sujet, *il* le plus souvent, est vidé de son sens pronominal et est devenu un mot accessoire de genre neutre qui ne représente aucun agent. Comme les verbes impersonnels ne s'emploient qu'à la troisième personne du singulier, on les appelle aussi *unipersonnels*.

b | *Transpositions*

Certains verbes impersonnels peuvent s'employer au sens figuré et prendre un sujet nom propre ou commun :

« *Saint-Just tonne* contre les spectacles » (A. Camus).

« Les enfants grandissaient et *l'argent pleuvait* » (P. Jardin).

Utilisés essentiellement à la troisième personne du singulier, ces verbes pris au figuré peuvent, pour certains, se mettre aussi à une autre personne et même, exceptionnellement, passer en construction transitive :

« Eau, quand donc *pleuvras-tu* ? » (C. Baudelaire).

« Le plafond *pleuvait les pellicules* de ses plâtres » (G.-C. Huysmans).

Les verbes impersonnels peuvent parfois se faire suivre d'un *terme complétif* de leur sujet (on dit traditionnellement non pas « terme complétif », mais « sujet réel », le terme précédant le verbe étant alors « sujet apparent », cf. sur cette question *sujet*, p. 99, - 3 -). On trouve cette construction dans le langage familier : « il pleut des cordes, des balles », etc., mais aussi en langue littéraire :

« Il pleut *de l'horreur*, il pleut *du vice*, il pleut *du crime* » (V. Hugo).

De l'horreur, du vice et *du crime* sont termes complétifs du sujet *il*.

2. Forme (construction) impersonnelle

A côté des verbes par essence impersonnels, il existe, ce qui est autre chose, la *forme* (ou *construction*) *impersonnelle*. Dans cette tournure, des verbes et des locutions verbales se construisent impersonnellement.

a | Verbes

Ces verbes sont essentiellement des verbes intransitifs, parfois des transitifs, mais seulement à la voix passive ou pronominale pour les transitifs directs ou doubles. Tous sont alors suivis d'un terme complétif du sujet, nom, pronom, infinitif ou proposition complétive par *que* :

> « *Il flotte* quelque part un parfum de cytises » (L. Aragon).

> « *Il apparut* à tous qu'au centre de l'arène une puissance souveraine agissait » (H. de Montherlant).

> « *Il leur est interdit* de circuler du côté des lignes » (R. Dorgelès).

b | Locutions

Elles sont formées sur *être* + adjectif : *il est beau, il est constant, il est raisonnable*, etc., le terme complétif étant un infinitif ou une complétive par *que* :

> « *Il est inconcevable* que nous soyons encore entiers » (A. de Saint-Exupéry).

et sur *faire* + adjectif ou substantif, les locutions indiquant le plus souvent des conditions atmosphériques : *il fait beau, il fait (du) soleil, il fait du vent*, etc., et ne pouvant se faire suivre d'un terme complétif, sauf certaines comme *il fait bon vivre* :

> « *Il fait nuit* complète » (J. Romains).

II - LES VERBES AUXILIAIRES
ET SEMI-AUXILIAIRES

On appelle auxiliaires et semi-auxiliaires (lat. *auxiliaris* « qui aide ») des verbes qui, en dehors de leur sens et de leur emploi normaux, aident à conjuguer d'autres verbes eux-mêmes au participe passé ou à l'infinitif — exception faite de *aller*. Ainsi, en composition, ces verbes deviennent des auxiliaires ou semi-auxiliaires de temps, de mode ou d'aspect, sortes d'éléments d'appui morphologique.

Les plus répandus dans la langue française sont les auxiliaires *être* et *avoir*, toujours auxiliaires de temps et ne pouvant accompagner qu'un participe passé. Ces verbes sont purement auxiliaires dans la mesure où ils perdent toute signification propre en composition avec un participe passé, surtout *avoir*.

Les semi-auxiliaires, nombreux mais moins fréquemment utilisés, gardent une partie de leur sémantisme quand ils servent à conjuguer un autre verbe, ce qui interdit d'en faire de simples auxiliaires comme *être* et *avoir*. Ils servent à rendre des valeurs temporelles, modales et aspectuelles et ne se construisent qu'avec l'infinitif et aussi le gérondif ou le participe présent pour *aller*. On les appelle semi-auxiliaires de temps, de mode ou d'aspect.

A - Auxiliaires *être* et *avoir*

1. Etre

Comme auxiliaire, *être* permet de former les temps composés :

a | du verbe à la voix passive

— Présent :

> « Mais je *suis bien nourri* aussi, dit le chat » (B. Vian).

— Futur :

> « Le Bien, la Liberté, la Morale *seront rétablis* à brève échéance » (P. Modiano).

— Passé :

> « Je *n'étais pas flattée* du tout qu'on m'en parlât » (M. Proust).

> *NB : Etre* est ici amphibologique car il ne perd pas complètement sa valeur de verbe copule. Opposer « Il est aimé / il est parti. » La construction paraît plus soudée avec le complément d'agent : « Il est aimé de ses parents. »

b | des verbes pronominaux

— Réfléchis :

> « Je *me suis rarement perdu de vue* » (P. Valéry).

— Non réfléchis :

> « Je *me suis vite rendu compte* que le destin doit agir seul » (J. Cocteau).

— Réciproques :

> « Ils *s'étaient embrochés mutuellement* » (J. Anouilh).

c | de quelques verbes intransitifs exprimant le mouvement : aller, arriver, entrer, etc.

> « Quel mal jamais *fût venu* par-dessus un espalier mitoyen ? » (Colette).

ou un changement d'état : devenir, mourir, naître, etc.

> « Etouffer et souffrir *était devenu* pour lui comme un état second, voler aussi » (L.-F. Céline).

Il faut se garder de confondre le passé composé de ces verbes avec un présent passif.

2. Avoir

Comme auxiliaire, *avoir* permet de former les temps composés :

a | des verbes transitifs

— Transitifs directs :

> « J'*avais poussé une exclamation* et Mme Pragen *m'avait regardé* » (P. Drieu La Rochelle).

— Transitifs indirects :

> « Quand notre metteur en scène *a pensé à vous* pour ce travail, parlons sans détour, je ne vous connaissais pas » (F. Mallet-Joris).

— Transitifs doubles :

> « Mon poème sans moi en soi-même se pense,
> luxure *dont il m'a privé* » (A. Bosquet).

b | du plus grand nombre des verbes intransitifs

> « Au mur du fond, une glace *avait volé en éclats* » (R. Martin du Gard).

c | de avoir et être

> « Il s'approcherait de Weil et lui dirait : "Excusez-moi, j'*ai eu* un malaise" » (J.-P. Sartre).

> « Il *a été* jeune, il *a été* apprenti, lui aussi » (E. Dabit).

NB : Certains verbes se conjuguent soit avec *être*, soit avec *avoir*. Ou bien il s'agit de verbes qui peuvent s'employer intransitivement avec *être* et transitivement avec *avoir* :

> « Va-t-en, à cette heure, car ton rôle *est fini* » (G. Apollinaire).

> « Il *avait fini son service*, il était revenu l'automne dernier » (C. Rochefort).

Ou bien on veut marquer l'état qui résulte de l'action avec *être*, aspect terminatif, ou simplement une action passée avec *avoir* (mais l'usage, flottant, préfère *avoir* quand le souci de marquer l'état n'est pas primordial) :

> « C'est encore le thème d'un romancier dont le premier livre *est paru* l'an dernier » (M. Druon).

> « Au mois de juin 1857, le volume des *"Fleurs du mal"* *a paru* » (E. Henriot).

Ou bien il y a changement de sens du verbe : *être demeuré* « rester » / *avoir demeuré* « habiter » (« Il est demeuré seul / il a demeuré à Paris »).

B - Semi-auxiliaires

Uniquement suivis d'un infinitif, sauf *aller*, ils concourent à former une périphrase verbale exprimant des valeurs de temps, de mode ou d'aspect que le verbe seul, quel que soit son temps ou son mode, n'est pas en mesure de rendre. Voici des emplois caractéristiques.

1. Semi-auxiliaires de temps

a | Futur

Devoir peut servir à exprimer la postériorité pure et simple :

> « Et tu m'as dit que tous nous *devons mourir* » (F. Arrabal).

Aller, de même des locutions comme *être sur le point de*, *être près de*, indique un futur prochain ou très prochain :

> « Mais votre charme sera le plus fort. Tout *va s'écrouler*. Je *vais me noyer* en vous » (J. Audiberti).

b | Passé

Venir de, *ne faire que de* expriment un passé récent ou très récent :

> « Mais le dialogue *venait de changer* » (A. Malraux).

2. Semi-auxiliaires de mode

a | Action obligatoire, probable, souhaitable

Ces modalités sont exprimées par *devoir* :

> « Il *ne doit point y avoir* de différences essentielles entre le roman et le récit naturel des choses que nous avons vues et entendues » (P. Valéry).
> • Obligation.

> « Il *doit se faire tard* déjà » (J. Gracq).
> • Probabilité.

b | Action possible, éventuelle, souhaitée mais au subjonctif

Ces modalités sont exprimées par *pouvoir* :

> « Je concevais mal qu'on *pût jouer* devant des inconnus, à heure fixe, pour un salaire versé d'avance » (M. Yourcenar).
> • Possibilité.

> « Il *pouvait être* onze heures du soir » (J. Gracq).
> • Eventualité.

> « O *puissions-nous ne pas refuser* nos yeux à l'étoile qui brille dans la nuit profonde » (J. Gracq).
> • Souhait.

3. Semi-auxiliaires d'aspect

a | Aspect inchoatif

Commencer à, se mettre à expriment le début de l'action :

> « Je la fixais du regard sans la saluer, ni réussir qu'à l'irriter davantage et à faire qu'elle *commençât* en plus *à me trouver* insolent et mal élevé » (M. Proust).

b | Aspect duratif

Etre en train de, être à (archaïque) expriment que l'action est en cours de développement :

> « Si je feins d'accepter une autre existence que la mienne, c'est que j'ai l'impression qu'elle *est en train de se décomposer* » (P. Sollers).

Aller, s'en aller est le seul semi-auxiliaire à se construire avec le participe présent ou le gérondif. Il indique alors la continuité ou la progression de l'action, c'est-à-dire l'aspect duratif ou progressif. Cette très ancienne construction se rencontre encore souvent dans la langue contemporaine littéraire, essentiellement avec le participe présent :

> « Et l'attelage imaginaire s'engouffre dans une faille qui s'ouvre, qui *va s'élargissant* toujours davantage au flanc du roc » (A. Breton).

> « Le chevalier aux Demoiselles avait tout deviné, et maintenant *s'en allait cornant* pour susciter l'aventure » (G. Apollinaire).

c | Aspect conclusif

Finir de, cesser de expriment la fin de l'action :

> « Au moment où elle *cesse de croire* à la force de l'homme, l'homme, de son côté, ne croit plus à la faiblesse de la femme... » (J. Giraudoux).

NB : Une remarque importante s'impose à propos de la construction négative des semi-auxiliaires *devoir, pouvoir, savoir*, etc. Ces verbes étaient sentis dans l'ancienne langue, et jusque dans la langue classique, comme si étroitement liés à l'infinitif complément qu'on répugnait à rompre avec la seconde partie de la négation l'ensemble phraséologique semi-auxiliaire + infinitif. « Je ne peux dire » était préféré à « je ne peux pas dire ». L'effacement de *pas* permettait de préserver intacte la périphrase. D'où des phrases de ce type :

> « Je m'en retourne demain à Saint-Germain prendre congé, ce que je *ne pus faire* dernièrement » (Malherbe).

Et ces constructions se trouvaient conservées même quand ces verbes n'étaient pas à proprement parler utilisés comme semi-auxiliaires :

> « Je *ne sais* à quel jeu je l'ai perdu » (C. Sorel).

Une autre conséquence de cette unité de la périphrase verbale se voit dans la place qu'on attribuait au pronom personnel complément jusqu'au xviie siècle. Toujours pour ne pas séparer le semi-auxiliaire de son infinitif, le pronom complément était rejeté devant la périphrase (cf. p. 192, *NB*) :

> « Enfin non seulement les astres de la province, mais ceux de la Cour *lui devaient céder* » (La Fontaine).

Mais dès le xviie siècle, cette construction est battue en brèche et concurrencée par la construction moderne où le pronom complément se place entre le semi-auxiliaire et l'infinitif :

> « Je *veux vous demander* par occasion comme vous vous portez d'être grand-père » (Mme de Sévigné).

L'effacement de la seconde partie de l'adverbe négatif et l'antéposition du pronom dans ces périphrases verbales ne sont plus aujourd'hui que le signe d'un niveau de langue soutenu, principalement écrit :

« Ménalque parla longtemps; je *ne puis rapporter* ici toutes ses phrases » (A. Gide).

« Mère, parle-moi. Ma langue glisse sur nos mots sonores et durs. Tu *les sais faire* doux et moelleux comme à ton fils chéri d'autrefois » (L. S. Senghor).

3 les modes et les temps

Généralités

Le *mode* est la façon dont on envisage le procès, non pas dans la chronologie, sauf pour l'indicatif, non pas dans son déroulement, c'est l'affaire des aspects, mais dans sa tonalité psychologique. Le mode, en somme, exprime la façon dont le sujet considère l'énoncé, les différentes manières dont il conçoit et présente le procès (on sait que le mot vient du latin *modus* = « manière »).

Le *temps* situe le procès dans une des époques de la chronologie : le passé, le présent ou l'avenir. Seul l'indicatif est apte à ranger le procès dans une de ces trois époques, c'est-à-dire à l'actualiser. Les autres modes possèdent bien des temps selon la terminologie traditionnelle. Mais pour le subjonctif ou l'impératif, la notion de temps est beaucoup plus syntaxique que psychologique. Quant à l'infinitif et aux formes en *-ant* du participe et du gérondif, cette notion de temps en est complètement absente.

L'indicatif est donc le seul mode qui propose un ensemble de temps au sens propre du terme, se distinguant en cela des autres modes et s'y opposant puisqu'ils ne bénéficient pas de cette propriété.

Cette notion de temps propre à l'indicatif doit être sentie et appréciée avec soin et prudence : la représentation spontanée qu'on a de la chronologie se révèle souvent trompeuse. Il est ainsi fallacieux de vouloir classer sans réserves les formes de l'indicatif en « passées », « présentes » ou « futures » et ses diverses formes ne peuvent se réduire à une répartition aussi mathématique. Ainsi, différencier rigoureusement passé et présent serait une erreur tant philosophique que psychologique. Le passé exprime bien le temps déjà écoulé et, théoriquement, le présent ne devrait indiquer que le moment actuel où s'accomplit le procès. Mais le présent exprime aussi du temps qui s'écoule au moment où il est articulé. En sorte que passé comme présent appartiennent tous deux à notre expérience. Quant au futur, dans la mesure où rien ne prouve que le fait s'accomplira, il ne représente rien d'autre qu'une construction de l'esprit. Mais cette projection sur l'avenir est faite à partir du présent : « je t'écrirai » équivaut sur le fond à « j'ai *en ce moment* l'intention de t'écrire ». La grammaire historique et la morphologie rappellent d'ailleurs qu'à l'origine le futur s'est construit sur la réunion de la forme simple de l'infinitif et du présent du verbe avoir *(scribere habeo)* et cette structure est significative. L'appréciation exacte de la notion de temps est donc délicate et la vigilance s'impose en face de ces présents qui expriment le passé, de ces futurs qui ne préjugent en rien d'un fait à venir ou de ces passés qui couvrent l'ensemble de la chronologie, temps verbal et temps chronologique ne coïncidant pas nécessairement (à l'ambigu « temps verbal », on préfère souvent « tiroir verbal »).

On examinera d'abord l'indicatif et ses temps parmi lesquels on rangera le conditionnel (cf. p. 56, I) : ce mode est le seul qui possède à la fois des personnes et des temps, c'est-à-dire que c'est un mode *personnel* et *temporel* et on considérera tout spécialement son fonctionnement sous l'angle des temps. Ensuite, on examinera l'impératif et le subjonctif qui ont des personnes mais n'expriment pas le temps, c'est-à-dire qu'ils sont des modes *personnels non temporels*. Enfin, on examinera l'infinitif, le participe et le gérondif qui n'ont ni personnes ni temps, c'est-à-dire qu'ils sont des modes *non personnels* et *non temporels*.

I - L'INDICATIF, MODE PERSONNEL ET TEMPOREL

Observations

Seul l'indicatif, parce qu'il situe le procès dans une des époques de la chronologie, présente une notion du temps qui correspond bien à une réalité. Mais il est fautif d'en faire le mode du « réel » ou de « l'action objectivement constatée ». S'il est vrai qu'une action peut être réelle et objectivement constatée : « Il a fait beau hier », « L'enfant lit un livre », il est patent qu'un énoncé à l'indicatif peut tout aussi bien être aléatoire : « Demain, il pleuvra », ou manifestement invraisemblable : « Des extra-terrestres ont sculpté les statues de l'île de Pâques », ou faux : « La France est un continent. » L'indicatif peut, certes, exprimer une réalité constatable, mais son seul rôle est de *poser chronologiquement le procès comme certain* : l'interprétation de la réalité ou non du procès est une opération mentaliste qui ne concerne pas le fonctionnement de l'indicatif en tant que mode (cf. p. 63, - 3 -).

L'étude des temps de l'indicatif conduit fréquemment à étudier leur opposition. Cette confrontation entre les diverses formes que propose ce mode permet de nombreux effets stylistiques fondés sur les décalages temporels.

A - Le présent

On sait qu'il ne peut se réduire dans sa définition à l'expression du seul moment actuel. Il se trouve en mesure d'exprimer de nombreuses nuances en dehors de cette valeur de base, quoiqu'elle soit principale.

1. Valeur de base et emploi général

Sur le plan intellectuel, le présent indique que tel événement se produit dans le temps même de l'élocution. On l'appelle *présent momentané* :

> « Jules. — Nous voici face à face, enfin !
> Roussel. — Oui et, je *crains* bien, trop tard, et je le *regrette*, car je n'hésiterai pas à le dire ici, je vous *estime*, Durand » (A. Salacrou).

On appelle aussi ce présent *actuel, instantané, logique* ou *vrai*. Il déborde plus ou moins le moment ponctuellement actuel. Quand A. Salacrou écrit *je crains, je le regrette, je vous estime*, le procès enveloppe une tranche de passé et une tranche de futur dans la mesure où l'action est bien présente, mais est en train de s'accomplir au moment où on l'énonce. A l'extrême, le procès débordant nettement l'actualité, ce que marquent des indicateurs temporels, on a le *présent élargi* : « Je *travaille depuis un mois | jusqu'à demain.* »

2. Emplois particuliers

a | Habitude ou répétition

Le procès est appréhendé comme suffisamment élargi et allant suffisamment en deçà et au-delà du moment présent. Il est perçu à la fois comme présent, passé et futur et comme se répétant régulièrement mais dans une durée limitée :

> « Je *me lève* chaque matin à huit heures » (R. Vailland).

> « Nous sommes allés dans un hôtel, près de la gare Saint-Sylvestre, un de ces hôtels où les femmes de chambre ne *prêtent* guère attention aux couples qui *se succèdent* » (M. Aymé).

b | Vérité générale

Un fait se trouve alors considéré comme vrai quel que soit le moment (présent, passé ou futur) et sans limitation de durée. L'action s'accomplit continuellement ou se répète perpétuellement. Le présent indique un fait permanent, une vérité d'ordre général. C'est le présent qu'on trouve dans les préceptes moraux, les maximes et les proverbes, l'énoncé de faits d'expérience :

> « L'amitié *est* ingénieuse et *se rit* des obstacles » (A. France).

« Pour faire un œuf, il *faut* une poule, mais, une fois qu'on *a* la poule, on *peut* avoir des tas d'œufs. Il *vaut* donc mieux commencer par la poule » (B. Vian).

dans les énoncés scientifiques posant des constantes mathématiques, physiques, géographiques, etc. :

« Tout corps plongé dans un fluide *éprouve* de bas en haut une poussée verticale égale au poids du fluide déplacé » (principe d'Archimède).

« A l'endroit où les fleuves *se jettent* dans la mer il *se forme* une barre difficile à franchir et de grands remous écumeux » (B. Vian).

On appelle aussi ce présent *d'expérience*, *de permanence*, *intemporel*, *omnitemporel* et aussi *éthique*, *gnomique*, particulièrement quand il s'agit d'énoncés sentencieux.

Il convient d'avoir à l'esprit que ce présent peut se rencontrer après une principale au passé dans une subordonnée où se trouve exprimé un fait vrai en tout temps. M. Jacob vient d'évoquer les débits de tabac belges où les pipes sont rangées en forme d'éventail :

« Un enfant belge m'*a dit* que les ailes du diable *sont* ainsi » (M. Jacob).

Le fait exprimé dans la subordonnée est considéré comme une vérité de croyance échappant à la prise du temps. Le verbe principal est certes au passé composé, mais une concordance des temps avec ce passé composé (*étaient* dans la subordonnée) aurait signifié qu'à l'époque du récit, et à cette époque seulement, le diable avait, pour l'enfant, des ailes en forme d'éventail.

c | Narration

Il sert à marquer un événement qui a eu lieu dans le passé, mais que l'on fait revivre en le montrant comme s'il se passait au moment où on le présente. Il permet, dans un récit, de dramatiser l'action, de faire ressortir tout ce qu'on veut mettre en relief, les faits les plus importants, en les distinguant des autres normalement évoqués à un temps du passé :

« D'où venait-elle [cette puissante joie] ? Que signifiait-elle ? Où l'appréhender ? Je *bois* une seconde gorgée où je ne *trouve* rien de plus que dans la première, une troisième qui *m'apporte* un peu moins que la seconde. Il *est temps* que je m'arrête, la vertu du breuvage *semble diminuer* » (M. Proust).

Au lieu de rester dans le passé, les faits essentiels sont présentés comme s'ils se déroulaient dans le moment même de la narration, comme sous nos yeux, et ils ressortent ainsi fortement. Les imparfaits ne présentent que les éléments généraux de la réflexion installés dans la durée et la concomitance. On pourrait comparer ce procédé aux moyens techniques utilisés en cinéma, les imparfaits équivalant au mouvement panoramique de la caméra, les présents à un effet de zoom, qui permet d'aller chercher dans un ensemble un élément qu'on veut mettre en évidence par un gros plan.

On appelle aussi ce présent *historique*.

On trouve parfois le présent dans une subordonnée relative après un verbe principal au passé. On a appelé ce présent *pittoresque*, mais il n'est au fond qu'une variété du présent historique. Toujours à la rime, c'est une licence poétique en faveur chez les Romantiques :

> « La déroute apparut au soldat qui *s'émeut* » (V. Hugo).

Il faut prendre soin de distinguer le présent historique du présent exprimant un événement qui se rapporte simplement à un passé récent :

> « Vous comprenez que je *sors* d'en prendre » (M. Proust).

d | Anticipation

Il provoque un effet de mise en relief identique au présent historique, mais cette fois en montrant comme actuel un événement futur. Appelé aussi *prophétique*, ou bien il marque un fait dont la réalisation est toute proche :

> « A l'aube, comme tu sais, nous *attaquons* le Palais » (J. Genet).

ou bien il fait vivre par avance en pensée un événement futur important ou dramatique, souvent présenté comme conséquence directe d'un autre événement :

> « Le temps de mettre en ordre mes affaires, je *m'enferme* sans retour au couvent de Saint-Barnabé » (H. de Montherlant).

Un usage particulier du présent le fait utiliser avec valeur de futur après *si* introduisant une hypothèse à laquelle on attribue une quasi-valeur de certitude, la principale étant elle-même au futur :

> « Mais derrière ce que tu dis, je vois s'annoncer un despotisme qui, s'il *s'installe* jamais, fera de moi un assassin » (A. Camus).

Il s'agit d'une hypothèse pure et simple, la réalisation de la condition entraînant la réalisation du fait marqué par la principale, cf. *hypothétique*, p. 305, *a, - b -*.

NB : Le présent se rencontre sous une forme figée dans les présentatifs *c'est... que, qui,* etc., et dans beaucoup d'expressions : *est-ce que, si ce n'est que, toujours est-il que,* etc., ou *il faut, comme il convient, on ne peut mieux,* etc. :

« Mais *le fait est que* M. l'abbé n'avait trouvé personne qu'il connût dans la liste » (L. Aragon).

« *Toujours est-il que* le centre de gravité de la civilisation s'est porté vers le nord-ouest de l'Europe » (A. Siegfried).

Mais, dans certaines de ces tournures où la lexicalisation est moins prononcée, le verbe, par attraction avec le temps principal, peut sortir de son figement :

« Le vacarme des ateliers d'autrefois était certainement plus pénible, [...]. *C'était lui qui* ressemblait à une catastrophe perpétuelle » (J. Romains).

B - L'imparfait

1. Valeurs de base et emploi général

C'est un temps difficile à interpréter. Les avis des grammairiens diffèrent sensiblement selon le point de vue où ils se placent.

Ainsi certains récusent la distribution de l'imparfait en de nombreuses variétés. Une grande partie de celles-ci serait fondée en fait sur des interprétations stylistiques de contexte qui n'auraient rien à voir avec la valeur temporelle de ce temps. Mais la majeure partie des grammairiens se rangent à un avis différent.

D'un point de vue général, l'imparfait indique une action en train de se dérouler dans une portion du passé. C'est un « temps-ligne » (aspect inaccompli). On ne voit ni le début ni la fin de l'action ; celle-ci est en partie accomplie, mais non achevée à l'époque passée où elle se situe (*imparfait,* du lat. *imperfectum* = « non accompli parfaitement »). Le processus se déploie dans la durée indéfinie. *Durée* et *inachèvement* sont les valeurs de base de l'imparfait. Ces valeurs ressortent particulièrement quand ce temps se trouve confronté au passé simple ou composé :

« Ils prirent la direction de la jetée. Peu avant d'y arriver, l'odeur de l'iode et des algues leur annonça la mer. Puis ils l'entendirent.
Elle *sifflait* doucement au pied des grands blocs de la jetée et, comme ils les *gravissaient,* elle leur apparut » (A. Camus).

2. Emplois particuliers

C'est à ces valeurs de base que l'imparfait doit d'être utilisé dans de nombreux emplois dont voici les principaux :

a | Description

Il permet de montrer plusieurs actions ou états concomitants; il leur donne une relative permanence, les transforme en tableau ou en fait une sorte de toile de fond :

> « Le garçon s'approcha, nous servit. Il y *avait* dans la salle une odeur triste, dégradante, la nappe *était tachée* de rouge. Il *faisait* chaud » (G. Bataille).

b | Conséquence infaillible

Il indique un fait qui aurait pu se produire dans le passé mais qui ne s'est pas produit. Il se substitue à un conditionnel passé pour ôter au processus toute valeur éventuelle et dramatiser la conséquence exprimée par la principale, cf. p. 306 :

> « Si on n'avait pas couru ils *brûlaient* tous » (J. Giono).

> « Je n'avais qu'à presser sur la gâchette du fusil mitrailleur et il *pouvait* être sauvé! » (R. Char).

c | Atténuation

Appelé aussi *de politesse* ou *de discrétion*, il se substitue, dans le propos, à un présent trop brutal en repoussant ce qu'on dit dans le passé. Cet imparfait est surtout utilisé avec les semi-auxiliaires :

> « Je *voulais* vous dire... nous sommes bien peu dans le Sud » (J. Gracq).

d | Historique

Appelé aussi *narratif, pittoresque, de clôture, de rupture*, l'imparfait se substitue à un passé simple de récit. Il exprime une action qui s'est produite dans le passé, toujours précisée par une quelconque indication de temps, et que l'on étend en quelque façon dans la durée en en élargissant ainsi les conséquences :

> « Sans attendre la fin de la dernière course, il partit avec sa fiancée pour l'aérodrome du Bourget. A six heures, ils *arrivaient* à Londres, et à sept heures, ils *étaient mariés* » (M. Aymé).

e | Fausse simultanéité

Il exprime un futur prochain ou un passé récent par rapport à un autre fait passé conçu comme un point dans la chronologie. On a l'impression d'une concomitance entre les événements :

> « Je n'avais pas payé mon billet très cher et je me trouvais au dernier rang du paradis. Moins de cinq minutes et je *regrettais* ma faiblesse » (G. Duhamel).
> • Passé récent.

f | Hypocoristique

Appelé aussi *mignard*, il est essentiellement propre au langage parlé quand on s'adresse aux enfants à la troisième personne. En repoussant le processus dans un passé duratif, le locuteur prend en quelque sorte ses distances avec ses propres paroles et, en même temps, leur confère une forte amplitude chronologique :

« Comme elle *était* sage, cette petite fille! » (exemple oral).

g | Hypothèse

Il exprime un fait présent ou futur après *si* marquant l'hypothèse. Dans le cas de l'hypothèse relative au présent, l'imparfait situe le fait en dehors de l'actualité :

« Si c'*était* cela, la vie d'usine, ce serait trop beau » (S. Weil).

Dans le cas de l'hypothèse relative au futur, l'imparfait présente le fait comme incertain, simplement éventuel :

« Si je *faisais* Tonio sous-patron, il me prêterait peut-être la Mariette... » (R. Vailland).

Il peut, sans qu'il y ait de principale, exprimer alors le souhait :

« Si nous *allions*, quelque jour, cueillir des poisons délicieux en Mélanésie ? » (A. Villiers de L'Isle-Adam).

h | Discours indirect libre

On l'appelle aussi l'imparfait des *dires*. Il transcrit des propos qui seraient au présent de l'indicatif dans le discours direct. Il joue le rôle d'un présent dans le passé :

« Un jour j'interrogeai ma sœur avec un peu d'anxiété : *étais-je* définitivement laide ? » (S. de Beauvoir).

C - Le passé simple

1. Valeur de base et emploi général

Le passé simple, appelé aussi passé *défini* par opposition au passé composé, appelé aussi passé *indéfini*, indique qu'un fait ou une action sont entièrement achevés à une époque déterminée du passé. On voit le fait ou l'action du commencement à la fin de leur accomplissement et le passé simple ne marque aucun contact avec le présent. Ce temps n'indique ni continuité ni simultanéité par rapport à un fait passé. Il distingue dans le passé un ou des événements autonomes et nettement circonscrits et constitue un « temps-point » (aspect accompli) :

> « Bayangumay *descendit* en pleurant le petit escalier taillé dans le roc » (A. Schwartz-Bart).

L'emploi le plus général du passé simple, du fait qu'il montre l'action du début à la fin de son accomplissement, se rencontre dans la narration. Il est en effet apte à faire progresser le récit, à montrer la succession d'événements dont il permet de poser la réalité historique. C'est le temps même du récit :

> « L'homme *alla* vers le coffret et l'*ouvrit*. Il en *retira* douze objets brillants et cylindriques avec un trou au milieu, minuscule » (B. Vian).

L'imparfait, en revanche, par sa valeur aspectuelle d'inaccompli le faisant propre à rendre compte de la simultanéité, présente les faits comme dans un tableau continu : il est le temps par excellence de la description. Comme il n'est pas rare que l'imparfait et le passé simple se trouvent voisins dans les textes, la différence fondamentale qui les sépare n'en ressort que mieux :

> « Les champs n'*étaient* point noirs, les cieux n'*étaient* pas mornes.
> Non, le jour *rayonnait* dans un azur sans bornes
>   Sur la terre étendu,
> [...]
> Quand il *revit* ces lieux... » (V. Hugo).

Les imparfaits se mêlent et forment comme le fond d'un décor, le passé simple détache le fait ponctuel historiquement et chronologiquement circonscrit.

> *NB :* Il peut arriver qu'un événement d'une durée plus ou moins longue soit noté par le passé simple. Ce dernier n'en demeure pas moins un temps-point dans la mesure où il n'y a aucune idée de continuité. Le fait que la durée soit indiquée par un quelconque complément circonstanciel de temps ne change en rien la nature du passé simple :
>
> > « Un escalier sculpté dans le mur, et nous étions dans un couloir blanc puis au greffe, où nous *restâmes longtemps* en désordre avant qu'on nous retirât les chaînes » (J. Genet).

2. Emploi particulier

On peut noter un usage où le passé simple s'emploie comme peut s'employer le présent, avec une valeur intemporelle. C'est le passé simple à valeur de vérité générale. Il est toujours dans ce cas accompagné d'un adverbe de temps comme *jamais, toujours*, etc. On considère que l'action a souvent été constatée dans le passé et le présent et qu'on pourrait la constater dans l'avenir. Cet emploi venu du grec (aoriste gnomique) a aujourd'hui disparu :

> « Reprenez vos esprits; et souvenez-vous bien
> Qu'un dîner réchauffé ne *valut jamais* rien » (Boileau).

> « *Jamais* honteux *n'eut* belle amie » (proverbe).

Le passé simple, victime de sa morphologie et du goût qu'a le français pour les formes périphrastiques, est aujourd'hui en net déclin au profit du passé composé. On ne le rencontre plus dans la langue parlée, sinon par affectation d'archaïsme. Il subsiste mieux dans la langue écrite surtout littéraire où son usage demeure cependant limité aux première et troisième personnes.

D - Le passé composé

1. Valeur de base et emploi général

Le passé composé, appelé aussi passé *indéfini*, marque un événement du passé achevé au moment où on l'articule (aspect accompli des formes composées porté par le participe passé), mais encore en contact avec le présent : l'événement s'est produit dans un passé encore rattaché à l'actualité ou bien ses effets, encore nettement perçus, entrent en résonance avec cette actualité :

> « LE ROI. — C'est plein de toiles d'araignées dans ma chambre à coucher. Va donc les nettoyer.
> JULIETTE. — Je les *ai* toutes *enlevées* pendant que Votre Majesté dormait encore » (E. Ionesco).

Le nettoyage des toiles d'araignées remonte à un passé tout récent puisque Juliette a fait le ménage pendant le sommeil du Roi qui vient juste de s'éveiller.

> « Les morts sont là : ils n'*ont fait* qu'écrire, ils sont lavés depuis longtemps du péché de vivre et d'ailleurs on ne connaît leur vie que par d'autres livres que d'autres morts *ont écrits* sur eux » (J.-P. Sartre).

Les écrivains évoqués par J.-P. Sartre ont écrit en des temps anciens *(longtemps)*, mais leur souvenir persiste. Il vient jusqu'à nous grâce même à des écrivains disparus aussi *(d'autres morts)* mais dont l'œuvre assure le lien entre un passé éloigné et le présent. Il n'y a pas solution de continuité entre des événements lointains et l'actualité.

2. Emplois particuliers

Le passé composé peut avoir quelques emplois particuliers dont voici les principaux :

a | Vérité générale

Il peut exprimer un événement, un fait souvent constaté dans le passé et dans le présent et qu'on pourra constater dans l'avenir. C'est le passé composé à valeur de vérité générale. Il équivaut au présent intemporel, comme le passé simple qu'il tend à remplacer dans cet usage, et il est alors toujours accompagné d'un adverbe de temps qui en indique la portée générale comme *jamais, souvent, toujours* :

> « En fait, la guerre *a toujours été balancée* du primat de l'observation des règles qui répondent au souci d'une fin valable en elle-même, à celui du résultat politique espéré » (G. Bataille).

Sans qu'on puisse parler de valeur gnomique, mais dans un emploi rapproché, il exprime une vérité d'expérience. Il est également soutenu par un complément circonstanciel de temps notant la fréquence ou la durée :

> « J'*ai toujours voulu* me balader dans l'Ariège » (S. Beckett).

b | Expérience

Il peut exprimer un fait habituel ou répété ; c'est le passé composé d'expérience :

> « Oh! les applaudissements, ce bruit de grêle… Lorsqu'une fois on l'*a connu*, il est impossible de s'en passer » (A. Daudet).

c | Hypothèse

Il peut exprimer un fait à venir dans les subordonnées hypothétiques après *si*, dans lesquelles il équivaut à un futur antérieur :

> « Si je *ne l'ai pas rencontré* demain, je ne saurai que faire » (J. Cocteau).

NB : - I - Le français d'aujourd'hui ne distingue plus la valeur générale du passé simple et du passé composé, ou, plus exactement, substitue toujours, au moins dans la langue parlée courante, le passé composé au passé simple. Les nuances qui les séparaient ne sont plus nettement perçues comme au XVIIe siècle. Les grammairiens d'alors ont cherché à préciser avec rigueur la valeur respective de ces temps, en posant que le passé simple s'emploie quand la période où l'action s'est passée est entièrement écoulée et que le passé composé s'emploie quand cette période ne l'est pas encore — c'est-à-dire que le passé composé représente du temps encore « en flux », et que l'action se répercute sur le présent.

Ainsi, on employait théoriquement le passé simple si, entre le moment où l'on parle et le fait dont il est question, il y avait ne serait-ce que l'intervalle d'une nuit coupant nettement le moment de l'élocution du moment évoqué. Mme de Sévigné écrit donc correctement :

« Je *fus* hier au Buron. »

L'époque, *hier*, fait partie dans la chronologie de ce qui est complètement révolu et historiquement classé. Si le fait avait eu lieu dans la journée, elle aurait dû écrire : « Aujourd'hui, j'ai été au Buron. »

C'est pourquoi l'Académie a blâmé Corneille quand, dans *Le Cid*, il emploie le passé simple pour évoquer des faits qui n'ont pu avoir lieu que le jour du récit :

« Nous *partîmes* cinq cents, mais par un prompt renfort,
Nous nous *vîmes* trois mille en arrivant au port. »

Pour l'Académie, l'emploi du passé simple introduisait une entorse à l'unité de temps puisqu'il laissait entendre que les faits avaient eu lieu avant l'espace de temps imparti à une pièce de théâtre.

En réalité, il y a toujours eu des libertés prises avec cette règle. On peut même concevoir que l'emploi du passé simple, quand il aurait fallu théoriquement le passé composé, est motivé par le souci de montrer tout simplement un fait comme entièrement écoulé avant celui qui lui succède. Ce qui est sûr, en tout cas, c'est la nature particulière du passé composé perçu comme temps « en flux », et peu ou prou raccroché au présent. C'est bien ce que fait sentir Voltaire quand il écrit :

« La crainte *fit* les dieux, l'audace *a fait* les rois. »

Fit : au commencement des temps humains, *a fait* : depuis longtemps, certes, mais le fait rejoint l'actualité du locuteur.

Le français moderne n'emploie plus guère que le passé composé, il n'en conserve pas moins le souvenir de l'ancienne distinction. Employer le passé composé dans le récit à la place du passé simple pour lier de façon floue le passé et le présent, ou les événements passés entre eux, et interdire ainsi toute perspective chronologique nette, c'est bien ce que fait Camus dans *L'étranger* :

« Je *me suis retourné* une fois de plus : Pérez *m'a paru* très loin, perdu dans une nuée de chaleur, puis je ne *l'ai plus aperçu*. Je *l'ai cherché* du regard et j'*ai vu* qu'il avait quitté la route et pris à travers champs », etc.

- 2 - Un emploi propre à la langue classique donne au passé composé de *falloir, devoir, pouvoir* une valeur de conditionnel passé, sans doute sous l'influence du latin :

« Vous dont j'*ai pu* laissé vieillir l'ambition
Dans les honneurs obscurs de quelque légion » (Racine).

E - Le passé antérieur

1. Valeurs de base et emploi général

Le passé antérieur exprime un procès entièrement accompli. Il s'emploie en subordonnée de temps introduite par *après que, dès que, quand*, etc., dans des phrases où la principale est à un temps du passé, surtout le passé simple, et où il exprime un procès antérieur à celui du verbe de cette principale :

> « Lorsqu'il *eut tout dit*, lorsqu'il éprouva le sentiment de s'être dépouillé jusqu'aux os, il *se tut* » (M. de Saint-Pierre).

Il peut arriver en effet, mais les cas sont rares, que ce temps marque l'antériorité dans le passé par rapport à un verbe de la principale à l'imparfait, au passé composé, au plus-que-parfait ou au présent historique :

> « Après qu'il *eut brouté, trotté, fait* tous ses tours
> Jannot lapin *retourne* aux souterrains séjours » (La Fontaine).

> *NB :* On le trouve aussi en subordonnée inverse, la principale marquant la postériorité : « A peine eut-il fini qu'il partit. » Cf. p. 266, *NB*.

2. Emploi particulier

Le passé antérieur peut se rencontrer en proposition non dépendante. Sans marquer aucune antériorité, il exprime un procès entièrement accompli, très rapidement, et il est toujours accompagné d'un complément circonstanciel de manière comme *en un instant, promptement, vite*, etc., notant la rapidité :

> « *En un moment*, il [le loup] *eut appris* à jouer à la main chaude, à la ronde, à la paume placée et à la courotte malade » (M. Aymé).

> *NB :* Le passé antérieur est un temps de la langue écrite. Dans la langue parlée, de même que le passé composé remplace aujourd'hui le passé simple, il est remplacé par le *passé surcomposé*, cf. p. 60, J.

> « Dès que j'*ai eu fini* mon travail, je suis parti » (exemple oral).

F - Le plus-que-parfait

1. Valeurs de base et emploi général

Le plus-que-parfait, comme le passé antérieur, exprime un événement passé accompli. Mais à la différence du passé antérieur, temps-point qui n'envisage pas le résultat dans ses conséquences durables, il marque le résultat dans un passé non déterminé :

> « Ils traversèrent la place : des feuilles de platane étaient collées aux bancs trempés de pluie. Heureusement, les jours *avaient bien diminué* » (F. Mauriac).

Il est souvent mis en référence dans la même phrase avec un temps simple par rapport auquel il marque, outre la valeur d'accompli, celle d'antériorité :

> « Elle [ma mère] *avait dû* par télégramme annoncer pour le lendemain notre arrivée, car elle accepta sans mot dire » (G. Bataille).

2. Emplois particuliers

a | Habitude et répétition

Il ne marque pas seulement un événement qui ne s'est produit qu'une fois, comme le passé antérieur, mais peut exprimer un fait habituel ou répété. On le trouve dans cet emploi en proposition circonstancielle de temps :

> « *Dès que j'avais écrit*, la joie commençait » (J. Giono).

b | Atténuation

Il permet, dans la mesure où il recule le fait dans le passé, d'atténuer des propos qu'un passé composé, parfois un présent, rendraient trop brutaux. Il obscurcit, en quelque façon, le procès :

> « Oh! Quelle négligence! J'*avais* pourtant *demandé* qu'on ouvre ces persiennes... » (J. Anouilh).

c | Hypothèse

Il exprime la supposition dans le passé — en équivalant au conditionnel passé. Il marque l'éventualité, soit en proposition indépendante :

> « Pour un peu, il *avait raté* son train » (exemple oral).

soit en proposition subordonnée dans le système hypothétique :

> « Si j'*avais pu* encore considérer Sylva comme une renarde, peut-être aurais-je attaché moins d'importance à l'événement » (Vercors).

G - Le futur

1. Valeur de base et emploi général

Le futur (dit « simple » en face du futur antérieur, forme composée) indique qu'un événement aura lieu dans l'avenir. Il marque la postériorité d'un fait par rapport au moment où on l'énonce. On l'appelle alors futur *catégorique* :

> Toujours je *mangerai* ton bien
> Toujours je *connaîtrai* ton centre
> Toujours je *verrai* ton œil peint
> Et j'*aurai* ta présence absente » (P.-J. Jouve).

2. Emplois particuliers

En plus de sa valeur logique, le futur sert à exprimer diverses nuances :

a | *Eventualité*

En substitution du présent qui pose comme certain un fait actuel, il introduit une nuance de probabilité : situant le procès dans l'avenir, il est apte à atténuer les contours de la réalité. On l'appelle aussi *conjectural* :

> « Ce *sera* le chien de Mme Sazerat, disait Françoise » (M. Proust).

b | *Atténuation*

Il peut s'employer dans la langue courante avec une valeur de présent et il permet d'atténuer le propos. Tout se passe comme si on éloignait dans le temps un procès présent rendu ainsi moins agressif (cf. *supra, a /*) :

> « Vous *prendrez* des cafés ?, dit le maître d'hôtel désenchanté » (C. Rochefort).

c | *Anticipation*

Exprimant un fait présent, le futur s'emploie dans les phrases exclamatives. On proteste contre un fait présent, mais on en élargit l'amplitude en installant le procès dans l'avenir :

> « Quoi le paysan *n'aura pas* encore toute la terre ni le meilleur de la terre ! et des bourgeois *prendront* la place de l'abbé et du seigneur ! C'était comme une ombre sur la joie des campagnes » (J. Jaurès).

d | Commandement

Il peut s'employer avec une valeur d'impératif, soit augmentative soit atténuative :

> « Vous me *réveillerez* à une heure, avec la première bordée, avait-il dit aux hommes de quart » (H. Queffélec).

e | Historique

Il peut s'employer, dans la langue littéraire et essentiellement les récits historiques, pour indiquer qu'une action a été postérieure à une autre dans le passé. En somme, le locuteur se place par la pensée au moment où se passe son récit et emploie le futur en parlant d'événements maintenant passés mais qui, par rapport au présent fictif de la pensée, sont futurs :

> « Il [Spartacus] veut bien mourir, mais dans la plus haute égalité. Il *n'atteindra pas* Crassus : les principes combattent de loin et le général romain se tient à l'écart. Spartacus *mourra*, comme il l'a voulu, mais sous les coups des mercenaires » (A. Camus).

f | Vérité générale

Il exprime qu'une action se constatera dans l'avenir comme elle a pu se constater dans le passé ou peut se constater dans le présent. On appelle aussi ce futur *de permanence*. Il est toujours accompagné d'un complément de temps qui en indique la portée générale :

> « Et la politique ne *sera jamais* que l'interprétation des faits » (J. Anouilh).

H - Le futur antérieur

1. Valeurs de base et emploi général

Il exprime le résultat considéré comme acquis d'une action future. Il a une pure valeur aspectuelle d'accompli et ne marque aucune antériorité. Il est souvent accompagné d'une quelconque indication de temps :

> « Et maintenant cet arbre va disparaître... Mon beau platane *aura vécu* » (M. Barrès).

> « *Au lever du soleil*, je *serai revenu* » (G. Flaubert).

Mais quand, le plus souvent dans une subordonnée temporelle, il se trouve en référence avec un futur simple — éventuellement un futur périphrastique, un présent à valeur de futur ou un impératif — il exprime un fait qui sera accompli quand un autre se produira et il est dans ce cas vraiment « antérieur » :

> « Quand la guerre civile *aura rendu* Rome exsangue, Rome *sera colonisée* par ces gorilles qu'elle a sottement voulu s'attacher » (H. de Montherlant).

> « Quand nous *aurons vidé* notre planète de ses équilibres et de ses dosages internes, elle *risque de prendre* un jour le parcours non aimanté dans les chemins du ciel... » (J. Giraudoux).

2. Emplois particuliers

Ils se rattachent à la valeur d'accompli du futur antérieur :

a | Probabilité

Il exprime une action passée présentée comme ayant pu s'accomplir. Il équivaut à une supposition et porte une nuance d'incertitude, de plausibilité :

> « Mais c'est vrai! Le coupable est arrêté! Mes dernières aventures m'*auront dérangé* la cervelle » (M. Aymé).

b | Atténuation et bilan

Sa valeur d'incertitude rend ce temps apte à exprimer l'affirmation atténuée d'un fait passé :

> « Je crois que nous nous *serons* bien *aimés* » (J. Anouilh).

Ou encore on semble s'en remettre au jugement de l'avenir en établissant une sorte de bilan :

> « Van Gogh *aura* bien *été* le plus vraiment peintre de tous les peintres » (P.-H. Simon).

c | Fausse perspective

Enfin, un emploi du futur antérieur permet d'exprimer une action future entièrement accomplie, mais très vite, en sorte qu'elle paraît antérieure à une autre action qui, en réalité, la précède; le futur antérieur équivaut ici à un futur simple, il est toujours accompagné d'un complément de manière exprimant la promptitude :

> « Elle n'a pas nos principes, malheureusement; [...]; mais c'est une nature très droite, franche comme l'or. Nous *aurons vite fait* de la ramener aux idées saines » (F. Mauriac).

I - Le conditionnel

Il a été annoncé au début de ce chapitre qu'on ferait du conditionnel non pas un mode, selon la tradition communément établie, mais un temps de l'indicatif, à l'intérieur duquel il doit être considéré comme un temps de l'époque future, une espèce de futur hypothétique, s'opposant au futur proprement dit appelé catégorique.

Historiquement, en effet, le conditionnel est par origine de même nature que le futur. Il provient d'une périphrase romane composée de l'infinitif + l'imparfait du verbe *avoir* comme le futur est issu d'une périphrase composée de l'infinitif + le présent du verbe *avoir* : *scribere habebam* / *scribere habeo* = « j'avais à écrire, j'écrirais / j'ai à écrire, j'écrirai ». Or, si l'on fait du futur un temps de l'indicatif, on ne voit pas pourquoi le conditionnel n'aurait pas le même sort. Ou, à l'inverse, si l'on fait du conditionnel un mode, pourquoi pas le futur ? Mais cette dernière solution ne serait pas satisfaisante logiquement puisque futur et conditionnel actualisent le procès et ne peuvent donc prendre place ailleurs que dans le paradigme de l'indicatif.

Deux observations complémentaires paraissent s'imposer. D'abord, à propos du terme même de « conditionnel ». Il s'agit là d'un élément de terminologie qui prête à confusion dans la mesure où le conditionnel bien souvent n'évoque aucune condition, comme on le verra. Certains grammairiens préfèrent pour cette forme l'appellation de forme en *-rais* (dès le XVIᵉ siècle, c'était la position du grammairien Meigret). D'autre part, il importe de dénoncer avec vigueur le nom de « conditionnel passé deuxième forme » donné à ce qui est, morphologiquement, une forme de subjonctif plus-que-parfait :

« Chimène, qui l'*eût dit* ? » (P. Corneille).

équivaut certes pour le sens au conditionnel passé « Chimène, qui l'*aurait dit* ? », mais rien de plus. Cette confusion provient du fait que le subjonctif plus-que-parfait, entre autres emplois, a été autrefois utilisé, et le reste encore de nos jours dans une langue soutenue, pour rendre l'hypothèse relative au passé. C'était un souvenir du latin qui ne disposait que du subjonctif pour exprimer l'hypothèse simplement imaginée, « potentiels » et « irréels » de la syntaxe latine, l'indicatif étant réservé à l'hypothèse supposée réalisée. Cf. p. 57, *NB*, et p. 303, G.

Le conditionnel doit donc être considéré comme la forme de l'*éventuel*, qu'il soit utilisé dans le système hypothétique, en indépendante et principale ou dans différents types de subordonnées.

1. Le conditionnel dans le système hypothétique

En règle générale, l'hypothèse est introduite par la conjonction *si*. Mais elle peut être exprimée par diverses tournures. Cf. *circonstancielles, équivalents*. Sur le système hypothétique, cf. p. 303 sqq., sur les conjonctions autres que *si*, cf. p. 309, 2.

a | Conditionnel présent

Il évoque une éventualité dont la réalisation est considérée comme la conséquence d'une hypothèse. Celle-ci est exprimée dans la subordonnée par un imparfait excluant le fait de l'actualité :

> « Si on voulait, il n'y *aurait* que des merveilles » (P. Eluard).

> *NB* : Il faut récuser la terminologie latine dénommant le conditionnel présent soit « potentiel », suivant que la condition est donnée comme réalisable, soit « irréel du présent », suivant que la condition n'est pas réalisée dans le présent. En effet, le latin utilisait des formes de subjonctif différentes pour chacune de ces valeurs, ainsi nettement discriminées : « si *venias*, felix *sim* » = « si tu venais, je serais heureux » (« tu viendras peut-être », potentiel, donc *venias* et *sim*, subjonctifs présents) / « si *venires*, felix *essem* » = « si tu venais, je serais heureux » (« mais je sais que tu ne viendras pas », irréel du présent, donc *venires* et *essem*, subjonctifs imparfaits). Or, le français ne disposant que d'une seule forme pour rendre ces deux nuances, seul le contexte permet de dire qu'on a affaire à un potentiel ou à un irréel du présent. Il est donc abusif d'accoler ces épithètes à la forme simple du conditionnel qui *en soi* n'exprime rien que l'éventuel.

b | Conditionnel passé

Il évoque un procès achevé et une éventualité passée non réalisée. Celle-ci est la conséquence d'une hypothèse exprimée dans la subordonnée par un plus-que-parfait marquant un procès achevé :

> « Il *se serait bien sauvé*, s'il avait osé, mais il n'osait pas » (L.-F. Céline).

2. Le conditionnel en proposition indépendante ou principale

Le conditionnel perd alors toute attache avec le système hypothétique et n'a de valeur qu'en rapport avec la notion d'éventuel. Au passé, il indique l'éventualité passée pure et simple :

> « Mais il [Jean] *aurait été* fort incapable de comprendre que l'abbé Calou lui gardait toujours dans son cœur et dans sa pensée la première place » (F. Mauriac).

Diverses nuances sont liées à la notion d'éventuel, et sont exprimées par le conditionnel présent ou passé :

a | Fait douteux ou non vérifié

« Il *soufflerait* sur le monde et sur notre chemin une effroyable tempête, et nous ne *marcherions* que comme des aveugles » (J. Guéhenno).

« Il y *aurait eu* aussi un coup de feu, objecta le maire avec un rire forcé qui trahit son embarras » (G. Bernanos).

b | Atténuation

« Excusez-moi, Monsieur. *Pourriez-vous m'indiquer* le moyen le plus rapide pour regagner le centre ? » (M. Butor).

« Dans aucun autre quartier, sur cent mètres de trottoir, on n'*aurait rencontré* tant de personnages cocasses » (R. Dorgelès).

c | Mouvement d'indignation ou d'étonnement

« J'*accepterais* votre argent ?, dit Xavière. J'aimerais mieux crever sur l'heure » (S. de Beauvoir).

d | Vue imaginaire

« Ce dont je rêve, ce n'est pas d'une femme, c'est d'une petite villa dans la banlieue de Londres : le soir je *recevrais* mes amis. Je leur *offrirais* des liqueurs, nous *écouterions* des disques, nous *parlerions* littérature... » (R. Vailland).

Cette projection dans l'imaginaire se rencontre dans le langage des enfants quand ils organisent leurs jeux. On peut appeler ce conditionnel *préludique* :

« Tu *serais* le médecin, je *serais* le malade » (exemple oral).

3. Le conditionnel en proposition subordonnée

Toujours avec valeur d'éventuel, le conditionnel se rencontre dans différents types de subordonnées :

a | Subordonnées hypothétiques

Il s'agit de subordonnées qui ne sont pas introduites par *si* :

« Quand on t'*aurait couvert* de fleurs, toi, le soir de ton premier concert, j'en aurais eu, moi, de jolies mains à montrer ? » (J. Anouilh).

ou *inverses* :

> « Mais ça ne *serait* pas vrai que tu pourrais toujours le dire » (T. Bernard).

ou *implicites* :

> « *Serions-nous* muets et cois comme des cailloux, notre passivité même serait une action » (J.-P. Sartre).

b | Subordonnées circonstancielles

Il s'agit de subordonnées autres que les finales et les hypothétiques introduites par *si* :

> « Quand ma nuit *serait* un long cauchemar
> [...]
> Quand je ne *pourrais* veiller ni dormir
> [...]
> que cela finisse » (L. Aragon).

• Temps.

> « Demain, il souhaite demain, quand tout lui-même *aurait dû* s'y refuser » (A. Camus).

• Concession.

c | Subordonnées relatives

> « Nous sommes comme, sur un paquebot, l'officier mécanicien qui ne *quitterait* jamais ses chaudières et *devrait deviner* l'état de la mer, d'après le roulis et les ordres du capitaine » (R. Vailland).

d | Subordonnées complétives

Le temps du verbe principal est au passé. On appelle ordinairement, dans cet usage, le conditionnel présent « futur dans le passé » et le conditionnel passé « futur antérieur dans le passé » :

> « Le devin a dit qu'on l'*entendrait* chanter, le jour où elle aurait appris son malheur » (J. Bousquet).

> « Comme elle lui demandait s'ils *arriveraient* assez tôt pour le dernier train, à la gare de Nizan, il la rassura » (F. Mauriac).

> « Il jura qu'il *aurait fini* à temps » (E. Zola).

Dans ces emplois, où le futur est vu d'un point du passé, le conditionnel passé exprime, au-delà de la simple postériorité du « futur du passé », qu'un fait serait accompli dans l'époque à venir.

La proposition relative peut également introduire un conditionnel futur ou futur antérieur dans le passé :

> « Je souriais à l'adolescente qui demain *mourrait* et *ressusciterait* dans ma gloire » (S. de Beauvoir).

J - Les formes surcomposées

Les formes les plus courantes que peut prendre le verbe français sont *simples* ou *composées*. Simples sont celles où le verbe se conjugue seul avec les désinences marquant le mode, éventuellement le temps, la personne, le nombre. Composées sont celles où le verbe se conjugue à l'aide d'un auxiliaire.

A côté de ces deux formes existent des formes *surcomposées*. Certains temps composés conjugués avec *avoir*, parfois avec *être*, mettent l'auxiliaire au temps composé correspondant. Si toutes les formes composées peuvent théoriquement devenir surcomposées, en fait seuls se rencontrent pratiquement des passés, des plus-que-parfaits et des futurs antérieurs surcomposés : « j'ai fini / j'ai eu fini, j'avais fini / j'avais eu fini, j'aurai fini / j'aurai eu fini ». Les formes surcomposées indiquent un procès antérieur et accompli par rapport au procès qu'exprimerait la forme composée. Leur valeur fondamentale est au fond une valeur aspectuelle terminative.

Ces formes, qui existent dès le Moyen Age, n'ont guère été employées dans la langue littéraire du XVIIe siècle. Elles ne sont plus utilisées de façon vivante que dans le langage parlé et familier de quelques régions, le centre de la France ou la Suisse romande par exemple, et surtout en proposition subordonnée :

> « Dès que j'*ai eu fini*, je suis sorti » (exemple oral).

On en relève cependant quelques emplois dans la langue littéraire d'aujourd'hui ou dans des textes reproduisant une langue populaire :

> « Le silence était complet dans la salle quand elle *a eu fini* » (A. Camus).

> « Je ne devais le revoir [mon père] qu'après mon amputation, quand on m'*a eu coupé* la main droite » (B. Cendrars).

> « Il donnera à Maximian deux bouts de galon de sous-off' qu'il *aura eu achetés* par hasard autrefois » (R. Nimier).
> • C'est un soldat qui parle.

Il semble que ce soit la décadence du passé simple et du passé antérieur qui a favorisé le développement de la plus employée des formes surcomposées, le passé surcomposé.

II - L'IMPÉRATIF ET LE SUBJONCTIF, MODES PERSONNELS ET NON TEMPORELS

A - L'impératif

Observations

Ce mode dispose de trois personnes qui lui sont propres : la première du pluriel et les deuxièmes du singulier et du pluriel qui se caractérisent par le degré zéro du pronom : pour les troisièmes du singulier et du pluriel, il les emprunte au subjonctif. Il comporte deux formes, l'une simple, l'autre composée, appelées par tradition respectivement impératif présent et impératif passé. Ces termes de « présent » et de « passé » ne sont pas satisfaisants. L'impératif présent évoque aussi bien une action à accomplir dans le moment même que dans un futur plus ou moins éloigné et c'est le contexte qui précise la nuance :

> « Viens *tout de suite | demain | dans un mois.* »

Quant à l'impératif passé, d'emploi rare, il exprime un procès achevé et antérieur à un moment ou un événement futurs et ne peut en aucun cas concerner le passé :

> « Soyez revenus *avant la nuit | avant que je ne parte.* »

1. Emplois

Dans son emploi général, l'impératif sert à donner un ordre (lat. *imperativus modus* = « mode qui donne un ordre ») ; il est dit *jussif* :

> « Je retrouvai le scooter, près d'une pelouse. *Respectez* et *Faites Respecter* » (C. Rochefort).

Il sert également à rendre différentes nuances :

— Prière ou exhortation ; il est dit *optatif* :

> « *Pardonnez-moi*, j'avais deviné une partie de vos mérites, mais... » (M. Aymé).

> « Jésus, *mets* un peu de ta lumière dans toutes ces pauvretés et ces confusions qui sont en moi » (J. Supervielle).

> « *Méfions-nous* de tout ce qui pourrait nous détourner de la prière, *méfions-nous* même du martyre » (G. Bernanos).

— Hypothèse, toujours en corrélation avec une autre proposition au présent ou au futur de l'indicatif placée en second rang :

> « *Essayez* un peu de le lui prendre [un mouchoir], il *grince* des dents comme un rat » (G. Bernanos).

> « *Démolissons* tout cela, on *s'en portera* mieux » (E. Ionesco).

2. Destinataire

L'impératif peut concerner différents destinataires. L'interpellation s'adresse :

— à une autre personne :

> « *Pensez* à la mort de notre chère Mère, *Sœur Blanche*! » (G. Bernanos).

— à l'interpellant lui-même :

> « Et le bœuf se dit à lui-même :
> "Il a raison, oui, il faut vivre. *Tiens, prends* donc cette belle touffe de vert" » (J. Supervielle).

— à l'interpellant lui-même et à une autre ou d'autres personnes :

> « Il se leva soudain et me dit "*Sortons*" » (J. de Bourbon-Busset).

B - Le subjonctif

Observations
La définition du subjonctif impose de préciser trois points importants relatifs à sa situation dépendante ou non, à ses temps et à son statut en face de l'indicatif.

- I - *Subjonctif et dépendance*
Le nom même de subjonctif peut prêter à confusion. Il signifie « en position dépendante », du latin *subjonctivus*, de *subjongere* = « soumettre ». Ce nom est justifié quand un verbe au subjonctif se trouve en proposition subordonnée, ce qui est certes la structure d'emploi de ce mode la plus fréquente :

> « Le maître veut qu'on *se taise*. »
> « Jean cherche un travail qui le *satisfasse*. »
> « Le jardinier arrose les fleurs pour qu'elles ne *se dessèchent* pas. »

Mais on trouve également le subjonctif en proposition indépendante ou principale qui, par définition, ne se trouvent régies par aucun terme

principal. Le subjonctif n'est alors annoncé le plus souvent que par un *que*
« béquille de subjonctif » :

> « *Qu'on me laisse* tranquille ! »
> « *Viennent* les beaux jours ! »

- 2 - *Subjonctif et temps*

La répartition du subjonctif en temps ne recouvre qu'une simple habitude
pédagogique discutable. Le subjonctif n'est pas en soi propre à situer dans
une époque chronologique comme c'est le rôle de l'indicatif : il ne prend
valeur temporelle que par référence au verbe principal ou au contexte :

> « J'attends qu'il *finisse.* »
> « J'attends qu'il *ait fini.* »

Dans les deux cas, le subjonctif présent *(finisse)* ou passé *(ait fini)* exprime
un procès envisagé dans l'avenir.

> « Je doute qu'il *ait fini.* »
> « Je vérifierai qu'il *ait fini.* »

Dans la première phrase, *ait fini* exprime un procès passé, dans la seconde,
un fait éventuel, simplement vu comme une projection dans l'avenir.

Il est préférable d'opposer entre elles les formes de subjonctif non en
s'appuyant sur la notion de temps, qui ne leur convient pas, mais sur la nature
même de ces formes, qui est simple ou composée. Ainsi, les formes simples
expriment un procès en train de se dérouler — aspect non accompli — et
les formes composées un procès achevé — aspect accompli. S'opposent sous
cet angle d'une part le présent et l'imparfait, de l'autre le passé et le plus-
que-parfait :

> « Je suis content que tu *restes* (non accompli). »
> « Je suis content que tu *sois resté* (accompli). »

- 3 - *Subjonctif et indicatif*

La valeur d'emploi du subjonctif se détermine par référence à l'indicatif.
Le subjonctif laisse à l'indicatif le rôle d'indicateur chronologique, d'actua-
lisateur du procès. Lui-même, à l'inverse, hors toute capacité interne à
marquer la chronologie, ne serait-ce que par le faible nombre de ses « temps »,
exprime en face de l'indicatif un procès *envisagé dans la pensée et soumis à interprétation ou appréciation.* Chaque fois qu'on veut installer le procès dans une
des trois époques de la chronologie intervient l'indicatif. Chaque fois qu'on
veut exprimer un procès hors chronologie, simplement pensé, pour ainsi

dire sans existence constatable, intervient le subjonctif. Dans cette phrase où le verbe de la subordonnée est à l'indicatif :

« Je pense qu'il *est* travailleur. »

le procès exprimé par ce verbe est inscrit dans la chronologie et nettement posé comme certain par l'indicatif. Dans celle-ci où le verbe de la subordonnée est au subjonctif :

« Je ne pense pas qu'il *soit* travailleur. »

le procès exprimé par le verbe est soumis à interprétation : c'est la notion de doute qui domine, celle de chronologie est complètement secondaire.

Que le procès exprimé par le subjonctif ne soit pas perçu comme intégré à une époque de la chronologie, qu'il soit envisagé, éventuel, ne doit pas en faire conclure que le subjonctif est le mode du « non-réel ». On a vu, *observations*, p. 40, qu'on ne peut définir, inversement, l'indicatif comme le mode du « réel » puisqu'il peut exprimer des faits qui ne le sont pas. Le subjonctif, de son côté, peut exprimer un fait réel :

« Je suis heureux qu'il *soit venu.* »

On ne peut contester la « réalité » exprimée par *soit venu*. Mais le problème n'est pas là. Le subjonctif exprime aussi bien un fait « réel » que « non réel », seulement, et c'est son rôle en face de l'indicatif, il interprète le fait et le soumet au jugement de la pensée ou du sentiment. C'est ce que montrent d'ailleurs clairement les constructions qui admettent soit l'indicatif (actualisation), soit le subjonctif (interprétation), cf. p. 281, *NB* - 2 -, et p. 282, *NB* :

« Je ne suis pas sûr qu'il *est* là. »
« Je ne suis pas sûr qu'il *soit* là. »

Les emplois du subjonctif se répartissent suivant qu'il est en proposition indépendante ou principale ou suivant qu'il est en proposition subordonnée. Ces emplois sont liés à la valeur modale propre au subjonctif.

1. Le subjonctif en proposition indépendante ou principale

Dans ce type d'énoncé, le « subjonctif » ne dépend justement pas d'un quelconque verbe qui lui serait principal. Il possède son autonomie et fonctionne selon sa dynamique interne. L'interprétation est implicite, aucun terme principal n'intervenant. Le subjonctif traduit ainsi différentes valeurs modales :

a | Ordre pressant ou atténué

On l'appelle *jussif* ou *volitif, impératif* :

> « LE VALET. — Mlle Rolla est là!
> VÉRONIQUE. — *Qu'elle entre!* » (M. Achard).

> « *Qu'on n'aille pas* conclure de là que nous prêchions une sorte de populisme : c'est tout le contraire » (J.-P. Sartre).

b | Souhait, regret

On l'appelle *optatif* :

> « *Que* jusqu'à l'horizon *la terre se souvienne*
> *Et renaisse* pour ceux qui s'en croyaient bannis! » (J. Supervielle).

c | Eventualité refusée

> «Alors, *que toi, toi!*, *tu prennes* ces recherches au sérieux...» (J. Cocteau).

d | Concession

> « Notre civilisation, *que nous le voulions ou non*, sera de plus en plus une civilisation de loisirs » (A. Maurois).

e | Hypothèse

> « *Que le Gamineur*, dans sa semaine, *attrape* moins de six tonnes, Jean donne sa main à couper que Madeleine aura sa figure de vent debout » (H. Queffélec).

NB : De façon générale, le français moderne et contemporain fait précéder le subjonctif d'une béquille *que*. Il se peut cependant que le verbe soit employé seul quand il a le sens optatif, particulièrement avec *pouvoir* :

> « *Vienne* la nuit, *sonne* l'heure
> Les jours s'en vont, je demeure » (G. Apollinaire).

> « *Puissé-je* arracher ces hauts faits à ton ombre » (P.-J. Jouve).

Cette construction est rare et archaïque. On la trouve dans des expressions figées héritées de l'ancienne langue comme *advienne que pourra, Dieu vous garde, vive la France!*, etc. Le subjonctif sans *que* était en effet ordinaire jusqu'au XVIᵉ siècle et on en voit encore des traces dans la langue du XVIIᵉ siècle. Les constructions avec ou sans *que* se trouvent même parfois en concurrence dans le même texte, avec l'intention évidente de produire un effet de variété. Ainsi, dans l'*Impromptu de Versailles*, scène 2, on lit au début :

> « *La peste soit* de l'homme ! »,

juste après :

> « *Que le diable t'emporte* »,

puis :

> « *La peste m'étouffe*, Monsieur, si je le sais » (Molière).

2. Le subjonctif en proposition subordonnée

Dans cet emploi, le subjonctif est entraîné par un terme principal qui le commande. L'interprétation est explicite.

Dans un certain nombre de subordonnées, l'emploi du subjonctif ne peut être évité, le terme principal interdisant toute actualisation du procès. Dans d'autres, en revanche, l'alternance subjonctif/indicatif est possible et celui-ci intervient si on veut actualiser le procès. D'où des nuances stylistiques importantes, par exemple dans la subordonnée relative.

Les emplois du mode dans la subordonnée sont examinés en détail dans la Troisième Partie consacrée à la syntaxe de la phrase complexe, p. 235 sqq. On se reportera aux développements relatifs à l'emploi du mode pour les différents types de subordonnées concernées; s'y trouvent décrits, chaque fois que nécessaire, les systèmes d'alternance subjonctif/indicatif. De la même façon, en ce qui concerne l'appariement temporel principale/subordonnée, cf. p. 250, *3*.

Un regroupement des emplois obligatoires ou possibles du subjonctif en position dépendante le fait apparaître aussi bien en subordonnée complétive par *que* qu'en subordonnée circonstancielle ou relative.

a | Subordonnée complétive par que

On trouve le subjonctif quelle que soit la fonction. Obligatoire quand la complétive est sujet, le subjonctif est possible ou non selon la nature du support :

> « *Que sa propre nièce, la petite Lisbeth, s'exprimât ainsi*, le gênait » (J.-L. Curtis).
> • Sujet.

> « *Qu'elle soit ou ne soit pas une bigotte à mitaines et à paroissien*, ça peut n'avoir aucune importance » (G. Bernanos).
> • Apposition.

« Nuits magnifiques, je crains *qu'elles n'aient mis en moi quelque illusion* »
(J. Guéhenno).
• COD.

« Le fait *que tu t'en souviennes* est d'un tout autre ordre » (B. Vian).
• Complément de détermination.

b | Subordonnée circonstancielle

Le subjonctif est obligatoire dans la subordonnée finale, la visée étant par
définition incertaine :

« Dans quelques cuisines elle allumait du feu *afin que la fumée s'élevât*
de trois ou quatre toits » (J. Supervielle).

Dans les autres subordonnées circonstancielles, il intervient selon la
nature du subordonnant et la nuance qu'il entraîne interdisant l'actualisation
du procès :

« Ecoute, dit Golda. J'existais *avant qu'Adam fût créé* » (A. Schwartz-Bart).
• Temps.

« Thomas imagine éperdument un œuf, et que cet œuf contient la
mort. *Non pas que l'œuf soit lié* de la moindre façon à l'idée (baroque)
de ponte par poule... » (A. Pieyre de Mandiargues).
• Cause.

« Qui est bien sûr de ne jamais offenser Dieu peut supporter beaucoup de choses, *quoi qu'il en coûte* à son amour-propre » (G. Bernanos).
• Concession.

« Il suffirait de s'arrêter une heure, on le pressent, dans l'un de ces
dortoirs engourdis de la forêt *pour que l'épaisseur de l'ennui mauriacien
se referme sur vous* » (J. Gracq).
• Conséquence.

« Sa tête était légèrement penchée en avant, *comme si le cou n'eût pas
été planté sur les épaules*, mais à la naissance de la poitrine » (Vercors).
• Comparaison.

« J'ai beaucoup mieux à offrir, *pourvu qu'on ait* l'audace d'accepter »
(J. Green).
• Hypothèse.

c | Subordonnée relative

On a le subjonctif chaque fois qu'on interprète le procès. Ainsi pour marquer
une conséquence :

« Il n'y a plus que la Patagonie, la Patagonie qui *convienne* à mon
immense tristesse » (B. Cendrars).

ou quand l'antécédent marque une restriction ou une exclusion, etc. :

> « Il y avait un honneur incroyable du travail, le plus beau de tous les honneurs, le plus chrétien, le seul peut-être qui *se tienne* debout » (C. Péguy).

3. Emplois particuliers de l'imparfait et du plus-que-parfait

Ces emplois se rencontrent quand le subjonctif est en position soit non dépendante, soit dépendante.

a | Position non dépendante

— L'imparfait peut prendre le sens du conditionnel présent dans des propositions concessives à forte valeur hypothétique. Il se place alors en tête de phrase avec inversion du sujet et traduit une simple éventualité :

> « Le sort en est jeté maintenant : *dussé-je* crever, je ne lâcherai pas l'instruction » (G. Bernanos).

— Le plus-que-parfait peut prendre le sens du conditionnel passé et rend compte d'une éventualité passée non réalisée. En tête de phrase, il entraîne l'inversion du sujet :

> « C'est dans la voie de cette dernière entreprise, peut-être, que j'*eusse dû* la retenir [Nadja], mais il *eût fallu* que je prisse conscience du péril qu'elle courait » (A. Breton).

> « *Eût-il pressé* Indiana, je crois qu'elle aurait fait l'insensible » (Y. Berger).

Il peut, rarement, traduire un fait constaté dans le passé mais que l'on met comme entre parenthèses :

> « Et *n'eût été* le monotone grondement renvoyé de l'une à l'autre des vertigineuses falaises, l'énorme masse d'eau entraînée par son poids eût paru immobile et morte » (G. Bernanos).

Ces emplois ne sont plus d'usage dans la langue parlée d'aujourd'hui et traduisent à l'écrit un niveau de langue soutenu un peu désuet.

b | Position dépendante

— L'imparfait, avec valeur d'éventuel, se rencontre dans des propositions relatives ou complétives :

> « Il se peut que son état de grossesse, comme le croyait Bernard, ne *fût* pas étranger à cette humeur » (F. Mauriac).

NB : Cet emploi, rare aujourd'hui, et inconnu de la langue parlée, est un héritage de l'ancienne langue et de la langue classique où il était courant :

« Je n'y veux point aller,
De peur qu'elle ne *vînt* encor me quereller » (Molière).

— Le plus-que-parfait peut s'employer dans le système hypothétique. C'est un souvenir du latin qui exprimait l'hypothèse réalisable ou irréalisable par le subjonctif. Le plus-que-parfait a la valeur du conditionnel passé et évoque donc une éventualité passée non réalisée. Cet usage, très répandu encore jusqu'au XVIIIe siècle, est tombé en disgrâce dans la langue parlée et ne se rencontre plus guère que dans une langue écrite soignée ou une langue littéraire quelque peu archaïsante. Le subjonctif plus-que-parfait peut se trouver soit dans les deux membres de la structure hypothétique, soit seulement dans l'un ou l'autre. Dans la langue contemporaine écrite, on trouve surtout la distribution principale au subjonctif plus-que-parfait et subordonnée à l'indicatif plus-que-parfait :

« Ce pauvre enfant ne comprenait pas que *si je l'eusse aimé, j'eusse aimé* l'odeur de ses vêtements au retour de la chasse, et jusqu'à son haleine après l'apéritif » (F. Mauriac).

« M. Andesmas dit qu'il craignit à ce moment-là qu'elle ne se lève et ne s'en retourne au village, mais que *si elle l'eût fait, il l'aurait priée* de rester » (M. Duras).

« *S'il* [Orphée] *ne l'avait pas regardée* [Eurydice], *il ne l'eût pas attirée* » (M. Blanchot).

Le plus-que-parfait peut rendre compte de cette valeur d'éventualité passée non réalisée dans des structures autres que le système hypothétique :

« Il est déjà le maître et me dicte des conduites *que je n'eusse jamais osées* » (C. Rochefort).

Sur cette question de l'emploi du subjonctif plus-que-parfait, cf. *hypothétique*, p. 307, - 2 -.

III - L'INFINITIF, LE PARTICIPE ET LE GÉRONDIF
MODES NON PERSONNELS ET NON TEMPORELS

A - L'infinitif

Observations

L'infinitif, comme le participe, se distingue des autres formes verbales par un caractère double. Il tient à la fois du verbe et du substantif.

- 1 - *Infinitif et verbe*

Sur le plan morphologique, l'infinitif possède, comme le verbe, un radical et une désinence. Mais il n'est pas susceptible de flexion, qu'il soit au présent ou au passé. Il est donc inapte à exprimer les personnes, et, sous une même forme, il se rapporte à l'une ou l'autre des trois personnes quels que soient leur nombre et leur genre :

> « *Je* sais / *tu* sais / *il, elle* sait *lire.* »
> « *Nous* savons / *vous* savez / *ils, elles* savent *lire.* »

De même son invariabilité flexionnelle ne lui permet pas d'indiquer en soi un moment quelconque de la chronologie.

Mais il garde de son appartenance au système verbal la possibilité de se faire suivre de compléments et d'être tourné à la voix passive s'il est transitif :

> « Respecter *les pelouses.* »
> « Le maître veut *être écouté.* »

- 2 - *Infinitif et substantif*

L'infinitif peut prendre dans l'énoncé les fonctions du substantif. Il remplit le rôle de forme nominale du verbe en étant sujet, attribut, apposition, complément. Cette possibilité de fonctionner comme un substantif va de pair avec son maintien dans le système verbal puisqu'il demeure néanmoins susceptible de se faire accompagner de compléments :

> « Jean veut *finir son travail.* »

A l'extrême limite de son emploi substantif, l'infinitif peut purement et simplement s'intégrer dans la classe du substantif :

> « Jean veut finir son *dîner.* »

- 3 - *Infinitif et temps*

En construction non dépendante, l'infinitif exprime un procès général en dehors de toute position précise dans la chronologie :

> « *Sonner* et *entrer.* »
> « *Voir* Naples et *mourir*! »

En construction dépendante, il prend au présent une valeur temporelle en référence étroite avec celle du verbe principal et exprime donc, selon ce verbe, le passé, le présent, le futur :

> « Jean *est sorti se promener* » (= « il s'est promené », passé).
> « Jean *sort se promener* » (= « il se promène », présent).
> « Jean *sortira se promener* » (= « il se promènera », futur).

Cette dernière valeur de futur peut même être induite par un verbe principal au passé si ce verbe implique une projection sur l'avenir :

« Jean *voulait se promener.* »

Dans la même construction dépendante, il prend au passé, selon le verbe principal, une valeur de plus-que-parfait si le verbe est au passé, de passé composé s'il est au présent, de futur antérieur s'il est au futur :

« Jean *a dit s'être promené* » (= « il s'était promené », plus-que-parfait).
« Jean *dit s'être promené* » (= « il s'est promené », passé composé).
« Jean *dira s'être promené* » (= « il se sera promené », futur antérieur).

Les appellations de « passé » ou de « présent » rapportées à l'infinitif ne sont donc pas pertinentes et ne s'emploient que par tradition pédagogique. En fait seule compte l'opposition entre forme simple et forme composée, c'est-à-dire que les valeurs réciproques de ce mode se situent au niveau aspectuel, dans l'opposition forme simple (présent) : aspect non accompli / forme composée (passé) : aspect accompli — d'où, pour cette forme, son équivalence avec des temps qui expriment une antériorité accomplie.

L'infinitif, hors toute indication sur la personne — par là même le nombre et le genre — ou le temps, exprime donc le concept verbal pur et simple.

Par son appartenance à la fois au verbe et au substantif, il prend une double série d'emplois, les uns en fonction verbale, les autres en fonction substantive.

1. L'infinitif en fonction verbale

L'infinitif peut servir de centre soit à une proposition indépendante ou principale, soit à une proposition subordonnée.

a | Proposition indépendante ou principale

L'infinitif s'y rencontre dans des structures de modalité interrogative, exclamative et, beaucoup plus rarement, affirmative. Son caractère sommaire, qui est d'indiquer l'idée verbale à l'état brut, sans que l'estompe aucune acception de personne ou de temps, le fait préférer à un autre mode.

- I - *Modalité interrogative*
L'infinitif sert à exprimer la délibération, au sens général, sur un concept verbal quelconque. On l'appelle infinitif *délibératif*. Il est employé dans une

interrogation directe et il est introduit par un élément interrogatif, adverbe, adjectif ou pronom :

> « Et l'histoire, la géographie, les pays, les grands hommes, les montagnes et les frontières, *comment s'expliquer* tout cela pour qui n'a que la rue vide d'une petite ville, au plus solitaire de l'Océan » (J. Supervielle).

ou employé seul :

> « *Rentrer?*, dit le cochon » (M. Aymé).

- 2 - *Modalité exclamative*

L'infinitif traduit des émotions, des mouvements affectifs divers de surprise, de chagrin, de souhait, etc., jaillis spontanément avant que la pensée ait eu le temps de leur organiser un cadre syntaxique élaboré. Il est dit de façon générale *exclamatif* et, spécialement, *optatif* quand il exprime le souhait :

> « Ah! *Pouvoir se dire* qu'on a réussi à avoir la tête d'un innocent! » (M. Aymé).
> • Souhait.

> « Et *dire* qu'on me croit faible! » (H. de Montherlant).
> • Regret.

> « *Réveiller* Madame! » (G. Bernanos).
> • Hypothèse refusée.

Une variante de l'infinitif en modalité exclamative est représentée par l'infinitif qu'on peut appeler *impératif, prescriptif* ou *jussif*. Il sert à donner des conseils ou des ordres de façon très générale, puisque, par nature, l'infinitif ne s'adresse à personne en particulier :

> « Ordre de la compagnie : *tenir* coûte que coûte sur la ligne actuellement atteinte par le repli... » (J. Romains).

De cette neutralité de l'infinitif provient son emploi spécifique dans les recommandations d'usage destinées à un large public :

> « *Ralentir!* » (Code de la route).

> « *Prendre* un comprimé avant chaque repas » (Posologie pharmaceutique).

ainsi que dans les énoncés sentencieux :

> « *Bien faire et laisser dire* » (Proverbe).

- 3 - *Modalité affirmative*

L'infinitif est rare dans cet emploi propre aujourd'hui à la langue littéraire. Généralement précédé de la conjonction *et*, il est toujours au présent et introduit par la préposition *de*, simple cheville syntaxique vide de sens. Il se trouve généralement dans un récit au passé, éventuellement au présent ou au futur, et se substitue à l'un ou l'autre de ces temps. Il exprime un événement qui est la conséquence des événements précédemment exposés; la conjonction *et*, quand elle est employée, souligne l'enchaînement de cause à effet. Véhiculant l'idée verbale à l'état brut, l'infinitif produit un effet de contraste et de rapidité par référence aux verbes auxquels il succède. On l'appelle infinitif *de narration* ou *historique* :

> « Ce jet d'eau de tir forain, c'était un gros souffleur qui signalait sa présence à l'homme, qui criait "baleine!"; il appelait au rivage les laboureurs soudain transformés en pêcheurs. Eux *d'accourir*, la rame sur l'épaule, ou le harpon sous le bras » (P. Morand).
> • Contexte au passé, infinitif sans *et*.

> « Je les entends d'ici avec leur paternalisme et leurs gestes de curé : "Tout n'est pas mauvais chez l'Annamite. [...]", *et de hocher* la tête, *de concéder* nos défauts avec indulgence » (J. Hougron).
> • Contexte au présent, infinitif précédé par *et*.

NB : L'infinitif de narration est apparu au XVe siècle, mais n'a reçu son plein développement qu'au XVIIe siècle, en particulier dans sa seconde moitié où il est cependant écarté des genres nobles :

> « Il [mon père] n'y fut pas si tôt qu'il vit un homme s'enfuir vers un endroit de la muraille qui était abattu. Lui *de courir* après avec son pistolet qu'il tira en l'air » (C. Sorel).

> « L'histoire en est bientôt dispersée;
> *Et* boquillons *de perdre* leur outil,
> *Et de crier* pour se le faire rendre » (La Fontaine).

b | Proposition subordonnée

L'infinitif est employé en position dépendante dans la subordonnée relative, interrogative indirecte ou infinitive.

- I - Subordonnée relative ou interrogative indirecte

La subordonnée complément est introduite par un pronom relatif dans les deux cas et aussi par un adverbe ou un adjectif interrogatif dans l'interrogation indirecte. L'infinitif permet d'alléger l'énoncé grâce à son côté synthétique et général, à la simplicité de sa structure :

> « Tout de suite après les premières lampées, il devint trop rouge : beau garçon campagnard auquel il manquait seulement depuis des semaines l'espace *où brûler* sa ration quotidienne de nourriture et d'alcool » (F. Mauriac).

« On consolait les nouveaux qui ne savaient encore *que faire* de leur ombre » (J. Supervielle).

« Je ne sais *par quel bout attraper* cette journée » (J. Dutourd).

- 2 - *Subordonnée infinitive*

Il s'agit d'un cas particulier controversé, la subordonnée étant refusée par les uns et acceptée par les autres sous certaines conditions. Ainsi peut-on considérer qu'il y a subordonnée infinitive après les verbes de perception, les verbes déclaratifs et *laisser* et *faire* quand l'infinitif a un sujet propre :

« Elle vit *s'éloigner le cargo* » (J. Supervielle).

Sur cette question, cf. p. 324, A.

2. L'infinitif en fonction substantive

L'infinitif prend alors les fonctions du substantif tout en gardant son privilège de verbe qui lui permet d'évoquer un procès et de se faire accompagner de compléments s'il est transitif. Soit il est employé sans préposition (infinitif *pur*), soit il est introduit par une préposition (infinitif *prépositionnel*) ; complément du verbe, sa construction est donc directe ou indirecte.

En outre, depuis la plus ancienne langue, l'infinitif peut non seulement remplir les fonctions du substantif, mais s'assimiler complètement à lui en changeant de classe grammaticale au point qu'on l'appelle infinitif *substantivé*.

a | *Fonctions*

Elles sont pratiquement toutes représentées, mais de façon plus ou moins courante.

- 1 - *Sujet*

Sans préposition dans son emploi ordinaire, l'infinitif sert à rendre compte d'une idée très générale :

« *Aller* me suffit » (R. Char).

Cette valeur le rend particulièrement apte à l'expression d'une vérité intemporelle :

« *Donner* et *retenir* ne vaut » (Proverbe).

NB : - 1 - Dans l'ancienne langue, l'infinitif sujet était fréquemment introduit par la préposition *de*. A l'époque classique, ce tour se rencontre encore pour exprimer un événement sans aucun caractère de généralité :

« *De voir* cela [...], dans ma chambre, me donna un extrême étonnement » (Mme de Sévigné).

Ce tour et cette valeur ne sont plus d'usage dans la langue d'aujourd'hui où ils constituent un archaïsme :

« Elle passa convulsivement la paume sur l'encre fraîche et respira longuement, comme si *d'avoir tracé* ces lignes, pour elle seule, venait de la délivrer d'une contrainte intolérable » (G. Bernanos).

- 2 - On rencontre fréquemment l'infinitif comme séquence d'impersonnel. Non pas « sujet réel » comme le veut une analyse traditionnelle, il est terme complétif du sujet vrai de l'impersonnel :

« Il est ridicule *de trouver* fatigués des hommes dont les avions dépassent la vitesse du son » (E. Berl).

- 2 - *Attribut*

L'infinitif est le plus souvent non prépositionnel :

« Ecrire est *formuler* mon intention » (G. Bataille).

Mais il est éventuellement précédé par *de* dans certaines constructions où le sujet est un nominal substantivé :

« Et *le mieux*, comme on sait, pour n'avoir pas de nouvelles est encore *de n'en point prendre* » (J. Gracq).

- 3 - *Apposition*

L'infinitif est en général non prépositionnel (cf. p. 170, *NB - 3 -*) :

« Après deux mille ans écoulés, la religion de Jésus a réalisé sa tâche historique : *répandre* le monothéisme au sein de l'idolâtrie, *faire pénétrer* le sacré dans l'univers profané par les païens et *rendre* ainsi Dieu accessible à ceux que tout en détournait » (R. Aron).

- 4 - *Complément*

L'infinitif peut être complément de détermination du nom, du pronom et de l'adjectif et complément du verbe.

- *a* - Complément de détermination. L'infinitif est toujours prépositionnel et introduit par *à, de, pour* :

« Le Massif central est vide, partout où j'ai *le désir de le voir* » (J. Gracq).
• Complément du nom.

« En fait, ce répit dura peu, juste le temps de laisser à la petite fille *celui de s'amuser* de l'étang et *d'en revenir* » (M. Duras).
• Complément du pronom.

« J'étais *prêt* cependant *à penser* que l'imagination influençait mon jugement » (A. Camus).
• Complément de l'adjectif.

- *b* - Complément du verbe. L'infinitif est soit complément d'objet soit complément circonstanciel.

— Complément d'objet, l'infinitif est de construction directe ou indirecte avec les prépositions *à* ou *de* selon que le verbe est transitif direct ou indirect. L'agent du verbe régent et de l'infinitif est le même le plus souvent, sauf avec quelques verbes transitifs doubles comme *conduire, forcer à, mener*, etc. :

« Et qui pourrait *tolérer*, se demande un jeune homme, de n'être pas écrivain » (J. Paulhan).

« Tâche *de leur arracher* des indications » (G. Duhamel).

« L'enfant s'acquittait de ces tâches, mue par quelque instinct, par une inspiration quotidienne *qui la forçait à veiller* à tout » (J. Supervielle).

NB : Certains verbes transitifs directs introduisent l'infinitif complément avec les propositions *à* ou *de* sans qu'il perde sa fonction d'objet direct, cf. p. 184, *NB* - 1 -. Certains verbes transitifs indirects ou doubles se font suivre soit de la préposition *à*, soit de la préposition *de*. C'est en général l'oreille qui commande (*continuer à, de, obliger à, de*, etc.), *à* étant plus courant dans la langue moderne.

— Complément circonstanciel, l'infinitif est toujours introduit par une préposition, aujourd'hui *à, de, pour* le plus souvent. Il équivaut à une subordonnée circonstancielle hormis de comparaison (cf. *circonstancielles, équivalents, passim*). Pour éviter toute équivoque, il doit y avoir identité des sujets entre le verbe principal et l'infinitif :

« *A la voir* on ne croirait pas la ville en carton » (L. Aragon).
• Temps.

« Je possédais tout cela *pour l'avoir parcouru, regardé et retenu* dans ma tête et dans mon cœur » (H. Vincenot).
• Cause.

NB : La langue classique en usait avec davantage de liberté. Les prépositions étaient plus variées, mais surtout l'agent du verbe principal et de l'infinitif pouvait ne pas être le même :

« *Pour éviter* les surprises, les affaires étaient traitées par écrit dans cette assemblée » (Bossuet).
• Le sujet de l'infinitif est un indéterminé = « pour qu'on évite... ».

b | Infinitif substantivé

L'infinitif peut revêtir tous les caractères d'un substantif (cf. *infra*, *NB*). L'usage moderne et contemporain utilise ainsi une cinquantaine d'infinitifs substantivés en place depuis longtemps dans la langue comme *avoir, baiser, déjeuner, être*, etc. :

> « Une heure avant le *coucher* du soleil elle commençait à fermer les volets avec simplicité » (J. Supervielle).

> « Je regrette. Mais j'ai sous les yeux un rapport qui ne concorde pas du tout avec vos *dires* » (A. Adamov).

La langue ne crée plus naturellement d'infinitifs substantivés depuis le XVIe siècle, et, aujourd'hui, elle n'utilise régulièrement que ceux consacrés par l'usage. Certains auteurs, même du XXe siècle, n'hésitent cependant pas à recourir à cette dérivation impropre pour des formes que l'usage n'a pas conservées. Par effet de style, l'infinitif se substitue avec vigueur à un substantif plus ou moins dévalorisé :

> « Il [le poète] n'est pas soudé à l'égarement d'autrui. Son amour, son *saisir*, son bonheur ont leur équivalent dans tous les lieux où il n'est pas allé » (R. Char).

> « Comment renoncerais-je à tant de souvenirs
> Quand l'esprit encombré d'invisibles bagages
> Je suis plus apaisé dans la mort qu'en voyage
> Et je flotte au lieu de sombrer dans le *mourir* » (J. Supervielle).

NB : Comme sa valeur se rapproche beaucoup du substantif au point de vue du sens, l'infinitif a pu dès l'origine, par dérivation impropre, être employé comme un véritable substantif, c'est-à-dire varier éventuellement en nombre, se faire accompagner de déterminants — articles, adjectifs déterminatifs — ou être caractérisé par des adjectifs qualificatifs ; et il prend alors toutes les fonctions du nom. Dans cet usage, l'infinitif se sépare complètement de la classe du verbe, n'exprime plus ni voix ni aspect et n'est plus susceptible d'être complété par un objet.

Apparus dès le XIe siècle, les infinitifs substantivés ont eu une grande importance au Moyen Age. Puis, malgré les efforts de la Pléiade, ils tendent à disparaître au XVIe siècle : le *r* final ne sonnant plus, il y avait amphibologie avec la forme du participe passé. Montaigne les utilise néanmoins encore largement :

> « Le *voyager* me semble un exercice profitable. »

A partir du XVIIe siècle, substantiver un infinitif est un archaïsme. Il est ici par moquerie dans la bouche d'une « archi-coquette » au langage précieux :

> « Je commence à connaître l'effet des bouillons fréquents et du *dormir* du matin » (C. Sorel).

La plupart des infinitifs substantivés se sont si bien intégrés à la classe des substantifs qu'on ne perçoit plus leur nature originelle de verbes. Certains même, très rares, sont devenus tout à fait autonomes par suite de la disparition de la forme verbale dont ils sont issus, comme *avenir* (de AF *advenir*, lat. *advenire*), *espoir* (déverbal de *espérer* d'après les formes régulières de l'indicatif présent AF *j'espoir*, lat. *spero*, etc.), *loisir* (de AF *loisir*, lat. *licere* « être permis »), *manoir* (de AF *manoir*, lat. *manere* « habiter ») ou *plaisir* (de AF *plaisir*, lat. *placere*, remplacé par l'analogique *plaire*).

B - Le participe

Observations

Le participe se présente d'une part à la voix active sous la forme simple et sous la forme composée où c'est l'auxiliaire qui porte la désinence *-ant*, le verbe prenant la forme adjective :

> « aimant / ayant aimé »

d'autre part à la voix passive, la forme adjective du verbe se conjuguant avec la forme simple ou composée de l'auxiliaire :

> « étant aimé / ayant été aimé ».

Comme la finale *-ant* se retrouve dans toutes les formes, on peut caractériser le participe par cette désinence et appeler l'ensemble du paradigme les formes en *-ant*, le gérondif étant également inclus dans cette série.

Le participe offre une double nature dans la mesure où il « participe » à la fois de la nature du verbe et de celle de l'adjectif.

- I - *Participe et verbe*

Il tient du verbe en ce que, pourvu d'un agent, il exprime un procès, peut admettre des compléments, prendre une valeur temporelle de contexte et même constituer le centre d'une proposition :

> « Le maître écoute *l'écolier récitant sa leçon* »
> • *Ecolier* = agent; *récitant* = « qui récite », présent; *sa leçon* = COD.

> « *Le repas fini*, nous quittâmes la table. »
> • *Fini* = centre de proposition.

Mais comme il n'est pas susceptible de flexion, il est inapte à exprimer les personnes.

- 2 - *Participe et adjectif*

Il tient de l'adjectif en ce qu'il peut être épithète, attribut ou apposition et peut s'accorder en genre et en nombre sous la forme passée sans auxiliaire :

> « L'écolier *récitant* sa leçon. »
> • Epithète.

> « La leçon paraît *sue*. »
> • Attribut, accord avec le sujet.

> « *Récitant* sa leçon, l'écolier... »
> • Apposition.

NB : En ce qui concerne l'accord du participe, la forme simple active n'a pas toujours été invariable. Conformément à son origine latine, le participe présent s'accordait autrefois en nombre, plus rarement en genre, et le XVIIe siècle témoigne encore largement de cet usage (cf. p. 151, *NB*) :

> « Ceux-ci n'*étants* pas simplement nommés Chimistes, mais Alchimistes, comme par excellence » (C. Sorel).

Pour distinguer le participe présent de l'adjectif verbal (cf. *infra*), l'Académie française décréta en 1679 que désormais le participe présent serait invariable. L'habitude d'accorder ce participe n'en persiste pas moins encore longtemps, puisqu'on en trouve encore des exemples au XIXe siècle.
La langue contemporaine conserve des traces de l'ancien usage dans quelques locutions figées, dont beaucoup appartiennent à la langue juridique : « la cour d'appel *séante* à Paris », « la partie *requérante* », « séance *tenante* », « à la nuit *tombante* », etc.

- 3 - *Participe et temps*

Les appellations de participe « présent » et « passé » généralement employées ne sont pas satisfaisantes et ne sont utilisées que par tradition pédagogique.
Le participe présent assimile la valeur temporelle du verbe auquel il se rattache et exprime un procès qui lui est concomitant. Il peut donc situer un événement à l'époque passée, présente ou future :

> « Je l'ai vu / je le vois / je le verrai *travaillant*. »
> • = « Qui travaillait », « qui travaille », « qui travaillera ».

Sa valeur réelle est une valeur aspectuelle non accomplie, c'est-à-dire que le procès est considéré dans son déroulement.

Le participe passé n'indique pas une situation dans la chronologie :

> « *Ayant fini* son travail, il sort / est sorti / sortira. »
> • Simple antériorité.

Sa valeur réelle est une valeur aspectuelle d'accompli, c'est-à-dire que le procès est perçu comme achevé, le participe marquant au besoin l'état qui suit l'achèvement du procès.

Présent ou passé, le participe ne prend qu'accessoirement valeur temporelle et seulement en fonction du verbe principal. Il est donc évident que le participe n'a pas pour rôle d'indiquer le temps. Et, comme il n'indique pas non plus les personnes, on doit le définir comme un mode non personnel et non temporel.

1. Emploi général

Dans son usage le plus général, le participe, par sa nature même, fonctionne comme un verbe et comme un adjectif. Il exprime aussi des circonstances.

a | Valeur verbale

On sait qu'il prend une valeur temporelle simultanée à celle du verbe principal quand il est au présent, marque seulement l'antériorité quand il est au passé et qu'il peut se faire suivre de compléments :

> « J'aime éperdument tout ce qui, *rompant* d'aventure *le fil* de la pensée discursive, part soudain en fusée *illuminant une vie* de relations autrement féconde » (A. Breton).
> • Présent.

> « Tous les matins elle allait à l'école communale avec un grand cartable *enfermant des cahiers, une grammaire, une arithmétique, une histoire de France, une géographie* » (J. Supervielle).
> • Passé.

> « *Ayant mesuré la tâche*, il me faut me jauger moi-même » (C. de Gaulle).
> • Antériorité.

b | Valeur adjective

Il est épithète, attribut ou apposition :

> « Etait-il rien de plus solaire que le sang rouge *coulant* sur le pavé, comme si la lumière éclatait et tuait ? » (G. Bataille).
> • Epithète.

« Etouffée, à peine bruyante, elle [la mer] semblait *venue* sur la pointe des pieds, en curieuse, observer des fureurs inédites chez Neptune » (J Gracq).
• Attribut.

« *Visée* par l'abeille de fer, la rose en larmes s'est ouverte » (R. Char).
• Apposition.

c | Valeur circonstancielle

Il peut prendre différentes valeurs circonstancielles quand il se trouve en position détachée, c'est-à-dire en apposition (cf. *circonstancielles, équivalents, passim*) :

« *Sitôt revenue*, je t'attends » (J. Gracq).
• Temps.

« *Obsédés* par les pierres du sentier, ne *pensant* qu'à ne pas secouer les civières, ils avançaient au pas » (A. Malraux).
• Cause.

2. Emplois particuliers

A côté de son usage général, le participe est utilisé comme adjectif qualificatif ou substantif par dérivation impropre et comme centre de proposition.

a | Dérivation impropre

Le changement de classe grammaticale affecte le participe présent et le participe passé.

- I - *Passage à l'adjectif*

- *a* - Participe présent. Le participe présent entré dans la classe des adjectifs qualificatifs s'appelle *adjectif verbal*. Exprimant une caractéristique quelconque, il s'accorde en genre et en nombre et fonctionne comme un adjectif qualificatif. Autant le participe présent indique un procès qui se déroule en concomitance avec celui du verbe principal et chronologiquement déterminé par ce verbe, autant l'adjectif verbal exprime un état durable, une qualité indépendante de la chronologie :

« Les femmes se taisaient, encore un peu *frissonnantes* » (F. Mallet-Joris).

« Le printemps commence aujourd'hui, le bon printemps *fleurissant* que je déteste » (G. Apollinaire).

Le plus souvent, l'adjectif verbal a un sens actif : « une soupe *fumante* » = « qui fume », « une pierre *brillante* » = « qui brille ». Mais, dans de rares cas, l'agent n'est pas le terme auquel se rapporte l'adjectif verbal, mais un agent indéterminé. Il exprime alors, par un rapport complexe, une action qui se fait à propos de la chose qu'il qualifie. Il peut donc prendre un sens passif : « une couleur *voyante* » = « qui est vue, que l'on voit », « une place *payante* » = « qui est payée, que l'on paie », ou n'avoir ni sens actif ni sens passif : « une soirée *dansante* » = « où l'on danse », « une rue *commerçante* » = « où l'on commerce ».

Certains adjectifs verbaux sont d'une reconnaissance difficile, les verbes d'où ils sont issus ayant soit disparu de la langue : *méchant* de *mescheoir*, « arriver malheureusement », soit perdu leur ancien sens : *faignant* de *feindre*, « ne rien faire ».

> *NB :* A propos de l'adjectif verbal se pose le problème de son orthographe. Il arrive, mais il n'y a pas de loi générale, que l'adjectif verbal et le participe présent ne soient pas orthographiés de la même façon. Cette distinction voulue pour différencier les deux formes en orthographiant le participe comme le reste du verbe provoque des incertitudes. Comme il n'y a pas de normes qui s'appliquent systématiquement, il faut se référer à l'usage. Ainsi, pour des verbes ayant la même finale *-quer*, on a pour *provoquer* l'alternance *provoquant* (participe) / *provocant* (adjectif verbal); et pour *piquer* la symétrie *piquant/piquant*. D'autres adjectifs verbaux sont écrits en *-ent*, mais d'après le latin auquel ils sont empruntés. Ainsi s'opposent *excellant/excellent*, *négligeant/négligent*, etc.
>
> Les différences orthographiques participe présent/adjectif verbal ont du moins le mérite d'éviter de confondre ces formes entre elles. C'est très souvent seulement grâce aux valeurs distinctes du participe présent et de l'adjectif verbal qu'on peut les distinguer quand ils sont isomorphes.

- *b* - Participe passé. Sans son auxiliaire, c'est-à-dire sous la forme adjective du verbe, le participe passé peut n'être qu'un simple qualificatif exprimant une caractéristique quelconque :

> « Il s'enivra une dernière fois des traits *aimés* de la jeune fille » (A. Schwartz-Bart).

> « Le soir, tous les maris [...] trouvaient les tables *mises*, propres, avec de belles assiettes, l'appartement bien *briqué* » (C. Rochefort).

- 2 - *Passage au substantif*

Le participe se substantive et s'assimile au nom, variant en genre, en nombre, pouvant être déterminé, caractérisé et prenant toutes les fonctions du nom (cf. p. 77, *NB*). On l'appelle *participe substantivé* :

« Des *passants*, qui se sont rendu compte de l'accident, crient, gesti-culent... » (A. Gide).

« Il frissonnait à l'idée des *mutilés*, ses camarades » (L. Aragon).

- 3 - *Passage aux invariables*

Le participe peut devenir *préposition* : *durant, excepté, suivant*, etc., ou *adverbe*, mais seulement au présent : *cependant* (*ce + pendant*, de *pendre* « être mis en instance »), *maintenant* (de *maintenir*, du lat. pop. *manutenere*) :

« *Durant* les nuits qui suivirent, ce fut tantôt à une étoile, tantôt à une autre d'être de garde » (J. Supervielle).

« *Cependant*, comme il y a plus de plaisir à tuer un officier qu'un simple soldat, on prépare ces meurtres » (R. Nimier).

b | *Centre de proposition*

Le participe présent ou passé s'emploie en construction absolue dans la *proposition participe* (participe absolu), qui a valeur de proposition circonstancielle et se trouve grammaticalement indépendante de la principale. La proposition participe a obligatoirement un sujet propre et le contexte permet d'établir la nuance circonstancielle :

« Je fis un feu, *l'azur m'ayant abandonné* » (P. Eluard).
• Cause.

« *Le corbeau s'étant envolé*, je me fusse attristé plus fort » (A. de Saint-Exupéry).
• Hypothèse.

Sur la proposition participe, cf. p. 327, B sqq.

C - Le gérondif

Observations

Morphologiquement, le gérondif se confond avec le participe présent, quoique son étymologie soit différente puisqu'il est issu de l'ablatif du gérondif latin (*amando* = « en aimant »). La confusion des deux formes remonte à la plus ancienne langue. Le gérondif se distingue aujourd'hui du participe présent en étant régulièrement introduit par *en*, préposition vide de sens, sorte d'indice de gérondif, mais, comme le participe présent, il est invariable.

NB : Dans l'ancienne langue, et jusqu'au xvII^e siècle, le gérondif pouvait ne pas être précédé de *en*. Seule l'absence de marque de genre et de nombre le séparait du participe présent, quoiqu'on rencontre des exemples d'accords comme en avait le participe présent :

« On ne saurait manquer *condamnant* un pervers » (La Fontaine).

« Ils croyaient s'affranchir *suivants* leurs passions,
       Ils étaient esclaves d'eux-mêmes » (La Fontaine).

La langue conserve des traces de cet usage dans des expressions figées comme *argent comptant, chemin faisant, tambour battant*, etc., et même, certains écrivains contemporains utilisent le gérondif sans *en* par coquetterie d'archaïsme :

« Pradé s'approche *souriant*, de ses trois dents dehors » (A. Malraux).

1. Valeur temporelle et aspectuelle

Comme l'infinitif et le participe, avec lequel il constitue le paradigme des formes en *-ant*, le gérondif n'indique ni la personne ni le temps. Il calque sa valeur temporelle sur celle du verbe qu'il accompagne et exprime un aspect duratif. Le procès est en train de s'accomplir à une époque qui est celle du verbe principal :

« Il m'assure qu'*en étant* patient, on *peut* gratter un bon petit quelque chose sur les Métro » (J. Anouilh).
• Présent.

« C'est *en flattant* vos dispositions de cancrelats et de paresseux qu'il vous *a persuadés* du bonheur qui vous attend dans une vie diminuée » (M. Aymé).
• Passé.

2. Sens

Le gérondif est la forme adverbiale du verbe. Il exprime une circonstance conjointe au procès marqué par le verbe qui lui est principal. Il équivaut à un complément ou une proposition circonstanciels :

« Et il fallait contenter l'horloge à poids *en la remontant* à la manivelle pour qu'elle sonnât vraiment les heures, jour et nuit » (J. Supervielle).
• Manière.

« Par exemple, je pourrais trouver, *en y mettant* le prix, une femme n'ayant pas une réputation à défendre » (M. Aymé).
• Hypothèse.

Le gérondif est susceptible de se faire accompagner par *tout* adverbe. *Tout* ne modifie pas le gérondif d'après son sens général adverbial de degré absolu (« totalement », « tout à fait »), mais marque dans cet emploi une simultanéité renforcée entre le gérondif et le verbe principal :

> « Un mouton à l'énorme laine insista pour être tondu sur-le-champ : on lui laissa sa toison, *tout en le remerciant* » (J. Supervielle).

Sur les différentes valeurs circonstancielles du gérondif, cf. *circonstancielles*, *équivalents*, *passim*.

3. Construction

Alors que le participe présent peut se rapporter à n'importe quel nom ou pronom de la phrase, le français moderne et contemporain veut, pour éviter toute équivoque, que le gérondif ait le même agent que le verbe qu'il accompagne :

> « Jeunes gens, on vous dit que *les nations retrouveront* la prospérité *en se remettant* à construire des machines » (G. Bernanos).

Certains écrivains ne respectent cependant pas cette exigence de l'identité des sujets, liberté tolérable si la clarté n'en souffre pas. Il peut même s'agir d'une construction absolue :

> « C'est l'opinion commune, selon laquelle une plume et un cahier de papier, *en y ajoutant* quelque don naturel, font un écrivain » (P. Valéry).
> • « Si *on* y ajoute. »

NB : - 1 - Ces anacoluthes, avec un agent du gérondif différent de celui du verbe principal ou le gérondif en construction absolue, étaient fréquentes à l'époque classique :

> « Et je veux [...]
> Faire par un grand coup qui signale ma foi,
> Qu'*en expirant* pour elle, elle ait regret à moi » (Molière).
> • Sujets différents.

> « Il y a des vices [...] qui *en ôtant* le tronc s'emportent comme des branches » (Pascal).
> • Construction absolue.

La langue conserve des exemples de ces ruptures de construction dans des aphorismes anciens d'usage courant :

> « La Fortune vient *en dormant* » (Proverbe).
> • « Quand *on* dort ».

- 2 - L'idée gérondivale se rendait fréquemment à l'époque classique par l'infinitif précédé de *à*, *par* ou *pour* (infinitif gérondival) :

« Je deviendrais suspect *à tarder* davantage » (P. Corneille).
· « En tardant ».

« Mais ne confondons point, *par trop approfondir*,
    Leurs affaires avec les vôtres » (La Fontaine).
· « En approfondissant trop ».

« *Pour dormir* dans la rue, on n'offense personne » (Racine).
· « En dormant ».

Ces tours deviennent de plus en plus rares à mesure qu'on se rapproche de l'époque moderne et on ne les emploie plus guère.

Enfin, en tant que forme verbale, le gérondif peut se faire accompagner des compléments du verbe :

« Ma mère s'est levée, marche allégrement dans le chocolat *en écrasant les débris* de porcelaine qui craquent, comme des os » (H. Bazin).
· Gérondif + COD.

« Comme sa porte d'entrée était fermée à clé de l'intérieur, l'incident lui donna à réfléchir et, malgré les remontrances de sa raison, il se décida à rentrer chez lui comme il en était sorti, *en passant à travers la muraille* » (M. Aymé).
· Gérondif + CC de lieu.

NB : Si le gérondif peut être complété comme verbe à la façon de l'infinitif et du participe, il n'est pas comme eux susceptible de changer de classe grammaticale par dérivation impropre.

deuxième partie

LES FONCTIONS
DANS LA PROPOSITION

Sommaire

1

l'apostrophe

Généralités

L'apostrophe est un terme indépendant, nom propre ou commun, éventuellement pronom. Il n'existe entre l'apostrophe et le reste de la phrase aucune relation syntaxique, mais l'apostrophe peut cependant être répertoriée en tant que fonction, même au degré zéro, dans la mesure où elle assure une liaison entre le destinataire qu'elle implique et le reste de l'énoncé.

I - MODALITÉ ET CONSTRUCTION CANONIQUE

Ni sujet ni complément par rapport à un autre mot, elle désigne êtres ou choses personnifiées à qui l'on s'adresse le plus souvent en les interpellant au moyen d'une tournure impérative, exclamative ou interrogative. En général, l'apostrophe, toujours séparée du reste de l'énoncé par une pause marquée à l'écrit à l'aide de la virgule ou du point d'exclamation, n'est pas précédée de l'article :

> « *Andromaque,* je pense à vous! » (C. Baudelaire).

> « *Liberté,* que de crimes on commet en ton nom! » (Mme Roland).

mais elle peut l'être de l'interjection *ô, oh* :

> « *O rigueur,* tu m'es un signe
> Qu'à mon âme je déplus! » (P. Valéry).

II - AUTRES CONSTRUCTIONS

L'apostrophe peut néanmoins être introduite par un déterminant, ainsi :

— l'article défini avec valeur démonstrative, surtout dans la langue familière :

> « Parbleu, *l'abbé*, avouez que vous aussi vous savez ce que c'est la curiosité ! » (A. Gide).

— l'adjectif possessif de la première personne, avec des nuances d'affection ou de respect :

> « Parfois, elle nous criait : "Taisez-vous, *mes enfants*, que je voie clair" » (G. Duhamel).

> « Je suis de l'avis de Madame la générale, *mon Général* » (J. Anouilh).

Elle peut également se faire accompagner des éléments qui complètent ordinairement le nom :

— adjectif :

> « O *ma Nuit étoilée* je t'ai créée la première ! » (C. Péguy).

— apposition :

> « Et *vous, les loups maigres,*
> Par ces bises aigres
> Quoi donc vous arrive ? » (P. Verlaine).

— complément du nom :

> « Et chaque jour j'aime d'un cœur plus fort
> Ton air de sainte femme, *ô ma terre de Flandre* » (A. Samain).

— proposition subordonnée :

> « *Mégères alentour qui pleurez dans vos mouchoirs,*
> On s'étonne, on s'étonne, on s'étonne » (H. Michaux).

Quand l'apostrophe est un pronom personnel, celui-ci est bien sûr de la deuxième personne (singulier ou pluriel) et toujours de forme tonique :

> « Car j'ignore où tu fuis, tu ne sais où je vais,
> O *toi* que j'eusse aimée, ô *toi* qui le savais ! » (C. Baudelaire).

NB : - 1 - Il ne faut pas confondre l'apostrophe, qui interpelle, et l'exclamation qui consiste en une proposition elliptique de type exclamatif exprimant une sorte de cri ne s'adressant à personne, comme dans l'exemple suivant :

« *Lumineux ouragan de l'ardente saison!*
Il semble que l'été fonce dans ma maison » (A. de Noailles).

- 2 - L'apostrophe, en tant qu'elle est une figure par laquelle on se détourne de celui ou de ceux à qui l'on parle pour s'adresser à quelqu'un d'autre, fait partie en rhétorique des figures dites « de pensée ».

2   le sujet

Généralités

Le sujet (lat. *subjectum* par opposition à *objectum*) est le terme considéré comme le point de départ de l'énoncé. La notion même de sujet est difficile à cerner.

Il paraît impropre de se contenter d'une définition purement sémantique. La pratique traditionnelle des questions *qui est-ce qui ?*, *qu'est-ce qui ?* pour définir le sujet comme l'agent de l'action exprimée par le verbe ne rend pas compte des occurrences où, par exemple, le sujet dans le cas d'animés est en fait un patient :

> « *Le lièvre* reçoit un coup de fusil. »

ou, dans le cas d'inanimés, un instrument :

> « *La charrue* laboure le champ. »

De même, le complément animé de la tournure passive, qui remplit une fonction particulière, constitue en fait, et comme son nom l'indique, l'agent de l'action :

> « La souris est mangée *par le chat*. »

Une définition purement logique semble devoir être aussi écartée. Dire que le sujet est ce à propos de quoi on exprime quelque chose, c'est-à-dire faire de la phrase un thème (le sujet, ce dont on parle) complété par un prédicat (ce qui est dit du thème), est certes licite dans bien des cas, mais pas dans tous : ainsi les phrases impersonnelles où le verbe est le thème :

> « Il passe des nuages. »

En adoptant un point de vue morphosyntaxique, on dira que le sujet est l'élément qui régit le verbe auquel il impose l'accord en nombre (« le livre *est ouvert*, les livres *sont ouverts* »), éventuellement en genre (« la fenêtre *est ouverte* »), et en personne quand le sujet est un pronom, et que cet élément se place dans la phrase en général avant le verbe. En somme, le sujet se reconnaît à ce qu'il donne sa forme au verbe selon la syntaxe et le verbe ne peut avoir pour sujet(s) qu'un ou des termes qui éclairent sa forme. Quant à la structure particulière où l'accord du verbe avec son ou ses sujets s'établit selon le sens et non pas selon la stricte syntaxe, elle ne présente qu'un écart dû à la sémantique en face de ce canon.

I - NATURE DU SUJET

Le sujet peut prendre des formes très variées, nom commun ou nom propre, pronom, infinitif — et même proposition complétive ou relative, cf. p. 237, A et p. 316, *b*.

A - Nom commun ou nom propre

« Car ce *petit enfant* est le Messie attendu par les Juifs.
— Oh ! dit *Manlius*, cela m'est égal : je suis citoyen romain » (J. Lemaître).

Les mots qui, par dérivation impropre, ont quitté leur classe grammaticale pour passer dans celle du substantif endossent toutes les fonctions du substantif, donc celle de sujet : participes, adjectifs, mots invariables, etc. :

« Et moi, je vous dis qu'il l'a fait, cria le *mendiant* en se dressant subitement ! » (J. Giono).

« Le *sublime* lasse, le *beau* trompe, le *pathétique* seul est infaillible dans l'art » (A. de Lamartine).

« *Jamais* est le mot blême du présent de l'homme » (P.-J. Jouve).

B - Pronom

« *J'*en sais quelque chose, puisque *c'*est moi *qui* ai aidé à les remplir. *On* aurait dit que leur peau allait craquer en rôtissant, tellement *elle* était tendre » (A. Daudet).

C - Infinitif

« *Répondre* des battements de son cœur est un triste privilège » (A. de Musset).

L'infinitif peut, dans une construction courante dans la langue classique et encore d'usage par volonté d'archaïsme, se faire précéder de la préposition *de*, simple outil grammatical :

> « Quand *de rire les gênait* devant la Bavara, ils baissaient les yeux » (P. Mac Orlan).

L'infinitif sujet, accompagné ou non par *de*, est éventuellement repris par *ça, ce, cela* dans les phrases disloquées :

> « On ne croirait pas, mais *de penser*, *ça* fatigue » (J. Anouilh).

> « Mais surtout *se priver* volontairement d'un bavardage d'une heure, *c*'est ce qui fut impossible pour notre maître de poste... » (Stendhal).

II - ACCORD DU VERBE AVEC LE SUJET

A - Nombre, personne et genre

C'est le nombre du sujet et la personne quand il s'agit d'un pronom qui commandent l'accord du verbe :

> « Ce *jardin* nous *avait plu* dès le premier regard » (G. Duhamel).

> « *Messieurs les auditeurs attendent* la réponse de Votre Altesse » (P. Mérimée).

> « Si *je suis* loin de ce que *j'aime*
> *Vous n'êtes* pas trop loin barreaux de l'horizon » (P. Reverdy).

Son genre, indifférent aux formes verbales simples, intéresse en revanche les formes composées avec l'auxiliaire *être*, actives et passives, où le participe peut varier suivant que le sujet est masculin ou féminin — étant bien entendu que son nombre intéresse également ces formes :

> « Jacques rentra chargé des dépouilles de ces gens : *il s'en était emparé* pour qu'*ils ne fussent pas tentés* de se relever » (Diderot).

B - Sujet simple et sujet multiple

Le sujet peut être :

— soit *simple*, c'est-à-dire représenté par un seul terme éventuellement complété, auquel cas on l'appelle sujet *complexe* :

> « Puis les *pipes* se bourraient de tabac en carotte haché sur des paumes calleuses, et l'*atmosphère* déjà opaque *de la salle* s'obscurcissait encore un peu » (L. Hémon).

— soit *multiple* (ou *composé*), c'est-à-dire représenté par plusieurs termes, le sujet multiple pouvant inclure un ou plusieurs sujets complexes :

> « *Sa gêne, son absence d'abandon, de curiosité* pour les objets exposés, l'inquiétaient » (A. Malraux).

1. Sujet simple

a | Règle générale

Quand il n'y a qu'un seul sujet, le verbe s'accorde en nombre avec ce sujet singulier ou pluriel, en en prenant le genre et la personne si la forme verbale s'y prête :

> « Aussi, combien *mon cœur était blessé* de voir encore, sur les hauteurs, ces affreux donjons noirs *qui ont levé tribut* si longtemps sur un peuple si pauvre, si méritant, *qui* ne *doit* rien qu'à lui » (J. Michelet).

C'est + substantif ou pronom et le sujet de l'impersonnel amènent à un certain nombre d'observations :

- 1 - C'est + *substantif*

Dans les ensembles phraséologiques pronom démonstratif de valeur neutre *ce* + verbe *être* + substantif, le verbe, comme l'attestent les accords au pluriel, prend théoriquement et souvent le nombre du substantif qui le suit, en fait authentique sujet donnant l'accord au verbe, le pronom antéposé n'étant qu'attribut et non pas l'inverse, comme ont analysé certains grammairiens — ce qui les amène à parler curieusement d'un accord du verbe avec l'attribut quand ce verbe suivi d'un terme au pluriel prend la marque du pluriel :

> « *Ce sont trois magasins* où je me suis pourvu de masques ridicules » (Diderot).

Mais la langue tend de façon générale à considérer comme forme lexicalisée figée les syntagmes *c'est, c'était*, etc., le verbe restant par-là au singulier; cette fixation au singulier, qui fait du syntagme une sorte de présentatif, affecte surtout le langage courant :

> « *Ce n'est pas les équipages* qui marchent, c'est le vent qui les fait marcher » (P. Claudel).

> « *C'était trois notes*, toujours les mêmes, précipitées, furieuses » (G. Flaubert).

- 2 - C'est + *pronom*

Quand le terme suivant *être* est un pronom, si le verbe peut ou non s'accorder avec ce pronom quand il s'agit de *eux, elles* (« c'*est*, ce *sont eux, elles* »), en revanche il reste toujours au singulier avec *nous, vous* :

> « *C'est nous* les petits oiseaux » (M. Aymé).

> *NB :* Cette dernière construction est d'ailleurs courante dès le xviie siècle, qui suit en cela l'évolution de la langue. La construction ancienne *ce êtes vous* établissant l'accord en nombre et en personne avec le sujet postposé, *ce* étant simplement attribut, était devenue *c'est vous*, par analogie avec des tours comme *c'est lui*. La nouvelle construction s'est imposée dès le début de l'époque classique — même contre l'avis de grammairiens qui voulaient, hormis quelques exceptions tolérées par euphonie (ainsi *fût-ce* pour éviter *fussent-ce*), que l'accord en nombre persistât quand le sujet inversé était un substantif pluriel ou un pronom de la troisième personne du pluriel :

> « Ce qui leur servoit le plus, *c'étoit* leurs plongeurs » (Vaugelas).

> « *C'est eux* qui en demeurent d'accord » (Mme de Sévigné).

- 3 - *Sujet et impersonnel*

Les verbes par nature impersonnels comme *pleuvoir, falloir*, etc., et les locutions impersonnelles construites avec *faire* ou *être* comme *faire chaud, bon, être juste, raisonnable*, etc., ou les verbes employés impersonnellement comme *arriver, convenir*, etc., sont précédés de *il*, plus rarement de *ça, ce, cela* (cf. *verbe*, p. 30, C.). Ces termes sont à proprement parler non des pronoms neutres, puisqu'ils ne représentent rien, mais des nominaux. Quoique les grammairiens s'accordent à les considérer comme sujets, il y a beaucoup de discordance sur le sens qu'ils attribuent à ce mot.

Soit la phrase : « Il arrive des invités. » Pour certains, qui se rattachent à une tradition sémantico-logique, *il* est analysé comme sujet « apparent » et *des invités* comme sujet « réel ». Pour d'autres, qui s'appuient sur des normes morphosyntaxiques, *il* est analysé comme indice de troisième personne du singulier sujet, laissant en attente un second élément *des invités* appelé « terme complétif » du sujet.

Il est vrai que cette phrase trouve son équivalent sémantique dans « des invités arrivent » si l'on fait de *des invités* sujet « réel » le sujet du verbe à la tournure personnelle. Mais cette analyse ne considère nullement la phrase de départ, puisqu'elle prend en compte une autre phrase. Syntaxiquement, « il arrive des invités » et « des invités arrivent » sont deux phrases différentes et la seconde n'éclaire les relations entre les mots propres à la première que justement parce qu'elle met en œuvre une loi fondamentale : l'accord du verbe avec son sujet. Si l'on admet que *arrivent* dans « des invités arrivent » voit sa forme morphologiquement commandée par son sujet (finale -*ent* de troisième personne du pluriel exigée par un sujet pluriel), on doit avoir des réticences à ne pas admettre que *arrive* dans « il arrive des invités » est au singulier tout simplement parce que son sujet est au singulier.

En outre, toutes les phrases où le verbe est impersonnel ne peuvent même accepter cette transformation. Ainsi « il faut du pain » ne peut se transformer en « *du pain faut », car en admettant que ce verbe obsolète s'utilise encore à la forme personnelle, la phrase voudrait dire tout autre chose, puisqu'on passe du sens de « être nécessaire » à celui de « manquer ». Egalement, on ne peut opérer de transformation avec des phrases comme « il était un roi », ou, *a fortiori*, avec des verbes intrinsèquement impersonnels employés sans terme complétif comme *pleuvoir* ou *neiger* : « il pleut », « il neige ». Quant au cas des impersonnels sans sujet suivis d'un terme au pluriel, et dont certains veulent faire des verbes personnels restant au singulier car la pluralité de leur sujet inversé n'est pas encore perçue au moment où on les articule ou les écrit, il en sera question p. 121, *NB*.

Autrement dit, l'accord systématique de l'impersonnel au singulier interdit de lui trouver un autre sujet vrai que le nominal qui l'accompagne, ou éventuellement sous-entendu, la séquence suivant le verbe n'étant donc qu'un « complément » de ce sujet. L'exemple de phrases comme « ce sont des enfants » n'infirme en rien cette analyse, puisque le verbe s'accorde au pluriel parce que son sujet est au pluriel simplement en position inversée, *ce* étant attribut (cf. p. 98, - 1 -).

Le terme complétif du sujet des impersonnels peut être de nature variée. Il s'agit :

— soit d'un substantif ou d'un groupe nominal à valeur substantive singulier ou pluriel :

> « Il n'y a pas de *masses* si obscures de rochers et de feuillages dans lesquelles il ne s'insinue toujours *un peu de lumière* » (Chateaubriand).

— soit d'un infinitif :

> « Il était difficile *de me retirer* sans gaucherie » (J. Gracq).

— soit d'une proposition complétive introduite par *que* :

> « Il est vrai *que personne n'avait songé à savoir ce que Mao avait fait pour les arbres* » (J. Chalon).

Il convient d'éviter de confondre *il* sujet impersonnel et *il* explétif redoublant un sujet dans l'interrogation complexe et vrai pronom personnel. Le premier est un signe purement vide de sens, le second joue un rôle plein de représentant (cf. p. 112, - 2 -).

b | Cas particuliers

Un certain nombre de cas particuliers viennent troubler ces normes de l'accord, notamment en nombre — ce qui entraîne *ipso facto* une modification de l'accord en genre s'il y a lieu. Dans chaque cas, seule l'intention de celui qui parle ou écrit justifie tel accord en face de tel autre.

- i - *Adverbe de quantité et nom collectif + complément*
Le choix de l'accord par le singulier ou le pluriel est uniquement fondé sur une question de point de vue. C'est ce qui explique l'extrême diversité des accords rencontrés, qu'il s'agisse d'un adverbe de quantité comme *beaucoup, peu, tant*, etc., ou d'un nom collectif, substantifs et expressions variées, comme *foule, multitude, quantité, le reste, la plupart, une partie*, etc., suivis d'un complément.

Mais il peut même se faire que le sujet grammatical ne se range dans aucune des catégories ci-dessus et qu'il y ait accord soit au singulier soit au pluriel :

> « Vous savez bien que *cette sorte de gens ont* toujours *tenu* les saints pour des fous » (G. Bernanos).

- a - Adverbe de quantité. Si l'accord se fait théoriquement avec le complément de cet adverbe, donc soit au singulier, soit au pluriel :

> « *Trop de bonté est cruelle* à la vanité d'autrui » (Vercors).

> « *Assez de malheureux* ici-bas vous *implorent* » (A. de Lamartine).

il peut également arriver que l'on veuille mettre l'accent sur l'adverbe et non sur son complément au pluriel, et l'accord se fait alors d'après l'idée singulière de totalité qu'il implique :

> « *Beaucoup de cierges valait* mieux » (G. Flaubert).

Employés sans complément, les adverbes de quantité entraînent automatiquement le pluriel :

> « Le bonheur ! Tout le monde en parle, *peu le connaissent* » (Mme Roland).

- b - Nom collectif. Lorsque le sujet unique, mais de forme complexe, est un nom collectif suivi de son complément au pluriel, l'accord peut se faire en considération de l'idée singulière de totalité inférée par le seul nom collectif, ce qui ramène à la règle générale :

> « *Tout cet ensemble de choses indicibles* qui *a été* nous-mêmes *reste* là dans l'ombre » (V. Hugo).

Mais l'esprit peut également porter principalement son attention sur le complément, c'est-à-dire qu'il considère prioritaire la notion plurielle d'éléments multiples contenus dans ce complément; de l'accord purement grammatical par la forme, on passe à l'accord par le sens, et le verbe se met au pluriel (cf. lat. « turba militum *ruunt* » en face de « turba militum *ruit* »).

> « *Un couple de bœufs roux s'avançaient* dans la large avenue des vignes... » (F. Mauriac).

> « Fabrice était encore dans l'enchantement de ce spectacle curieux, lorsqu'*une troupe de généraux*, [...], *traversèrent* au galop un des angles de la vaste prairie au bord de laquelle il était arrêté » (Stendhal).

NB : L'accord du verbe au pluriel, dans le cas d'un sujet singulier à valeur collective ou pris comme tel, était ordinaire dans l'ancienne langue, même en l'absence de compléments déterminatifs. On en trouve des exemples encore fréquemment au XVIIe siècle :

> « *Le succès de Dédale et d'Icare*, en même dessein, *furent* différens » (Malherbe).

> « C'est que *chaque pays* pour tout ne *sont* pas bons » (La Fontaine).

- 2 - *Syllepse du nombre*

A un sujet pluriel correspond un verbe au singulier. Avec **on**, à l'inverse, il y a accord au pluriel du participe d'une forme verbale composée avec *être* ou de l'adjectif dans une phrase attributive. Il y a *syllepse* (accord avec le sens).

- *a* - Sujet au pluriel, verbe au singulier.   On observe ce phénomène dans des exemples où le sujet pluriel non précédé d'un déterminant est formé d'un nom et d'un adjectif numéral. A côté de phrases où le verbe se met au pluriel :

> « Déjà *trois cents ans* d'énergie européenne *s'effacent* » (A. Malraux).

on trouve :

> « *Treize ans a été* l'année de votre grande gloire » (H. de Montherlant).

Dans le premier cas, on considère le syntagme *trois cents ans* comme une multiplicité d'éléments, donc la notion de pluriel prévaut; dans le second, on considère le syntagme *treize ans* comme un tout (= « l'âge de... ») et la notion de singulier l'emporte.

Ce phénomène d'accord par syllepse du nombre s'observe particulièrement quand le sujet marque une indication horaire. Soit on envisage le syntagme sous l'angle de la pluralité :

> « *Trois heures* cependant *ont* lentement sonné » (A. de Vigny).

soit on l'envisage comme une donnée globale, un point chronologique :

> « Michel Arc avait dit que *4 heures moins le quart était* une heure qui lui convenait » (M. Duras).

Cette construction avec syllepse était davantage répandue à l'époque classique (cf. « *quatre ou cinq mille écus est* un denier considérable », Molière). Aujourd'hui, quoique la langue ne l'ignore pas, comme le montrent les exemples de Montherlant et Duras cités *supra*, on préfère une reprise du syntagme pluriel par *ce, ça, cela*, évitant ainsi le voisinage d'un sujet pluriel et d'un verbe au singulier :

> « *Ces dix-sept ans* d'asile pendant lesquels tu t'es conservé si pur, *c'est* la durée exacte d'une adolescence » (J. Anouilh).

Le cas des titres d'œuvres au pluriel ou composés de plusieurs termes, qui se font suivre soit d'un verbe au pluriel, soit d'un verbe au singulier, relève, quand l'accord se fait au singulier, d'une analyse identique. Si l'accord du verbe au pluriel l'emporte en général :

> « *Les Mille et une Nuits* que j'adore *occupent* plus d'un quart de ma tête » (Stendhal).
>
> « *Vire et les Virois sont* un petit chef-d'œuvre » (C. Baudelaire).
> • Il s'agit d'un tableau.

l'accord au singulier se rencontre, le titre étant alors senti comme évoquant un tout et l'esprit sous-entendant quelque chose comme « l'ouvrage, le livre... » :

> « *Les Gommes*, de même que les romans postérieurs de Robbe-Grillet, *suit* d'une certaine manière ce principe » (B. Morissette).

- b - On. Quand une forme verbale a pour sujet *on*, l'accord se fait normalement au singulier, *on* étant considéré comme un pronom indéfini de la troisième personne du singulier lorsqu'il représente un mot ou comme un nominal singulier lorsqu'il ne représente rien. Sa dénomination, variable selon les grammairiens : « substantif abstrait », « substantif indéfini », « indéfini collectif » ou « personnel indéfini », n'empêche qu'il est toujours singulier et se fait donc accompagner d'un verbe au même nombre :

> « Il neigeait. *On était vaincu* par sa conquête » (V. Hugo).

Mais lorsque *on* désigne une pluralité de personnes et se trouve sujet d'une forme verbale composée avec *être*, il peut se faire que le participe passé se mette au pluriel par syllepse du nombre, de même que l'adjectif dans une phrase attributive. Cet usage est surtout familier :

> « *On* était bien *fatigués* nous-mêmes, avec tout ce qu'on supportait en acier sur la tête et sur les épaules » (L.-F. Céline).

- 3 - Qui *et son antécédent*

Le verbe, lorsque l'antécédent du relatif est un pronom personnel, doit prendre la personne et le nombre de ce pronom personnel antécédent :

> « *Moi qui* ne *suis* pas au clavecin, et *qui* ne *vois* pas sur votre livre, je sens qu'il faut un sol » (Diderot).

> « *C'est vous qui êtes* laids, même les plus beaux » (J. Anouilh).

L'accord se fait même en quelque façon à distance quand l'antécédent du relatif est une apostrophe en rapport avec un pronom personnel, l'intérêt se portant sur le pronom à travers cette apostrophe :

> « Je *te* bannis de ma mémoire,
> *Reste* d'un amour insensé,
> Mystérieuse et sombre *histoire*,
> *Qui dormiras* dans le passé! » (A. de Musset).

> *NB :* Jusqu'à la fin du xviie siècle on a pu faire l'accord à la troisième personne malgré un antécédent de première ou deuxième personne, en particulier après les tours *c'est moi, c'est toi, c'est nous,* etc., ce qui n'est plus toléré aujourd'hui :

> « *Est-ce toi,* malheureux, *qui cause* ce transport ? » (Regnard).

> « *Ce n'est pas vous qui parle,* c'est la rage et la jalousie » (C. Sorel).

Mais quand cet antécédent est un attribut se rapportant à un pronom personnel de première ou deuxième personne, l'usage est flottant. L'accord peut se faire avec le sujet du verbe principal, donc à la première ou deuxième personne — construction rare venue de la langue classique —, ou avec l'antécédent du relatif. Il s'établit selon qu'on a dans l'esprit le sujet du verbe principal ou l'attribut. Comparer :

> « Etes-vous celui qui *devez* venir ? » (Bossuet).

> « Nous sommes une centaine qui *regardons* » (M. Barrès).

et :

> « Je suis l'astre qui *vient* d'abord » (V. Hugo).

Seul le mot qui fait l'objet de la visée principale de l'esprit commande l'accord. Il en est de même quand le relatif est précédé de *un(e) de, des*; l'accord du verbe est commandé par le pluriel du complément de *un(e)* ou par le numéral singulier :

> « Je crois être l'un des Pères de Jersey qui *ont* le plus connu et le plus aimé notre Paul » (R. Bazin).

> « En est-il un de vous qui *sache* faire un temple ? » (V. Hugo).

Dans le premier cas, on a en vue l'ensemble des Pères qui ont connu et aimé Paul, dans l'autre, un des captifs en particulier, capable de faire un temple.

- 4 - *Soit, vive, peu (qu')importe*

Ces formes verbales sont ou bien considérées comme des verbes de plein exercice et suivent, en ce cas, la règle générale de l'accord en nombre en prenant alors la marque du pluriel si leur sujet est au pluriel (que celui-ci soit simple ou multiple) :

> « *Soient* deux grandeurs égales » (H. Taine).

> « *Vivent* les affiches des bureaux de tourisme! » (M. Déon).

> « *Que m'importent* droits et doctrines » (E. Verhaeren).

> « *Peu m'importent* les classes sociales » (A. Gide).

ou bien considérées comme des formes figées de subjonctif présent *(soit, vive)* et d'indicatif présent *(peu importe, qu'importe)* et demeurent invariables. Cette construction, qui en fait des sortes de présentatifs lexicalisés, tend à se généraliser :

> « *Soit* les propositions... » (F. Brunot).

> « *Vive* mes contradictions, si j'en vis » (H. Bazin).

> « *Qu'importe* sa pitié, sa joie, et sa vengeance ? » (Voltaire).

> « *Peu importe* les noms » (Vercors).

2. Sujet multiple

a | *Règle générale*

- I - *Noms*

Quand le sujet multiple est composé de noms propres ou communs coordonnés ou juxtaposés, le verbe s'accorde au pluriel :

> « *Hussonet et Frédéric ne furent pas*, non plus, sans en éprouver un certain plaisir » (G. Flaubert).

> « *Le devoir, le travail, la fonction du poète sont* de mettre en évidence et en action ces puissances de mouvement et d'enchantement » (P. Valéry).

- 2 - *Pronoms*

Quand le sujet multiple est composé de pronoms de personnes différentes coordonnés ou juxtaposés, l'accord se fait au pluriel avec la première personne en face des deux autres (« toi/lui et moi, etc., nous »), avec la seconde en face de la troisième (« toi et lui, etc., vous ») :

> « *Elle ni moi* ne *pûmes* oublier [...] l'épouvantable situation qu'elle nous faisait à tous les deux » (J. Barbey d'Aurevilly).

S'il y a concurrence entre noms et pronoms, c'est toujours le pronom qui régit le verbe comme ci-dessus :

> « *Bertrand et moi nous sommes compris* d'un regard » (C. Mauriac).

> « *Gérard et toi, vous entraînez* cette petite » (J. Cocteau).

> *NB* : Quand un sujet multiple est annoncé ou repris par *tout, rien, nul*, etc., qui le résument, le verbe se met au singulier :

> « *Tout tournait* autour d'eux, les lampes, les meubles, les lambris et le parquet » (G. Flaubert).

> « Et les ponts et les rues
> Et les mornes statues,
> Et le golfe mouvant
>   Qui tremble au vent,
>   *Tout se tait* » (A. de Musset).

b | *Cas particuliers*

Comme pour le sujet simple, un certain nombre de cas particuliers viennent troubler la règle générale et, malgré un sujet multiple, le verbe s'accorde au singulier.

- 1 - *Sujet idée unique*

Les sujets désignent la même personne ou la même chose; l'idée étant donc unique, le verbe se met au singulier :

> « Marsyas mourra, mais c'est en vain
> Que *l'Envieux céleste et le Rival divin
> Essaiera* sur ma flûte inutile à ses doigts
> De retrouver mon souffle et d'apprendre ma voix » (H. de Régnier).

> « *Le saint, le martyr s'élèvera* de toute sa hauteur au-dessus de l'homme et ce n'est pas l'homme qui aura baissé » (C. Péguy).

- 2 - *Sujet isolé*

De plusieurs sujets, un sujet isolé précède le verbe ou lui succède, l'autre ou les autres étant rejetés en fin de phrase par une conjonction de coordination et de reprise; l'accord ne se fait qu'avec ce seul sujet :

> « Demain *viendra l'orage, et le soir et la nuit* » (V. Hugo).

- 3 - *Sujet le plus proche*

L'accord peut ne se faire qu'avec le dernier sujet singulier. L'esprit réunit les éléments partiels du sujet multiple dans une notion unique ou applique sa visée sur le dernier élément jugé plus important et ainsi mis en valeur, ce qui se justifie particulièrement s'il y a gradation.

Dans la langue d'aujourd'hui, cet accord ne paraît plus que la marque d'une volonté d'archaïsme. Les exemples suivants montrent l'accord du verbe au singulier avec des sujets coordonnés :

> « *La grandeur même et la floraison et l'éclat de la tragédie sacrée dans Polyeucte* nous *masque* non pas seulement la grandeur et la floraison de l'humanité, mais presque jusqu'à l'existence même de la tragédie profane **qui est** en dessous » (C. Péguy).

> « C'est aussi qu'en France, et dans la France seule, l'intelligence tend toujours à l'emporter sur le sentiment et l'instinct. Ce qui ne veut nullement dire, comme certains étrangers ont une disposition à le croire, que *le sentiment ou l'instinct soit absent* » (A. Gide).

et juxtaposés :

> « Les femmes de cette sorte ont une faculté d'invention inouïe; elles adorent en vous un être merveilleux, mais *la plus légère contrariété, un heurt du réel détruit* cette image » (J. Chardonne).

NB : Souvenir de la syntaxe latine (« Fama et vita *defenditur* »), l'accord avec le sujet le plus proche était ordinaire dans l'ancienne langue; il se rencontre souvent à l'époque classique et parfois encore aux XVIIIe et XIXe siècles :

> « Il faut de celui-ci conserver l'amitié
> Ou s'efforcer de le détruire
> Avant que *la griffe et la dent*
> Lui *soit crue* » (La Fontaine).

> « *Le fond d'une campagne, l'obscurité d'un cloître peut* me dérober pour jamais à vos yeux » (Diderot).

> « Cependant *une abondance de délices, une joie surhumaine descendait* comme une inondation dans l'âme de Julien pâmé » (G. Flaubert).

A l'inverse, toujours dans la langue classique, l'accord pouvait ne se faire qu'avec le premier sujet partiel quand le sujet multiple était postposé : l'esprit juge ce premier sujet porteur de l'idée principale, les autres n'apportant que des précisions subsidiaires au fil de l'inversion. Cette construction est hors d'usage dans la langue actuelle :

« C'est ce qu'*a fait Jésus-Christ* et les apôtres » (Pascal).

- 4 - *Sujet et coordination*

Quand les sujets partiels singuliers sont réunis par des conjonctions de coordination telles que *ni, ou* et de comparaison telles que *comme, de même que*, etc., l'accord se fait au pluriel ou au singulier selon la valeur que l'esprit attribue à ces conjonctions.

- *a* - *Ni* et *ou* peuvent être considérées comme purement copulatives et le verbe se met au pluriel :

« *Michel ni cette jeune femme ne sont morts* » (J. Cocteau).

« L'idée gravée en moi que *Swann, ou son mari, ou Gilberte, allaient entrer* » (M. Proust).

ou disjonctives et le verbe se met au singulier :

« Songez-donc : un crime que *ni la passion, ni le besoin ne motive* » (A. Gide).

« Vous ne trouvez pas que *le bourgogne ou le bordeaux alourdit ?* » (R. Vailland).

- *b* - *Comme, de même que*, etc., peuvent garder leur valeur comparative, l'un des sujets excluant l'autre, et le verbe se met normalement au singulier :

« *Le poil, comme l'œil, était* noir » (B. Cendrars).

« Il y a l'S dont *la forme autant que le sifflement me rappelle...* » (M. Leiris).

Mais si ces conjonctions marquent une addition pour l'esprit, équivalant à un simple *et* coordinateur, le verbe se met au pluriel :

« *L'un comme l'autre étaient* pour moi des exemples difficiles » (R. Nimier).

NB : La préposition *avec* conduit à une analyse semblable : ou bien *avec* garde sa valeur grammaticale propre et introduit un complément, auquel cas le verbe reste naturellement au singulier :

« *Le souvenir* avec le crépuscule
Rougeoie et *tremble* » (P. Verlaine).

ou bien *avec* est censé réunir deux termes de même importance et équivaut à une conjonction de coordination additionnant des éléments, et l'accord se fait au pluriel :

> « *Une absence continuelle avec la tendresse* que j'ai pour vous *ne composent pas* une paix bien profonde » (Mme de Sévigné).

Cette dernière construction, assez courante au xviie et au xviiie siècles, est rare à l'époque contemporaine qui préfère voir dans les deux sujets ainsi coordonnés un singulier collectif :

> « Et *l'époux avec l'épouse peut* ne trouver au point d'eau qu'une vase » (J. Giraudoux).

- 5 - Sujet expression pronominale
Les accords au singulier ou au pluriel sont possibles avec les expressions pronominales *l'un(e) et l'autre, l'un(e) ou l'autre, ni l'un(e) ni l'autre.*

— *L'un(e) et l'autre* entraîne davantage le pluriel, très général aujourd'hui, à cause des idées d'addition, d'accumulation, de collection que cette expression englobe le plus souvent, l'accord au pluriel étant d'ailleurs obligatoire en cas d'inversion :

> « *L'un et l'autre*, à ces mots, *ont levé* le poignard » (Voltaire).

En revanche, le verbe reste au singulier si domine l'idée distributive, et cet accord avait la préférence de l'époque classique :

> « A demeurer chez soi *l'un et l'autre s'obstine* » (La Fontaine).

Dans beaucoup de cas, il est très difficile d'établir la nuance exacte et l'un et l'autre accord est (sont) possible(s) — pour paraphraser le grammairien Beauzée. Mais, même si l'usage hésite encore, il semble plus conforme à l'évolution de la langue de faire l'accord au pluriel.

— *L'un(e) ou l'autre*, dans la mesure où cette expression marque la disjonction, entraîne l'accord du verbe au singulier :

> « *L'un ou l'autre faisait* d'interminables réussites » (G. Pérec).

Mais si prévaut dans l'esprit l'idée conjonctive, le verbe se met au pluriel :

> « Dans un instant, *ou l'un ou l'autre ont besoin* d'amour » (R. Vailland).

— *Ni l'un(e) ni l'autre* appelle le singulier quand cette expression marque la disjonction, ce qui est le cas le plus fréquent :

> « Mais jusqu'ici *ni l'un ni l'autre* [Corneille et Racine] *ne doit* être mis en parallèle avec Euripide et Sophocle » (Boileau).

Mais il peut se faire qu'elle implique une idée de collection, ce qui entraîne l'accord au pluriel :

> « *Ni l'un ni l'autre n'ont eu* la moindre part au grand changement qui va se faire » (Voltaire).

- 6 - *Sujet infinitif*

Quand le sujet multiple est composé d'infinitifs, l'accord se fait normalement au pluriel si prévaut dans l'esprit l'idée de pluralité :

> « *Filer* le grelin qui nous reliait au corps-mort de la bouée, *relever* l'ancre de pic, *établir* foc et trinquette *furent* un jeu d'enfant » (B. Cendrars).

Mais, si on considère que les infinitifs constituent une notion unique, le verbe se met au singulier :

> « *Gémir, pleurer, prier est* également lâche » (A. de Vigny).

- 7 - *Sujet de personnes différentes*

Quand il y a concurrence entre personnes, il peut arriver que le verbe s'accorde avec la troisième personne en face des deux autres, essentiellement dans la langue orale dans des phrases comme : « ton frère et toi *partiront* en classe de neige ». L'accord paraît s'établir à la suite de l'assimilation pure et simple du pronom à un substantif, ce qui fait rentrer la séquence dans la règle générale de l'accord du verbe avec un sujet multiple. Cet usage est répandu dans la langue familière et populaire qui tend à simplifier les constructions. On peut aussi parfois expliquer cet accord, très rarement rencontré dans la langue relevée et écrite, par une volonté de discrétion du locuteur :

> « Dites-lui [...] que les libraires et moi et tous nos collègues *ont résolu* d'achever » (Diderot).

Mais il est à noter que cet accord suppose toujours l'absence de pronom sujet de rappel. L'accord suivant la règle de la personne dominante est obligatoire au cas contraire.

III - PLACE DU SUJET

Le sujet se situe, dans la phrase canonique, avant le verbe, suivant en cela l'ordre logique du français : sujet + verbe + attribut ou complément. Mais cet ordre est souvent modifié pour des raisons qui tiennent soit à des contraintes syntaxiques propres à certaines constructions, soit à des besoins stylistiques affectifs ou esthétiques.

NB : Dans le français médiéval jusqu'au XIIIe siècle, le cas sujet et le cas régime possédant une marque flexionnelle distincte, ils pouvaient occuper des places indifférentes dans la phrase, comme en latin. C'est la tendance logique du français à mettre le sujet avant le verbe et les compléments après lui, à procéder du connu à l'inconnu par la séquence progressive, qui a rendu caduque la déclinaison. On trouve des traces de l'ancienne liberté au XVIe et même au XVIIe siècle essentiellement dans sa première moitié. Le sujet pouvait se mettre entre l'auxiliaire et le participe ou le semi-auxiliaire et l'infinitif :

« Sur qui *sera* d'abord *sa vengeance exercée* ? » (Racine).

« Il arriva le lendemain
En un lieu que *devait la déesse bizarre*
Fréquenter » (La Fontaine).

ou être en inversion :

— dans une proposition participiale :

« *Ne paraissant aucun ennemi* sur la frontière [...], il se voit misérablement tombé en la puissance d'autrui » (Guez de Balzac).

— dans les propositions comparatives construites avec *autant que... autant*, *plus... plus*, etc., en général après le second terme :

« *Plus* elle a d'étendue, et *plus ai-je* à remercier la bonté de celui qui me l'a donnée » (Descartes).

— après *et*, *or*, *si*, etc., surtout quand il s'agit d'un pronom :

« On l'a ouvert aujourd'hui et *a l'on* trouvé... » (Malherbe).

A - Contraintes syntaxiques et inversion

Des contraintes syntaxiques amènent soit à postposer le sujet, soit à le reprendre après le verbe.

1. Phrases interrogatives

a | Interrogation directe

- I - *Pronoms personnels*, on *ou* ce *sujets*
Le sujet se place directement après le verbe et, pour les formes composées, entre l'auxiliaire et le participe. C'est la construction avec *inversion simple* :

« *Avez-vous* jamais *tiré* sur un homme ? » (J.-P. Sartre).

« Eh bien! petite, *est-on* toujours *fâchée* ? » (G. de Maupassant).

« Et son cœur, défaillant, demanda : "*Est-ce* lui ?" » (R. Rolland).

Il n'y a, en revanche, jamais d'inversion après *est-ce que* :

« *Est-ce qu'on est* sur la terre pour inventer ? » (F. Mallet-Joris).

- 2 - *Autres sujets*

Le sujet reste avant le verbe, mais se trouve repris après lui par un pronom personnel de même nombre et de même genre. C'est la construction avec *inversion complexe* (ou *composée*) :

« *La porte vient-elle* de s'ouvrir pour laisser le passage à un nouvel arrivant... ? » (A. Robbe-Grillet).

« A quelle vérité *l'homme peut-il prétendre?* » (A. Gide).

« Mais *comment* [...] *ma patience se changea-t-elle*, tout d'un coup lassée, en violence ? » (M. Jouhandeau).

L'inversion simple est possible dans les phrases commençant :

— par le pronom interrogatif *qui* attribut ou un pronom interrogatif complément prépositionnel :

« Mais *qui est ce Benjamin?* » (P.-L. Courrier).

« *A quoi* nous *sert l'armée?* » (H. de Balzac).

— par les adverbes interrogatifs *où, d'où, par où, quand, comment* :

« *D'où vient le mal* dans l'ordre matériel ? » (F.-R. de Lammenais).

— par l'objet de l'interrogation quand il est formé de *quel* + substantif :

« *Quelle aventure, quel drame cachait ce souvenir?* » (G. de Maupassant).

Mais l'interrogation complexe est obligatoire si le verbe est accompagné d'un complément d'objet direct ou d'un attribut, ou si la phrase est introduite par *pourquoi*, et interdite après *est-ce que*, quel que soit d'ailleurs le sujet, cf. *Supra, -* i -.

NB : On remarque qu'un *-t-* vient s'intercaler entre le verbe et les pronoms *il, elle* et *on* quand le verbe se termine par un *e* muet ou un *a* : « aime-t-il ? », « parlera-t-elle ? », « joue-t-on ? », construction qu'on retrouve dans les tours optatifs et les propositions incises : « puisse-t-il venir », « répliqua-t-elle ». Pour *il, elle*, il ne faut pas voir là une trace étymologique due à l'influence du très ancien français, car le *t* final de formes comme *amet il* s'est normalement affaibli et amuï et l'on disait *ame il* en élidant éventuellement le *e* final. Il s'agit en fait d'un *-t-* introduit au XVI⁰ siècle par analogie — et non par euphonie — sous l'influence de formes qui prenaient un *t* final, comme *court-il* ou *fait-il* et peut-être des formes de troisième personne du pluriel comme *aiment-ils.*

Avec *on,* le problème se pose différemment. *On* pouvait en ancien français se faire précéder de l'article en souvenir de son origine substantive, puisqu'il était le cas sujet du mot *homme (li homs)*. Une construction comme *aime on* présentant l'inconvénient de deux accents trop rapprochés *(aĩme oń)* et surtout de l'amphibologie avec *aimons,* on a utilisé *on* précédé de l'article : *aime l'on.* Puis le *t* employé devant *il* ou *elle* s'est imposé par analogie au xviiᵉ siècle. D'où *aime-t-on.*

- 3 - Que *c.o.d. ou attribut et* quel *attribut introducteurs*

- *a* - Si le verbe est *personnel* et si l'interrogation est introduite par le pronom interrogatif neutre *que,* complément d'objet direct ou attribut, ou l'adjectif interrogatif *quel* attribut, l'inversion simple est obligatoire, quel que soit le sujet :

« *Qu'*éprouvez-*vous* ? le désir, la nostalgie de mon abri » (M. Barrès).

« *Qu'*est *cet homme* ? » (V. Hugo).

« *Quelle* est donc *cette jeune fille* qui chante à sa croisée derrière ces arbres ? » (A. de Musset).

- *b* - Si le verbe est un *impersonnel* et si l'interrogation est introduite par *que,* complément d'objet direct, il y a inversion simple :

« *Que* faut-*il* donc faire ?, dit Pangloss » (Voltaire).

Lorsque l'interrogative commence par un nom avec un adjectif interrogatif conjoint, la construction est théoriquement identique à la construction ci-dessus :

« *Quelle bête* faut-*il* adorer ? » (A. Rimbaud).

mais souvent la langue familière laisse *il* devant l'impersonnel et n'hésite pas à proposer la séquence « *quelle heure il* est ? » en face du canonique « *quelle heure* est-*il ?* »

- 4 - *Langue parlée et inversion*

La langue parlée, surtout familière, a tendance à ne pas pratiquer l'inversion, sans doute perçue comme contraire à l'ordre habituel logique sujet + verbe et d'une complication perturbatrice. Elle restitue donc l'ordre logique et marque l'interrogation :

- *a* - Par le *ton,* la ligne mélodique montant jusqu'au mot sur lequel porte l'interrogation et l'accent frappant la dernière syllabe de ce mot (mais

souvent l'interrogation ne prend pas même appui sur une montée mélodique); dans le cas de l'interrogation complexe, on ne reprend pas le sujet
par le pronom en inversion :

« Tu as vu ses fringues ? » (J.-P. Sartre).

« Mes os sont prêts, Irma ? » (J. Giraudoux).

- *b* - Par l'emploi en tête de phrase de la périphrase adverbiale interrogative *est-ce que*, qui représente le gallicisme *c'est... que* à la forme interrogative normale :

« *Est-ce que* je doute de vous, Violaine ? » (P. Claudel).

NB : La langue parlée populaire n'hésite pas à pratiquer par contami-
nation une interrogation redondante qui fait intervenir et la périphrase
est-ce que et l'inversion du sujet :

« *Est-ce que* le schmilblic *est-il* rond ? » (Radio périphérique).

Ou, au contraire, et par refus de l'inversion, elle ramène *est-ce que* à
c'est que, éventuellement réduit à *c'que*, *sque*, lorsque la phrase commence par
un mot interrogatif qui lui paraît suffire à marquer l'interrogation; on en
trouve déjà des exemples au XVIIIᵉ siècle :

« *Ousque* vous disiez, Monsieur ? » (Louvet de Couvray).

« *Ousqu'*on est à c't'heure ? » (R. Nimier).

Ou bien elle introduit un simple *que* après le mot interrogatif, éliminant
pratiquement toute trace de périphrase :

« Robert marmotta d'une voix blanche : Pourquoi *que* vous me fixez
comme ça ? » (F. Mauriac).

La même langue populaire évite aussi l'inversion par l'emploi de la
particule *ti*, *t-i*, *t'y*, postposée au verbe. Cette particule provient d'un *t* final
étymologique ou analogique des formes verbales de troisième personne
aggloméré aux pronoms *il* ou *ils* dans des séquences comme *vient-il?*, *viennent-ils?*
Le *l* de *il*, *ils* ne sonnant pas au XVIᵉ siècle et guère au XVIIᵉ (« i n'me l'dira
pas », Duez), on prononçait couramment *ti* (« on ne prononce point non
plus l'*l* dans *voit il aujourdhui* qu'on prononce comme s'il y avoit *voit-i*
aujourdhui », Dangeau). La langue populaire a considéré ce *ti* si fréquent
comme une authentique particule interrogative autonome ou de renfor-
cement d'un outil interrogatif en tête de phrase :

« Combien de temps ç'a-*t-i* duré ? » (M. Genevoix).

- 5 - Je *et inversion*

Le tour par la périphrase *est-ce que* est d'usage pour des verbes qui ne supportent pas l'inversion du pronom *je* à la première personne du singulier de l'indicatif présent et/ou du passé simple tels *courir, devoir, être, faire, mettre, prendre, rompre,* etc. On ne dit pas *romps-je ?, cours-je ?,* mais *est-ce que je romps ?, est-ce que je cours ?*; ni non plus *fus-je ?, fis-je ?,* mais *est-ce que je fus ?, est-ce que je fis ?* Ces refus sont dus essentiellement à la forme monosyllabique prise alors par ces verbes et qui entraîne des difficultés de prononciation. Les séquences comme *romps-je ?* ou *cours-je ?* (de plus équivoques = « ronge », « courge ») et autres semblables ont été d'ailleurs condamnées dès le début du XVII⁰ siècle par les grammairiens et les bons esprits (Molière en met plusieurs à la suite dans la bouche du Sosie de son *Amphytrion* pour produire un effet comique).

En somme, l'inversion du pronom *je* ne se fait guère que pour des formes monosyllabiques très courantes admises par l'usage comme *suis-je ?, ai-je ?, puis-je ?,* ou les formes en *-rais* :

> « Elsbeth! ne *suis-je* pas un époux modèle ? » (A. Billetdoux).

> « Vous vous rendez bien compte que cette accusation est absurde. Pourquoi *aurais-je* fait cela ? » (A. Adamov).

Elle est tolérée pour quelques verbes plurisyllabiques de la première conjugaison *(aimé-je ?)* ou quelques formes de subjonctifs *(dussé-je)* dont la finale *é* s'explique ainsi : comme l'accent tonique du français se place sur la dernière syllabe si elle est sonore *(autocár)*, sur la pénultième si elle est muette *(automobíle)*, **aíme-je* étant donc impossible, le *e* muet final du verbe est devenu *é*, ce qui restitue une prononciation normale. Ce *é* fermé s'est articulé en *è* ouvert devant *je*, mais en souvenir de l'ancienne prononciation, il s'écrit toujours *é* :

> « Possédé par l'idée fixe de ma fin prochaine, comment me *fussé-je* inquiété de la tension d'Isa ? » (F. Mauriac).

NB : - 1 - Cette finale *é* a souvent été transcrite en *ay, ai* aux XVII⁰ et XVIII⁰ siècles même par les meilleurs écrivains, Boileau ou Voltaire, malgré la condamnation des grammairiens.

- 2 - Par analogie, on a pu voir au XVII⁰ siècle des verbes terminés par consonne adopter la finale *é* : *perdé-je?, dormé-je?,* sur le radical du pluriel. Ce qui était une rareté considérée comme un barbarisme à l'époque classique ne l'est pas moins de nos jours, cf. : *voulé-je?* chez J. Giraudoux, *cousé-je?* chez Colette, ou *dormé-je?* chez A. Artaud.

b | Interrogation indirecte

Quand l'interrogative est introduite par *qui* et *quel* attributs, à condition que le sujet ne soit ni un pronom personnel, ni *on*, ni *ce*, il y a inversion simple :

> « Sais-tu *qui était ton frère* ? » (J. Anouilh).

> « Ils s'épuisaient à chercher *quel pouvait être le misérable* qui s'attachait à les poursuivre » (R. Rolland).

2. Phrases commençant par un attribut

Si l'antéposition de l'adjectif entraînant l'inversion du sujet ne résulte que d'un choix stylistique comme ici :

> « Ah! *lointain* est *cet âge* » (R. Char).

l'inversion est théoriquement obligatoire, en revanche, lorsque l'attribut est *tel* employé seul, c'est-à-dire non redoublé dans des membres corrélatifs :

> « Et *telle* est *ma beauté*, que l'avare Flamand
> Paye un de mes oignons plus cher qu'un diamant » (T. Gautier).

3. Propositions incises

Il y a inversion dans la majorité des propositions incises rapportant des paroles ou des pensées :

> « "Fais le tour", *me crie mon frère l'Africain* » (M. Jacob).

Mais si le verbe de l'incise est un verbe de jugement, par exemple *croire* ou *penser*, et qu'il a pour sujet le pronom *je*, ce dernier se place avant le verbe quand il s'agit d'éviter les formes obsolètes *crois-je, pensé-je* :

> « C'est parce que vous connaissez M. Sénac, parce qu'il est de vos amis et, *je crois*, depuis longtemps » (G. Duhamel).

La langue admet également à la limite une restitution de l'ordre sujet + verbe dans l'incise en dehors du cas des verbes qu'on vient de voir :

> « Allons, poussez-vous, poussez-vous, dit-elle, poussez-vous, *je vous dis* » (J. Giono).

Mais elle se garde d'en abuser, jugeant cette construction parataxique peu claire. En revanche, la langue parlée populaire, par refus de l'inversion, la pratique couramment, mais en faisant précéder l'incise de la conjonction *que* vide de sens :

> « Le maréchal des logis Barousse vient d'être tué, mon colonel, *qu'il dit* tout d'un trait » (L.-F. Céline).

4. Phrases au subjonctif

Il y a inversion dans des phrases au subjonctif le plus souvent exclamatives employées sans conjonctions et notant le souhait, la supposition, la concession, et dans certaines expressions lexicalisées :

> « Flots d'amis renaissants ! *Puissent mes destinées*
> Vous amener à moi, de dix en dix années...! » (A. de Vigny).

> « La noce continue et *Vive la mariée* » (G. Brassens).

5. Phrases exclamatives ou introduites par que ne

Il y a inversion dans des phrases exclamatives employées sans adverbe ni adjectif exclamatifs ou introduites par *que ne*, si le sujet est un pronom personnel, *ce* ou *on* :

> « Et elle jetait, sur un comptoir, les manteaux ordinaires, d'un geste qui signifiait : "Voyez donc, *est-ce* pauvre !" » (E. Zola).

> « Olivier et Roland, *que n'êtes-vous* ici ? » (V. Hugo).

6. Flottements dans l'usage

Dans bien des cas, la langue hésite et l'usage est incertain, en particulier après des adverbes ou locutions adverbiales tels que *ainsi, à peine, au moins, du moins, peut-être*, etc., qui expriment en général des idées de restriction ou de concession. L'inversion paraît l'emporter, surtout en ce qui concerne les pronoms personnels, *ce* et *on* :

> « *Ainsi dure-t-il* [le cageot] moins encore que les denrées fondantes ou nuageuses qu'il enferme » (F. Ponge).

> « *Ainsi vont les affaires* » (M. Déon).

Mais on rencontre l'ordre sujet + verbe tout aussi bien :

> « *Ainsi je parais* timide et beaucoup plus gentil » (R. Nimier).

B - Inversion stylistique

En fait, hors les cas où elle est absolument obligatoire, l'inversion ressortit souvent à des intentions stylistiques. Elle intervient alors pour diverses raisons d'équilibre de la phrase, d'harmonie ou de mise en valeur d'un terme, etc., raisons pouvant au besoin se conjuguer. Ainsi, c'est à tort que certains considèrent comme une sorte d'obligation grammaticale l'inversion du sujet dans les indications scéniques *(didascalies)*. Il s'agit, par ce procédé, de se donner la possibilité de disposer éventuellement plusieurs sujets en évitant l'écueil d'un verbe rejeté loin en fin de phrase, donc très éloigné du ou des premiers sujets, ce qui nuirait à la clarté :

« Seuls *s'avancent le père, la mère, le frère de Jeanne* » (J. Anouilh).

Cette disposition peut demeurer, même s'il n'y a qu'un seul sujet :

« *Entre la Mexicaine* » (J. Audiberti).

Dans l'exemple suivant, l'inversion peut s'expliquer aussi bien par le souci de l'auteur d'utiliser un procédé de théâtre à un moment où il met littéralement « en scène » plusieurs personnages que par la nécessité imposée par le sens de ne pas séparer la relative de son antécédent et le désir de mettre en relief le verbe :

« *Manquent ma mère et Salomé*, qui est allée la chercher en auto » (H. Bazin).

En somme, l'inversion facultative du sujet est motivée par des raisons de clarté et surtout d'affectivité et d'esthétique qui écartent la phrase de l'ordre logique ou intellectuel. On peut dire que celui qui parle ou écrit inverse le sujet essentiellement lorsque l'ordre logique éloignerait trop du verbe le sujet ou le complément, surtout s'ils présentent peu de volume, comme les relatifs; lorsque cet ordre logique amènerait à terminer la phrase sur un verbe à un mode personnel, ce à quoi répugne le français; lorsque la phrase se conclurait sur une trop courte apodose, ce que le français évite par souci d'équilibre des masses; lorsque le rejet du sujet en fin d'élément phraséologique permet d'attirer sur lui l'attention, ou au contraire favorise la mise en relief d'un autre terme, etc. :

« Les choses les plus belles sont celles que *souffle la folie* et qu'*écrit la raison* » (A. Gide).
• Relatifs compléments *que* proches de leurs verbes; effet émotionnel des inversions.

« *Restait cette redoutable infanterie* de l'armée d'Espagne, dont les gros bataillons... » (Bossuet).

- Mise en valeur de *restait* ; relatif proche de son antécédent ; le verbe, à un mode personnel et très court, provoquerait le déséquilibre de la phrase par une apodose « en guillotine » s'il était à sa place canonique.

« Devant moi *se développe* dans le silence *un étrange désordre organisé* » (P. Valéry).

- Encadrant le verbe en position de pivot, les compléments circonstanciels forment symétrie, le premier étant particulièrement mis en relief. Le sujet, plus long que les compléments, rééquilibre la phrase par sa position inversée.

« Elle revenait au bord de la route, vide aussi loin que *pouvait aller son regard* » (F. Mauriac).

- Mise en évidence en fin de phrase du mot *regard* ; rôle du *a* fermé final connotant phonétiquement un effet de perspective de fuite.

IV - SUJET ET INFINITIF OU PARTICIPE

Le sujet accompagne d'ordinaire un verbe à une forme conjuguée. Mais l'infinitif et le participe, modes non personnels, demandent un sujet dans ce qu'on est convenu d'appeler la « proposition subordonnée infinitive » ou la « proposition subordonnée participe ».

Si la proposition participe est admise par les grammairiens, la notion de proposition infinitive est souvent controversée. Il en est question dans la Troisième Partie, chapitre 2 consacré à la phrase complexe, p. 324 sqq. et 327 sqq. où sont examinées en détail les conditions qui postulent leur reconnaissance. Etant admis que l'une et l'autre de ces subordonnées ont une existence syntaxique dans la langue, même si elles ne sont introduites par aucun élément subordonnant, on établira qu'une des conditions de leur reconnaissance est de posséder un sujet propre, de forme directe pour la proposition infinitive :

« La tête basse, je regardais, sans y songer, *mes souliers se mouiller* peu à peu et *luire* d'eau » (A. Fournier).

« *Les provisions achevées*, je dus chasser et pêcher » (E. Peisson).

V - SUJET NON EXPRIMÉ

Le verbe à un mode personnel — et, pour certains emplois, l'infinitif et le participe — doit toujours se faire accompagner d'un sujet, hormis à l'impératif. On observe également l'omission du sujet dans des emplois archaïques ou familiers.

A - Impératif

La valeur indicative de ce mode est suffisante pour désigner la personne :

> « Viens-tu, Poil de Carotte ? [...] — *Demande* à maman, dit Poil de Carotte » (J. Renard).

Celle-ci n'est qu'éventuellement précisée par l'utilisation conjointe de l'apostrophe, sorte d'interpellatif, sous la forme soit d'un substantif, soit d'un pronom tonique :

> « *Morts* vrais, *morts* claironnés,
> *Morts* changés en colère, *effondrez, rendez* morts
> Les œuvres déclinant » (P.-J. Jouve).

> « Et *toi, viens* avec moi, ma fraîche bien-aimée » (V. Hugo).

> *NB :* Cependant, dans un ancien usage courant encore au xviie siècle, l'impératif pouvait se faire précéder du pronom correspondant à la personne de cet impératif; on en trouve des exemples chez quelques auteurs, jusqu'au xviiie siècle, dans les formules de bienvenue :

> « *Vous* soyez le très bienvenu, lui dis-je » (Scarron).

B - Omission archaïque ou familière

1. Pronoms personnels

La langue a conservé un certain nombre d'emplois archaïques marqués par l'omission du sujet dans des cas où le verbe n'est pas à l'impératif. Il s'agit toujours de l'omission d'un pronom atone. On l'observe dans des locutions et tournures archaïques figées de type sentencieux :

> « Tes père et mère *honoreras.* »

NB : Cette construction était ordinaire dans l'ancienne langue où, les désinences verbales étant sonores, on pouvait facilement reconnaître la personne. Encore souvent omis jusqu'au XVIᵉ siècle, le pronom personnel devient obligatoire au XVIIᵉ siècle, son absence signalant un archaïsme :

« Pour c'aimez-moi cependant qu'*êtes* belle » (Ronsard).

« Tant y *furent*, qu'un soir à l'entour de ce pin
L'homme tendit ses rets » (La Fontaine).

Quant à la langue familière, qui tend à l'économie des moyens (la réduction d'un pronom personnel à une simple trace phonétique de liaison est courante dans une langue relâchée : *z'avez, z'ont*), elle pratique l'omission du pronom personnel sujet dans quelques cas. Ainsi dans les formules interpellatives et les réponses négatives, où la reconnaissance de la personne du locuteur est assurée, comme *savez pas, voulez pas, connaissez pas / sais pas, veux pas, connais pas*, etc. :

« Avant la guerre, j'habitais Paris. J'étais garçon à la Taverne viennoise — *Connais pas*, avoua l'autre » (R. Dorgelès).

2. Il *sujet d'impersonnel*

Les verbes impersonnels sont aujourd'hui, en règle générale, accompagnés de leur sujet *il*, ce qui n'était pas le cas dans le très ancien français où ces verbes s'employaient seuls. La langue moderne conserve le souvenir de la construction archaïque dans quelques expressions comme *reste, mieux vaudrait, peu importe (que)* ou locutions comme *advienne que pourra, si bon vous semble, qu'à cela ne tienne*, etc. Le parler familier, en revanche, pratique de façon courante l'omission du sujet *il* des impersonnels avec des verbes comme *falloir, suffire, y avoir, n'empêcher que, paraître* :

« *Fallait* bien qu'elles s'occupent, les poupées » (R. Nimier).

« *N'empêche qu'*une sorte de radar intime avertisse... » (A. Gide).

NB : La langue a commencé à introduire ce sujet sur le modèle des verbes personnels dès le XIIᵉ siècle et en a généralisé l'emploi au XVIIᵉ. Cette ancienne omission de *il* éclaire la syntaxe de phrases encore rencontrées au XVIIᵉ siècle où, à un verbe au singulier, succède un terme au pluriel :

« Après celles-là, *en vint quatre autres*, portant deux cygnes » (Mlle de Scudéry).

Certains grammairiens expliquent ainsi ce singulier : le verbe serait comme en attente de façon vague du sujet inversé, donc non encore exprimé, et si celui-ci est au pluriel, le verbe, déjà pour sa part exprimé, resterait au singulier. En fait le problème se trouve mal posé et il ne faut pas chercher à rendre compte d'une prétendue anomalie d'accord quand il n'y en a pas. Dans l'exemple ci-dessus, le verbe est au singulier parce qu'il s'agit d'un impersonnel avec son sujet *il* au singulier, mais omis comme dans l'usage ancien, et *quatre autres* n'est que le terme complétif de ce sujet vrai. L'obligation, dès le xviiᵉ siècle, d'exprimer le sujet *il* régularisera la construction et éliminera toute ambiguïté d'interprétation.

VI - RÉPÉTITION OU NON-RÉPÉTITION
D'UN SUJET COMMUN

A - Propositions juxtaposées

Si les propositions sont juxtaposées, on peut ou non répéter le sujet commun. Il s'agit, dans la plupart des cas, d'un choix stylistique. La répétition affecte le pronom personnel sujet du premier verbe ou se présente sous la forme d'un pronom personnel reprenant un substantif. Dans cette phrase, la répétition provoque un effet d'insistance et de martèlement sonore :

> « J'étouffais. *Je* m'évadais, *je* fuyais, *je* désertais » (J. Guéhenno).

Dans celle-ci, la non-répétition du sujet confère de la vivacité et de la rapidité au discours et permet la décomposition en séquences cinématographiques :

> « Il fait cinq pas le long du mur, entre la buvette et les téléphones, *se retourne, fait* deux pas dans l'autre sens, *regarde* sa montre, *lève* les yeux vers la grosse horloge... » (A. Robbe-Grillet).

Il est évidemment des circonstances où la répétition du sujet s'impose pour éviter une ambiguïté. Ici l'omission du pronom conduirait à fausser ou plutôt rendre incohérent le sens de la phrase, eu égard à l'homophonie et l'homographie des formes d'indicatif et d'impératif présents :

> « Je viens à toi, Seigneur, *je* viens, *je* marche dans ta nuit » (J.-P. Sartre).

La répétition est d'usage quand l'un des verbes est à la forme négative :

> « Le talion est de l'ordre de la nature et de l'instinct, *il n'est pas* de l'ordre de la loi » (A. Camus).

B - Propositions coordonnées

Si les propositions sont coordonnées, la répétition du pronom personnel est obligatoire quand la liaison se fait par les conjonctions de coordination *car*, *donc*, *or*, et facultative pour les autres, la répétition ou non du sujet étant affaire de choix stylistique :

> « Je pense, *donc je ne suis pas* » (M. Blanchot).

> « Cette idée lui avait fait horreur *et l'avait mise* dans une véritable colère contre elle-même » (Stendhal).

La répétition est ordinairement d'usage quand l'un des verbes est à la forme négative, mais ce n'est pas une obligation :

> « *Mon père n'entendait rien* à nos représentations, *considérait* l'espace désert où s'ébattait son talent *et disait*, la voix vinaigrée... » (G. Duhamel).

ou quand il y a un changement de temps d'un verbe à l'autre :

> « Il avait peur. *Lui-même ne s'en aperçut pas* tout de suite, mais *il jetait* de temps à autre un coup d'œil furtif vers le fond de la pièce, et par un mouvement instinctif, *il se poussa* dans son siège un peu plus vers la droite » (J. Green).

C - Propositions subordonnées

Lorsque les propositions sont reliées par des conjonctions de subordination, la répétition du pronom personnel, ou la reprise du substantif sujet par le pronom personnel correspondant, est obligatoire :

> « Papa n'est devenu beau qu'après, quand *il* a été bien sûr, enfin, qu'*il* avait tué son père » (J. Anouilh).

3 l'attribut

Généralités

L'attribut est ce qu'on affirme sur la manière d'être d'un terme substantival sujet ou objet — nom propre ou commun, pronom, élément substantivé, voire proposition complétive ou relative — par l'intermédiaire, le plus souvent, d'un verbe qui constitue le centre d'une phrase dite « phrase attributive ». Quand le verbe est exprimé, la relation est explicite. Quand il est sous-entendu, elle est implicite. Ce dernier cas ne se rencontre guère et ne concerne que l'attribut du sujet (cf. p. 133, B).

L'attribut prend soit la forme d'un terme unique, soit celle d'un ensemble de termes formant syntagme. On peut alors distinguer l'attribut grammatical, c'est-à-dire le terme attribut sans les mots qui le déterminent ou le caractérisent, et l'attribut logique, c'est-à-dire l'ensemble formé par l'attribut grammatical et les mots qui l'accompagnent :

> « Mon verre est *plein d'un vin trembleur comme une flamme* » (G. Apollinaire).

Plein constitue l'attribut grammatical, *plein d'un vin trembleur comme une flamme* l'attribut logique.

En place du mot « attribut », on emploie aussi le mot « prédicat », littéralement « ce qui est dit à propos de ».

NB : L'attribut, lorsqu'il n'est pas un adjectif ou un participe passé à valeur adjective, ne se distingue en rien morphologiquement d'un complément d'objet ou circonstanciel. Il faut faire appel au sens pour différencier alors la fonction attribut de ces fonctions compléments : l'attribut concerne le même terme substantival que le sujet ou le complément d'objet, les compléments un autre terme de la phrase. Comparer :

> « Je commence à détester Rohner [...]. C'est *une intelligence pure* » (G. Duhamel).

et :

> « Si je m'abandonnais à mon penchant naturel, cet homme extraordinaire me ferait prendre en horreur *l'intelligence pure* » (G. Duhamel).

Dans le premier exemple, un rapport d'identité s'établit entre le sujet *c(e)* représentant Rohner et le syntagme *intelligence pure* : *c(e) = une intelligence pure*; dans le second, le complément d'objet direct *l'intelligence pure* désigne seulement le point d'application du procès du verbe sans aucun rapport d'identité avec le sujet *cet homme extraordinaire*.

I - NATURE DE L'ATTRIBUT

L'attribut peut se présenter sous des formes extrêmement diverses. S'il est vrai que, le plus souvent, il s'agit d'un adjectif qualificatif ou d'un équivalent, d'autres parties du discours peuvent endosser cette fonction dans la proposition et même tel ou tel type de proposition dans la phrase (cf. *complétive*, p. 239, B; *relative*, p. 319, *b* /).

A - Adjectif qualificatif

> « Même les chiens sont *malheureux* » (P. Eluard).

ou mot devenu adjectif par changement de classe grammaticale :

— participe passé et adjectif verbal :

> « Tu as vu ton amie *désolée*, elle t'a dit qu'elle voulait mourir et, avec ton bon cœur, tu l'as déjà crue *morte* » (M. Achard).

> « Il y a des morts qui sont plus *vivants* que les vivants» (R. Rolland).

— adverbe :

> « Lui aussi [Sisyphe] juge que tout est *bien* » (A. Camus).

— locution :

> « Car ni l'action, ni le bonheur individuel n'admettent le partage : ils sont *en conflit* » (A. de Saint-Exupéry).

Se joint à ces catégories l'adjectif interrogatif, possessif, indéfini, etc. :

> « Et je vous avouerai même quelque chose de plus grave : je ne sais pas encore *quel* sera le sujet de ma thèse » (J. Romains).

> « *Tel* je suis » (G. Duhamel).

B - Substantif seul ou déterminé

> « Ce n'est pas nous qui avons inventé l'amour. Il a son ordre, il a sa loi — Dieu en est *maître*. — Il n'est pas *le maître* de l'amour, il est *l'amour* même » (G. Bernanos).

ou mot devenu substantif par changement de classe grammaticale :

— infinitif :

> « Et toute notre vie était *un seul aimer* » (A. de Lamartine).

— adjectif qualificatif :

> « Je suis *le ténébreux*, — *le veuf*, — *l'inconsolé* » (G. de Nerval).

— adverbe, etc. :

> « Ah, dans ces mornes séjours
> Les Jamais sont *les Toujours* » (P. Verlaine).

Un nom propre peut éventuellement prendre la fonction attribut :

> « Elle ne sourcillera pas, elle est plus *Grandet* que je ne suis *Grandet* » (H. de Balzac).

> « Toutefois il [l'hôtel] est très *vieille France* » (J. Gracq).

NB : Le degré zéro du déterminant confère à l'attribut substantif une valeur qualifiante. Le substantif joue le rôle d'un adjectif qualificatif et caractérise le sujet ou l'objet auquel il se rapporte. En revanche, la présence d'un déterminant défini conserve au substantif sa pleine valeur de substantif et le sujet et l'objet se trouvent alors identifiés de façon précise. Telles sont, ainsi, les valeurs réciproques de *maître* d'une part, *le maître* et *l'amour* de l'autre dans l'exemple de Bernanos, *supra* : le premier attribut à l'article zéro endosse une valeur très générale et équivaut à un nom adjectif; le second, grâce à l'article, garde toute sa valeur substantive et, dans cette phrase affirmative négative, Dieu apparaît comme n'étant pas l'exclusif détenteur de la notion contenue dans l'attribut. De même valeur que ce dernier attribut, mais à l'inverse dans une phrase affirmative positive, *l'amour* désigne Dieu comme englobant la notion entière et qui lui est proprement exclusive d'*amour* (Dieu est Celui qui est l'amour).

C - Pronom

1. Pronom personnel

Le pronom personnel attribut se présente sous la forme accentuée *(moi, toi, lui, elle(s), nous, vous, eux)* ou inaccentuée *(le, la)* :

> « Dans toutes les familles il y a du déchet : c'est *moi* le déchet » (S. de Beauvoir).

> « Sans doute l'écrivain engagé peut être médiocre, il peut même avoir conscience de *l'*être » (J.-P. Sartre).

a | Emploi de la forme accentuée

Dans le cas du pronom personnel attribut à l'intérieur des séquences très usuelles où intervient le présentatif *c'est*, on emploie, de nos jours, la forme accentuée :

> « Les bêtes s'ébranlèrent. J'appelai : "Geneviève", car c'était *elle*, j'en étais sûr » (J. Bosco).

Mais il peut arriver que, dans une langue moderne recherchant les effets de surprise par recours à un emploi archaïsant, on trouve une forme faible :

> « Le sceptre des rivages roses
> Stagnants sur les soirs d'or, ce *l'*est,
> Ce blanc vol fermé que tu poses
> Contre le feu d'un bracelet » (S. Mallarmé).

Si le pronom personnel attribut accentué se rencontre le plus souvent à la suite du présentatif *c'est*, on peut le trouver aussi dans d'autres constructions attributives :

> « Est-ce ma faute, si je ne suis pas *vous* ? » (H. de Montherlant).

> *NB :* L'ancienne langue utilisait les formes faibles *le, la, les, il* pour la troisième personne (cf. même au XVIIe siècle : « C'est ma fille que je perdis...! — Votre fille ? — Oui, ce *l'*est », Molière. On dirait aujourd'hui : « C'est elle »). Les formes fortes *lui, elle(s), eux* ont été préférées aux formes faibles dans la mesure où elles proposent une masse sonore plus importante et un sémantisme plus prononcé.

b | Emploi de la troisième personne inaccentuée le

Le pronom *le* attribut se rencontre particulièrement comme représentant du participe des formes composées avec *être* :

« La besogne a été, une fois pour toutes, *partagée*. Le malheur est qu'elle *l*'ait été entre nous deux, mon prince, qui étions amis » (J. Anouilh).

De même, *le* sert fréquemment d'attribut dans les propositions comparatives introduites par *autre, aussi, comme, mieux, plus*, etc. :

« Dès lors, je vécus deux vies *aussi séparées que le sont* deux personnes » (J. Guéhenno).

« J'étais cent cinquante fois *mieux installé qu'il ne pouvait l'être* » (J. Dutourd).

Mais la tendance générale de la langue tend à l'omission de ce représentant jugé peu nécessaire au sens de la phrase :

« Tantôt ils [les événements] m'apparaissent *plus gros qu'ils ne sont* » (H. de Montherlant).

Le attribut peut représenter au participe passé une forme verbale précédemment énoncée à la voix active. Cette structure syntaxique, quoique condamnée par les puristes, ne laisse pas d'être en usage auprès des meilleurs auteurs. Elle présente le mérite d'alléger l'énoncé tout en demeurant très claire :

« Il faut se hâter de sauver l'homme, parce que demain il ne sera plus susceptible de *l*'être » (G. Bernanos).

Enfin, ce pronom se trouve apte, dans de rares cas, à représenter toute une proposition introduite par un relatif :

« Et ce que
Jésus-Christ est pour l'église, Toussaint Turelure *le* sera
pour moi, indissoluble » (P. Claudel).

2. Pronom relatif

Le relatif sous la forme *que*, dans une phrase où le verbe attributif se trouve exprimé, représente un antécédent soit substantif (éventuellement pronom : « *celui que* j'étais ») soit substantif ou adjectif apposés :

a | Substantif antécédent

« *L'homme que* j'étais, l'homme qui préexistait au médecin, — *l'homme que* je suis encore après tout —, c'est comme un germe enseveli » (R. Martin du Gard).

b | Adjectif et substantif antécédents apposés

Le substantif peut se faire précéder de *en* ou *comme*, + article indéfini, à valeur comparative :

> « Comme ma main coupée me fait souffrir *percée qu*'elle est par un dard continuel » (B. Cendrars).

> « Je dis qu'ici comme ailleurs cette notion, *fruit qu*'elle est d'un jugement collectif éprouvé, vient heureusement en corriger une autre » (A. Breton).

> « A la défaite, il refusa, *en bon socialiste qu*'il était, de voter les pleins pouvoirs à Pétain » (J. Dutourd)

> « Le conquérant se relève, sanglotant, *comme un pauvre bébé qu*'il est » (G. Duhamel).

Certains, dans cette construction, considèrent *que* comme un adverbe ou une conjonction jouant le rôle d'inverseur du prédicat. On préférera réserver cette analyse aux phrases avec ellipse du verbe copule, où *que* suit un attribut toujours substantif (cf. p. 133, *1* et 140, *2*).

3. Pronom démonstratif

> « La plus grande joie que j'aie connue dans mon enfance était *celle* de découvrir » (G. Marcel).

4. Pronom possessif

> « Il [le désespoir] est le signe que [...] les défenses auxquelles il ne nous était pas permis de toucher parce qu'elles n'étaient pas *les nôtres*, viennent d'être rompues et forcées » (G. Bernanos).

5. Pronom indéfini

> « Savoir n'est *rien*, imaginer est *tout* » (A. France).

6. Pronom interrogatif

> « *Que* serait un repas sans fromage, mon cher ? » (G. Duhamel).

D - Infinitif

Il est employé soit sans préposition (infinitif pur) :

> « Quand l'homme avait cessé d'être prisonnier du cosmos, il avait rencontré nécessairement la mort : se concevoir fut *se concevoir* mortel » (A. Malraux).

soit avec la préposition explétive *de*, vide de sens (infinitif prépositionnel) :

> « L'inconvénient de ce genre de poésie pure est *de faire songer à* une pureté morale qui n'est pas en question ici » (P. Valéry).

II - ATTRIBUT DU SUJET

L'attribut se trouve soit relié au sujet par un verbe attributif dans une relation explicite, soit relié au sujet sans l'intermédiaire d'un verbe dans une relation implicite. Il peut également intéresser un sujet non exprimé.

A - Verbes introducteurs

Ce sont essentiellement des verbes intransitifs et, sous une condition déterminée, certains verbes transitifs.

1. Intransitifs verbes d'état ou de valeur proche

Eux seuls peuvent introduire par nature un attribut prédicat du sujet.

Le plus courant des verbes rendant compte d'un état réel est le verbe-copule *être*, qui établit un rapport d'identité parfaite entre le sujet-support et l'attribut, à la façon d'une équation mathématique d'équivalence :

> « *Je suis l'enfant* de la vieillesse de mon père » (J. Giono).

De valeur identique à celle de *être*, on trouve des verbes pronominaux comme *se montrer, se révéler, se trouver*, etc. :

> « De ma vie, *je ne me suis senti* tour à tour *plus désarmé, plus faible, plus lâche* sous l'injure » (M. Jouhandeau).

D'autres verbes attributifs expriment une valeur proche de l'état réel. Soit l'apparence de l'état, comme *avoir l'air, paraître, sembler*, etc. :

> « Kouriloff *paraissait ravi* de constater à quel point sa mémoire était restée fidèle » (H. Troyat).

Soit le passage à l'état comme *devenir, se faire, tomber,* etc., ou des périphrases verbales comme *cesser d'être, commencer à devenir, finir d'être,* etc. :

> « Enfin *le paysage devint rocheux, titanesque et féerique* » (A. Maurois).

> « Mais que *Dieu, la connaissance, la suppression de la douleur cessent d'être à mes yeux des fins convaincantes* » (G. Bataille).

Soit la permanence dans l'état comme *demeurer, rester, subsister,* etc. :

> « Et j'observai le corbeau. Mais *il se tint immobile* » (A. de Saint-Exupéry).

> *NB :* Les verbes pronominaux de sens réfléchi utilisés pour introduire l'attribut du sujet perdent dans cet emploi toute valeur réfléchie.

2. Intransitifs verbes d'action

L'attribut marque l'état du sujet lors de l'exécution du procès. Il s'agit de certains verbes comme *naître, partir, vivre,* etc. :

> « Ils regardaient la terre, le ciel, les rues et les chemins; tout cela était vide, et *les cloches résonnaient seules* dans le lointain... » (A. de Musset).

3. Transitifs

Il s'agit de verbes employés à la forme passive à la condition qu'à la forme active ils puissent se faire accompagner d'un attribut de l'objet, comme *faire, estimer, prendre pour,* etc. :

> « Tenez, à un moment donné, *j'avais été nommé chef de popote* » (J. Dutourd).

> *NB :* - 1 - Ces verbes se rencontrent pour la plupart hors de leur emploi attributif :

> « Je *me trouvais* dans un dépôt d'infanterie à Narbonne » (R. Vailland).

> « Le monde où *vivait* son esprit ressemblait si peu au monde, que c'était un enchantement d'abonder dans ses convictions » (R. Peyrefitte).

> - 2 - On peut en fait répartir en deux catégories les verbes attributifs introduisant l'attribut du sujet. Les uns, essentiellement attributifs, n'admettent pas la suppression de l'attribut sans que la phrase devienne agrammaticale : « il devient méchant » → « *il devient » ; ou alors le verbe change de sens : « il reste seul » → « il reste ». Les autres, occasionnellement attributifs, peuvent, sans dommage sur le plan grammatical et sans changement de sens, supporter l'effacement de l'attribut : « Il est sorti (indemne) de la maison en feu. »

B - Absence de verbe

Deux types de constructions établissent une relation implicite dans la structure attributive, le verbe-copule *être* n'étant pas exprimé. L'attribut est soit antéposé, soit postposé par rapport à son thème. Il s'agit, dans un cas comme dans l'autre, de phrases disloquées le plus souvent à modalité exclamative.

1. Attribut antéposé

Adjectif ou substantif, une pause vocale, généralement marquée à l'écrit par une virgule, le sépare de son thème. Le dernier élément de phrase dans lequel il se trouve, ou lui-même s'il est seul, porte l'accent notant le point final de la montée mélodique de la phrase :

> « Oui, dit le type, *interdites, terminées* les bagnoles pour le cinq à sept, ah ah ah » (C. de Rivoyre).

> « *Motif d'encouragement* en revanche les paupières obstinément closes » (S. Beckett).

Le thème peut se présenter sous la forme d'un équivalent du substantif, comme l'infinitif précédé de la préposition vide de sens *de* :

> « Déjà bienheureux en cette circonstance *de croire* au hasard » (F. Sagan).

Seulement quand l'attribut est substantif, le retournement de l'ordre canonique sujet (+ verbe) + attribut peut se faire grâce à l'intervention de la conjonction (l'adverbe pour certains) *que* jouant le rôle d'un inverseur de prédicat (cf. p. 130, *b* et 140, 2). Une pause peut ou non être marquée entre l'élément prédicatif et le *que*; une virgule peut ou non, en conséquence, s'intercaler à l'écrit entre la protase et l'apodose. Mais la ligne mélodique est la même que précédemment :

> « *Broutilles que* tout cela, vous l'avez dit, nous dira-t-on » (F. Ponge).

> « *Quelle carrière*, Maillard, *que* la vôtre ! » (M. Aymé).

> *NB* : Le même retournement s'observe avec la conjonction *comme*, mais cette fois seulement quand l'attribut est un adjectif et que le verbe copule est exprimé :
> « "*Fort comme* il est, et si fainéant !", disent-ils toujours » (J. Vallès).

2. Attribut postposé

Adjectif ou substantif, il se trouve séparé de son thème par une pause marquée à l'écrit par une virgule. C'est le thème qui porte l'accent et c'est le prédicat qui est affecté par la courbe descendante de la phrase, à l'inverse des cas où l'attribut est préposé au thème :

> « Téléphone, chauffage central, *des mythes*! » (H. Bazin).

> « Ah! ces sacrées billes, *des coquines*, hein! » (A. Adamov).

C - Absence de sujet

L'attribut peut se rapporter à un sujet que l'esprit doit implicitement suppléer. Cet effacement du sujet concerne des phrases où le verbe est à l'infinitif ou à l'impératif.

1. Verbe à l'infinitif

Soit le sujet est absolument indéterminé :

> « *Etre fidèle* aux fonctions publiques est une fidélité » (V. Hugo).

Soit le contexte permet de le restituer et il y a accord de l'adjectif attribut avec ce sujet, en l'occurrence, ici, une jeune fille :

> « Il faut *être plus douce*, mon enfant... » (E. et J. de Goncourt).

2. Verbe à l'impératif

Le sujet est impliqué au degré zéro dans la désinence verbale :

> « Oh! ma fille, *soyez* toujours *cette chose* douce et maniable dans Ses mains! » (G. Bernanos).

Si l'attribut est un adjectif, il prend les marques de genre et de nombre du sujet implicite, toujours précisé par le contexte :

> « Il prend mon bras — seigneur, *soyez béni*! » (C. Rochefort).

D - Effacement de l'attribut *le*

Dans les propositions comparatives où intervient *que* en corrélation avec un comparatif (*mieux, moins, plus*, etc.) ou un mot de comparaison (*autre, tel*, etc.), le pronom *le* reprenant l'adjectif sur lequel porte la comparaison peut ne pas être exprimé, son effacement ne nuisant en rien au sens de la phrase :

> « Je suis sûr qu'au fond de lui-même, le vieux meneur espérait que je "mènerais" à mon tour, *mieux armé* seulement *qu'il avait été* » (J. Guéhenno).

III - ATTRIBUT DE L'OBJET

L'attribut se trouve toujours relié à l'objet par un verbe attributif dans une relation explicite. Parfois l'objet peut n'être pas exprimé.

A - Verbes introducteurs

Seuls, bien sûr, peuvent remplir ce rôle des verbes transitifs directs ou, éventuellement, indirects comme *faire de, user de... comme* :

> « Ils ont égorgé leur pays pour *faire de son cadavre le piédestal* de leur statue » (H. de Montherlant).

Les verbes transitifs marquent un jugement de l'esprit.

— Les uns expriment l'action de mettre dans un état, comme *élire, faire, rendre*, etc. :

> « Au sens où Amphitrite fut la déesse de la mer, la figure qui *rendit secourables les flots*, l'art grec est notre dieu de la Grèce » (A. Malraux).

— Les autres annoncent ou constatent un état, comme *considérer comme, déclarer, penser*, etc. :

> « Il faut tenir ce journal, même si cela m'ennuie, parfois, parce que dans le tas de choses frivoles *que je prends* sans doute *pour des choses importantes* se glissent des choses importantes » (J. Green).

— D'autres, enfin, rendent compte des idées très variées de possession, de découverte, de désir, etc., d'un état comme *avoir, trouver, vouloir*, etc. :

> « Car cette foule qui fait ta gloire *te laisse* d'abord *tellement seul*! » (A. de Saint-Exupéry).

B - Objet implicite

L'attribut peut parfois se rapporter à un objet non exprimé dans des phrases d'allure sentencieuse avec des verbes comme *faire, laisser, rendre*. On peut restituer un complément d'objet de valeur très générale comme « l'homme » :

> « C'est un fait que l'injustice *rend injuste* » (A. Maurois).

> *NB :* Comme pour l'attribut du sujet, ces verbes se rencontrent pour la plupart hors de leur emploi attributif. Et, de même, on peut distinguer parmi ces verbes des verbes essentiellement attributifs qui n'admettent pas

la suppression de l'attribut : « je te sais sage » → « *je te sais », ou qui, dans le cas contraire, changent de sens : « je t'estime fou » → « je t'estime »; et des verbes occasionnellement attributifs, bien plus nombreux, qui peuvent supporter l'effacement de l'attribut : « je te laisse (seul) » (cf. p. 132, *NB*).

IV - ACCORD DE L'ATTRIBUT

La question de l'accord de l'attribut se pose pour toutes les formes qu'il peut revêtir susceptibles de variations en nombre et/ou en genre. Sont donc exclus, par exemple, les infinitifs, formes invariables du verbe, et certains pronoms, isomorphes soit en genre, soit en nombre, soit en genre et en nombre : « *qui* est cet homme / cette femme ? », « *qui* sont ces hommes / ces femmes ? » ou de forme neutre : « Il était beau et *le* reste / elle était belle et *le* reste. » Sur *le* attribut, voir cependant p. 137.

Que l'attribut se rapporte au sujet ou à l'objet, les conditions de l'accord demeurent identiques. Elles sont celles de l'épithète, au moins en ce qui concerne l'adjectif attribut.

A - Sujet et objet uniques

1. Adjectifs et pronoms

a | Emploi général

L'accord se fait en genre et en nombre, sauf pour les pronoms isomorphes évoqués plus haut :

> « Je l'embrassai devant la fenêtre. C'était un peu *ridicule* : la lune l'éclairait et *son visage* était *pur* » (J. d'Ormesson).

> « Et ne vois-tu pas que changer sans cesse
> Nous rend *doux et chers les plaisirs passés* ? » (A. de Musset).

> « Et *l'enfant* qui naîtra sera *celui* des dieux » (R. de Obaldia).

> « Je le laisserai grandir avec son ombre chaque année un peu plus épaisse sur les murs de cette chambre *qu'*on appelle *la vôtre*, m'a-t-il semblé comprendre, par erreur » (M. Duras).

NB : L'accord en nombre du pronom possessif peut ne pas être respecté, mais il s'agit d'une bizarrerie fort rare visant à provoquer un effet :

> « Penser que demain il fera jour et avec des fils *qui* ne seront pas *le mien*! » (H. de Montherlant).

b | Cas de le

Aujourd'hui l'usage prévaut d'employer *le* attribut qu'il se rapporte à **un** masculin, à un féminin ou à un pluriel :

> « Castel-Bénac. — Vous vous croyez propriétaire de l'agence ?
> Topaze. — Je *le* suis » (M. Pagnol).

> « J'étais peut-être jolie; [...]. Je *l'*étais à cause de mon âge » (Colette).

> « Nous sommes les vainqueurs. Cela vous est bien égal, n'est-ce pas ?
> Vous aussi vous *l'*êtes » (J. Giraudoux).

D'habitude, *le* représente le même genre et le même nombre que le mot qu'il reprend (« je *le* suis = je suis *le propriétaire* »; « je *l'*étais = j'étais *jolie* »; « vous *l'*êtes = vous êtes *les vainqueurs* »). Mais il peut se faire que *le* représente un attribut de genre et/ou de nombre différents :

> « Elle [l'exécution capitale] est aussi différente, en son essence, de la privation de vie, que le camp de concentration *l'*est de la prison » (A. Camus).

L' représente ici l'adjectif *différent* au masculin.

Mais on observe que l'accord du pronom se maintient parfois en langue moderne quand le pronom reprend un nom déterminé gardant sa pleine valeur substantive :

> « Je suis l'amie de M. Georges Saintenois, et je *la* resterai » (P. Bourget).

De la même façon l'accord peut se faire quand le pronom représente un adjectif :

> « Je n'ai jamais été vraiment amoureuse; à présent je *la* suis » (Colette).

Dans l'un et l'autre cas, l'emploi du neutre *le* serait possible et l'accord marque une affectation d'archaïsme.

> *NB :* A l'époque classique et jusqu'au xviiie siècle, le pronom personnel de troisième personne *le* attribut s'accordait en général avec son sujet et se présentait sous la forme *la* ou *les* représentant un adjectif ou un substantif de genre féminin ou de nombre pluriel :
>
> > « Le voyant si sincère, je *la* suis aussi » (Mme de Sévigné).
>
> Cet accord allait contre l'avis de beaucoup, ainsi Vaugelas, qui préférait que l'attribut fût représenté sous la forme d'un *le* de valeur neutre équivalent en quelque sorte à « cela ».

2. Substantifs

Les substantifs attributs s'accordent en général avec leur thème :

> « Martinon, je vous promets un bel avenir. *Vous* serez un jour *agrégé de philosophie* » (M. Aymé).

ou du moins sont de même genre :

> « *La mort* était *cette terre* brûlante et glacée sur laquelle elle dormait étendue » (B. Pingaud).

Mais certains substantifs n'ayant pas les deux genres ou les deux nombres, ou bien pour des nécessités de sens, il peut se faire que soient mis en relation un sujet ou un objet avec un attribut substantif de genre et/ou de nombre différents. Il s'établit un simple rapport d'identification du sujet ou de l'objet avec l'attribut, sans qu'il y ait coïncidence morphologique de l'attribut avec le sujet ou l'objet :

> « Pourquoi *l'étroit espace* enclos entre ces quatre murs devenait-il *la seule réalité* véritablement vivante et digne d'être aimée ? » (B. Pingaud).

> « J'avais fini par avoir tragiquement honte [...], d'être assez riche pour avoir pu apprendre que *les cathédrales* étaient *autre chose* que ce qu'en avaient fait les curés espagnols » (C. Simon).

3. Attribut du pronom on

Quand l'attribut se rapporte au pronom indéfini *on*, il s'accorde en général au masculin singulier :

> « Mais enfin, maman, *on* peut tout de même être *heureux* sans argent » (M. Mithois).

Cependant, si le sens de la phrase indique que *on* représente un féminin ou un pluriel, l'accord de l'attribut se fait par syllepse du genre et/ou du nombre :

> « *On* est *heureuse* en buvant, *on* est *heureuse* en ne buvant pas » (H. Michaux).

> « Et tranquillement, ils se mirent à discuter, [...], tombant d'accord sur ce point, qu'*on* ne serait jamais *libres* » (G. de Maupassant).

Cette tournure se rencontre fréquemment et abusivement en langage familier avec *on* en substitution de *nous* :

> « *Nous* ne changeons pas! [...]. *On* est nés *fidèles,* on en crève nous autres! » (L.-F. Céline).

B - Sujet et objet multiples

L'attribut se met normalement au pluriel. Quand ces sujets ou objets sont coordonnés par *et* ou juxtaposés et s'ils sont de même genre, l'attribut prend alors selon ces sujets ou objets soit la marque du masculin pluriel :

« *Fons et Peer* sont *jumeaux*, s'écria Jan, goguenard » (B. Cendrars).

soit la marque du féminin pluriel :

« La mort, venant me toucher, laisse *intactes ces Causes, ces Idées, ces Réalités*, plus solides et précieuses que moi-même » (P. Teilhard de Chardin).

S'ils sont de genre différent, l'accord de l'attribut se fait au masculin pluriel :

« Ils [certains écrivains français] considèrent *le monde et l'histoire* comme irrémédiablement *absurdes, livrés* non à une loi secrète de progrès, [...], mais à la contingence pure et au hasard » (P.-H. Simon).

Quand ces sujets ou objets sont coordonnés par *ni* et *ou*, l'accord de l'attribut se fait généralement au singulier, la conjonction ayant le plus souvent valeur disjonctive. Mais il peut se faire que l'accord se fasse au pluriel, *ni* et *ou* prenant valeur copulative (cf. p. 108, *4*) :

« *La maladie ou la santé* lui devinrent *indifférentes* » (Fléchier).

En somme, les principes d'accord de l'adjectif attribut suivent ceux qui régissent l'accord du verbe ou de l'épithète : ainsi, le singulier ou le pluriel s'imposent, selon le point de vue où se place l'esprit (cf. *sujet*, p. 97, II, *épithète*, p. 151, II).

V - CONSTRUCTION DE L'ATTRIBUT

L'attribut peut se construire différemment selon le verbe qui l'introduit; dans certains cas, l'intervention de la préposition *de* est susceptible de modifier aussi sa construction par rapport, cette fois, au mot auquel il se rapporte. Il convient donc de distinguer les rapports entre l'attribut et le verbe et entre l'attribut et son support.

A - Attribut et verbe

L'attribut, qu'il s'agisse d'un adjectif ou d'un équivalent (participe, locution adjective, etc.), d'un substantif ou d'un équivalent (pronom, infinitif, etc.), se construit de façon directe ou indirecte en fonction du verbe introducteur. On l'appelle alors attribut *direct* ou attribut *indirect*.

1. Construction directe

Elle est la plus fréquente. Aucun mot ne rattache le sujet ou l'objet à l'attribut en s'interposant entre le verbe et celui-ci. Le verbe introduit directement la qualité reconnue au support; l'attribut est juxtaposé soit au verbe, soit au complément d'objet :

> « Mes petites histoires n'intéressent personne; et *la grande histoire n'est pas un sujet de roman* » (S. de Beauvoir).

> « Je comprends ici *ce qu'on appelle gloire* : le droit d'aimer sans mesure » (A. Camus).

> « La porte de la ferme que je dépasse a été laissée ouverte par les fermiers en fuite : *j'entrevois une chambre à demi pillée* » (A. Malraux).

2. Construction indirecte

L'attribut se trouve relié au verbe par les prépositions *en, de, pour,* éventuellement *à* (« prendre quelqu'un *à* témoin »), pratiquement vidées de leur sens et jouant le rôle de simples outils grammaticaux, et par la conjonction *comme* à valeur prépositionnelle affaiblie :

> « Le plus urgent ne paraît pas tant *de défendre* une culture... » (A. Artaud).

> « Les enfants doivent avoir *pour amis* leurs camarades, et non pas leurs pères et leurs maîtres » (J. Joubert).

> « Presque de tous temps, j'ai considéré *comme atroce* [...] la situation de ceux qui n'ont aucun argent » (M. Leiris).

Il importe de ne pas confondre les attributs prépositionnels dans les constructions indirectes avec les locutions prépositionnelles à valeur adjective pouvant endosser la fonction d'attribut :

> « Et nous étions *en paix* avec cette nature » (A. de Lamartine).

Les constructions où l'attribut se trouve placé en tête de la séquence attributive par l'intervention du relatif *que* et des conjonctions *comme* ou *que* jouant le rôle d'inverseurs (cf. p. 129, *2* et 133, *1*) peuvent être rangées dans la catégorie générale de la construction indirecte de l'attribut. Dans cette structure propre au style affectif, l'attribut, ainsi relié au verbe, se trouve mis en évidence :

> « *Ivres qu*'ils étaient de mes lèvres closes » (A. de Saint-Exupéry).

> « *Pauvres femmes que* nous sommes, nous avons bien sujet d'envier l'autre sexe » (M. Aymé).

> « *Impressionnable comme* vous l'êtes! » (E. Ionesco).

> « *Quelle trahison que* le silence! » (F. Mauriac).

B - Attribut et support

L'attribut sous sa forme adjective peut, dans certains cas, se relier au mot auquel il se rapporte par l'intermédiaire de la préposition *de*. Cette construction indirecte se rencontre particulièrement avec des pronoms interrogatifs *(qui, quoi)*, indéfinis *(aucun, personne, rien, un, pas un*, etc.), démonstratifs neutres *(ça, ceci, cela)*, et les adjectifs numéraux accompagnant un nom ou seuls :

> « Toutefois, sans la rigueur de raisonnement de Descartes, je reconnais que *rien de solide ni de durable* n'aurait pu être fondé » (A. Gide).

> « Allez, allez, dit Gabriel à la veuve Mouaque, reprenez vos esprits. *Un de perdu, dix de retrouvés* » (R. Queneau).

On rencontre également cette construction après les tournures impersonnelles telles que *il n'y a (de), il n'est (de)*, etc., où *de* introduit un attribut au terme complétif du sujet *il* :

> « Il n'y a *de purs* que l'ange et que la bête » (P. Valéry).

NB : - 1 - L'époque classique pratiquait souvent l'effacement de la préposition *de* dans des constructions où elle est devenue obligatoire :

> « A qui venge son père il n'est *rien impossible* » (P. Corneille).

Aujourd'hui cette construction directe est un archaïsme :

> « Par quoi ils s'efforcent de persuader à leur clientèle qu'ils ne sont *rien autre* qu'un épicier, qu'un commissaire-priseur, qu'un tailleur » (J.-P. Sartre).

> « Il n'y a guère que *deux ou trois rangs occupés* » (R. Peyrefitte).

- 2 - Certains grammairiens considèrent comme des épithètes les adjectifs ou équivalents ainsi introduits par *de*. Mais on ne peut nier que cette construction, dans laquelle il est aisé de suppléer la copule *être*, confère nettement à l'adjectif une valeur prédicative et non de simple caractérisation : « Il n'y a de purs que l'ange et que la bête » équivaut exactement à « Il n'y a *que l'ange et la bête qui soient purs* », *purs* exprimant bien quelque chose que l'on affirme à propos de *ange* et *bête*, et non une simple qualité de ces mots, auquel cas il serait impossible de faire intervenir une copule.

VI - PLACE DE L'ATTRIBUT

L'attribut, en règle générale, se place après le verbe qui l'unit au sujet ou à l'objet.

Pour diverses raisons, syntaxiques ou affectives, l'attribut peut passer avant le verbe, mais cette modification de l'ordre habituel affecte uniquement l'attribut du sujet (sauf *tel*, cf. p. 145, B, *NB*). L'attribut de l'objet ne se déplace, toujours après le verbe, que par rapport au complément d'objet auquel il se rapporte. Il n'est que dans une syntaxe expressive propre au langage parlé familier qu'on peut trouver une inversion de l'attribut de l'objet ainsi préposé au verbe (cf. p. 147).

A - Attribut du sujet

L'ordre canonique de la phrase avec attribut du sujet est : sujet + verbe attributif + attribut :

« *La tristesse* même *est lumineuse* » (R. Rolland).

Cet ordre peut se trouver modifié et l'attribut passe en tête avec inversion du sujet ou non suivant le cas, que le verbe soit exprimé ou, rarement, sous-entendu. Des contraintes syntaxiques ou des raisons d'expressivité provoquent ce retournement de l'ordre canonique.

1. Contraintes syntaxiques

Elles tiennent à des raisons variées.

a | Pronom interrogatif et adjectifs particuliers attributs

L'attribut du sujet est obligatoirement placé avant le verbe quand il s'agit :

— du pronom interrogatif :

« *Que* suis-je au milieu de cette machine ?, se dit Birotteau » (H. de Balzac).

— de l'adjectif interro-exclamatif :

> « *Quel* est ce charme que je subis ? » (M. Barrès).

> « *Quel* serait votre enthousiasme, mes amis, si vous aviez déterré la statue tout entière ! » (Alain).

— de l'adjectif indéfini *tel* :

> « A ce moment elle [la curiosité] creuse et ronge le peu qui me reste. *Telle* est ma faim » (G. Bernanos).

b | *Propositions concessives*

Ces propositions sont introduites par *pour... que, quelque... que, si... que, tout... que* :

> « *Si considérables* en effet *que* soient les formes animales ou humaines représentées au début, elles partent en fragments » (H. Michaux).

c | Le *et* que *pronoms*

Il y a inversion de l'attribut quand il s'agit du pronom neutre *le* représentant un adjectif voisin déjà exprimé :

> « Aussi inséparable de l'objet que *l'*était, dans un tableau de Chardin, la couleur jaune » (N. Sarraute).

ou du relatif *que* représentant un substantif ou un adjectif (cf. p. 129) :

> « Il suffit que ça vienne de moi, *pauvre imbécile que* je suis... » (N. Sarraute).

d | Comme *et* que *conjonctions*

Dans ces constructions, l'attribut placé en tête se trouve relié au verbe par les conjonctions *comme* et *que* inverseurs de prédicats :

> « *Jolie comme* tu es, Colomba, je m'étonne que tu ne sois pas déjà mariée » (P. Mérimée).

> « *Quel vilain homme que* cet Herbert ! » (T. Bernard).

Lorsque intervient *comme* inverseur, on peut observer qu'il y a ou non reprise de l'attribut par le pronom *le* toujours préposé au verbe. S'il n'y a pas reprise dans l'exemple de Mérimée, *supra*, on note cet effet de redondance dans celui-ci :

> « Chrétien comme vous *l'*êtes, allez donc au bout de votre christianisme » (H. de Montherlant).

2. *Raisons stylistiques*

Il s'agit souvent de phrases à modalité exclamative. La mise en tête de l'attribut permet d'attirer sur lui l'attention grâce à cette place privilégiée inhabituelle. Voici quelques cas de figure, le verbe étant exprimé ou non.

a | Verbe exprimé

Il y a inversion du sujet :

> « O *triste, triste* était mon âme
> A cause, à cause d'une femme » (P. Verlaine).

> « Il [le soldat] n'était pas cassé et *vive* fut ma joie » (M. Leiris).

Cette construction est fréquente dans les phrases à valeur optative précédées ou non de la « béquille » de subjonctif *que* :

> « *Bénis* soyez-vous dans votre tombeau » (J. Michelet).

L'antéposition de l'attribut n'entraîne pas nécessairement l'inversion du sujet, si celui-ci est un pronom personnel :

> « Carmen restera toujours libre. *Calli* elle est née, *calli* elle mourra » (P. Mérimée).

b | Verbe non exprimé

Son effacement renforce la mise en relief de l'attribut sur qui se porte tout l'intérêt. On trouve cette construction :

— dans de pures phrases nominales souvent optatives :

> « *Heureux* les épis murs et les blés moissonnés » (C. Péguy).

— dans les phrases où le thème de l'attribut est suivi d'une relative :

> « *Heureux* pourtant *ceux qui* en ont une [sensibilité exaltée] » (H. Taine).

— dans les phrases segmentées. Le segment de phrase placé en tête est marqué par une mélodie ascendante, et une pause, notée en général à l'écrit par une virgule, renforce sa mise en valeur :

> « *Pas payés* ce pain et ce bock,
> Ni le jambon ni la moutarde » (J. Audiberti).

NB : On peut rapprocher des phrases segmentées les phrases où la pause est remplacée par *que* inverseur de prédicat — *que de* ou simplement *de* avec pour thème un infinitif. L'attribut est toujours un substantif (cf. p. 130, *b* et 133, *1*) :

> « *Quelle ignominie que* tout cela, gémissait-il en dedans » (P. Drieu La Rochelle).

> « *Singulière idée que d'*écrire pour ceux qui dédaignent l'écriture ! » (G. Bernanos).

> « *Amère ironie de* prétendre persuader et convaincre... » (G. Bernanos).

B - Attribut de l'objet

L'attribut de l'objet se trouve toujours placé après le verbe et le suit en général directement (voir cependant p. 147). Sa position par rapport au verbe, juxtaposition ou éloignement, dépend de la nature du complément.

> *NB* : Seul *tel* est normalement préposé au verbe en tant qu'attribut de l'objet :

> « *Tel* je ne m'accepte pas » (G. Duhamel).

1. Contraintes syntaxiques

a | Juxtaposition au verbe

L'attribut est obligatoirement juxtaposé au verbe selon que le complément est toujours antéposé ou postposé au verbe :

- 1 - *Complément toujours antéposé au verbe*
C'est le cas lorsqu'il s'agit d'un pronom :

— personnel :

> « Il arrive qu'on trouve la nation brusquement unie quand on pouvait s'attendre à *la* trouver *divisée* » (P. Valéry).

— relatif :

> « Tous ces matériaux *qu'*on dit *ennemis*, la brique et l'ardoise, le grès et la pierre tendre » (J. Giraudoux).

— interrogatif :

> « Tu travailles à tes cours ? *Qui* as-tu *comme amies* ? » (Colette).

- 2 - *Complément toujours postposé au verbe*
C'est le cas lorsqu'il s'agit :

— d'une proposition complétive complément d'objet direct :

> « Je trouvais tellement *risible que les méchants ne puissent rien contre les pauvres servantes de Dieu que de les contraindre à se déguiser comme au Carnaval* » (G. Bernanos).

— d'un infinitif précédé par *de* :

> « Je pus [...] me maintenir dans un état de transport lyrique hors duquel j'estimais *malséant d'écrire* » (A. Gide).

b | Eloignement du verbe

Lorsque le complément est un substantif, celui-ci est en général postposé au verbe, l'attribut le suivant :

> « Lui seul entre tous les élèves de l'établissement a *le cœur assez large et l'esprit assez haut...* » (M. Aymé).

Dans ce seul cas du complément d'objet substantif, l'attribut prend de la mobilité par rapport à ce complément, donc par rapport au verbe dont il s'éloigne alors peu ou prou.

2. Raisons stylistiques

L'attribut du substantif peut se placer soit avant, soit après le co pour des raisons d'équilibre, d'harmonie, d'expressivité, etc. Voici quelques exemples :

L'attribut se place avant car il est plus court que le co :

> « Je finis par trouver *sacré* le désordre de mon esprit » (A. Rimbaud).

L'attribut se place après car il est plus long que le co :

> « Il considérait la violence comme *la pire des faiblesses et la moins pardonnable* » (A. France).

L'attribut se place après le co, quoiqu'il soit plus court que lui, pour établir un effet de symétrie avec une séquence qui précède :

> « Mais Aragon traite la littérature de machine à crétiniser, les littérateurs *de crabes* » (J. Paulhan).

Un cas très particulier d'expression affective propre au langage parlé (« un café, SVP — *Serré*, vous le voulez ? ») présente l'antéposition au verbe de l'attribut ainsi fortement mis en relief à la fois par cette place privilégiée et par l'accent qu'il porte :

> « *Épuisées*, comme on les voit, comme on les voit désemparées! » (H. Michaux).

Les variations de la place de l'attribut par rapport au co substantif relèvent, en définitive, des mêmes choix stylistiques qui donnent de la mobilité à l'épithète (cf. p. 165, C).

4   l'épithète

Généralités

L'épithète (du grec *épitheton* = « ce qui est ajouté à ») se joint à un nom propre ou commun, avant ou après lui, dans une structure liée directe.

    Aucune virgule ne la sépare de son support, ce qui la distingue de l'apposition. Aucun verbe n'intervient pour assurer une liaison avec le support, ce qui l'oppose à l'attribut du sujet comme de l'objet. Aucune préposition ne s'intercale entre elle et son support, ce qui exclut les constructions faisant intervenir la préposition *de*, par exemple, après un nom accompagné d'un adjectif numéral cardinal ou un pronom neutre, lesquelles doivent être rangées dans les structures attributives indirectes (« vingt hommes *de tués* », « rien *de nouveau* », cf. *l'attribut*, p. 141, B).

    Seuls peuvent s'introduire éventuellement entre une épithète et son support une autre épithète (« une gentille *petite* fille ») ou un complément déterminatif du support (« un air *de musique* entraînant »). Dans de telles séquences, le support et l'élément qui le complète, adjectif ou complément déterminatif, sont au fond sentis comme un tout, un syntagme que l'esprit englobe dans sa totalité sémantique (« petite fille », « air de musique »), et non comme deux éléments nettement dissociés.

    L'épithète exprime une qualité de l'être ou de la chose désignés par le nom. Elle n'a aucune valeur prédicative, ce qui, là encore, l'oppose à l'attribut.

I - NATURE DE L'ÉPITHÈTE

Différentes classes grammaticales peuvent prétendre à l'emploi comme épithètes. Le plus souvent, il s'agit d'un adjectif, qualificatif surtout ou interro-exclamatif. Mais ce peut être aussi des équivalents de l'adjectif qualificatif.

A - Adjectif qualificatif ou interro-exclamatif

« Sur le coteau là-bas où sont les tombes,
Un *beau* palmier, comme un panache *vert*,
Dresse sa tête » (T. Gautier).

« A ce feu d'artifice, à cette fête, [...], succèdent, [...], *quels* reproches,
quelles menaces » (M. Jouhandeau).

B - Autres classes grammaticales

1. Participes présents et passés

Ils conservent de leur origine verbale la possibilité de se faire éventuellement
accompagner de compléments :

« Il y avait le glissement du sable, les grains *roulant* les uns sur les
autres » (M. Genevoix).

« Le jugement *porté sur le livre* consistera surtout en une appréciation
de la cohérence de celle-ci [l'intrigue] » (A. Robbe-Grillet).

2. Adjectifs verbaux

« Alors on te baignait dans l'eau-de-feuilles-vertes et l'eau encore était
du soleil vert; et les servantes de ta mère, grandes filles *luisantes*,
remuaient leurs jambes chaudes près de toi qui tremblais... (je parle
d'une haute condition, alors, entre les robes au règne de *tournantes*
clartés) » (Saint-John Perse).

3. Substantifs

Ils ont quitté par dérivation impropre leur classe grammaticale pour passer
dans celle de l'adjectif, en particulier des noms désignant des couleurs :

« Ils se ressentent si bien vivre,
Les pauvres Jésus pleins de givre,
Qu'ils sont tous là

Collant leurs petits museaux *roses*
Au treillage » (A. Rimbaud).

4. Adverbes

Ils ont suivi le même processus de dérivation impropre :

« Ce n'était qu'une lueur dans la *presque* obscurité » (M. Proust).

5. Syntagmes nominaux prépositionnels

Ils sont construits particulièrement avec *en (en pleurs, en colère)* ou *sans* :

> « Ah! fille *sans pudeur*, fille de saint Orphée,
> Que n'as-tu conservé ta belle gravité! » (A. de Vigny).

II - ACCORD DE L'ÉPITHÈTE

Seules peuvent prétendre à l'accord en genre et en nombre avec un ou plusieurs supports les épithètes susceptibles de telles variations morphologiques.

Le cas des noms employés comme adjectifs, en particulier des noms de couleurs, est incertain : théoriquement ces noms doivent demeurer invariables :

> « Il distingua de loin [...], des pièces à l'infini, étalées dans tous les sens, parmi les plaques rouges des trèfles *incarnat* » (E. Zola).

Mais la langue a de plus en plus tendance à les considérer comme de simples qualificatifs et à les accorder en nombre, comme cela se passe déjà pour *écarlate, mauve, pourpre* et *rose*. En revanche, les groupes adjectif de couleur + autre adjectif ou nom de couleur restent invariables, l'adjectif en tête de groupe étant senti comme un substantif que précéderait « d'un » :

> « Mais bientôt de vastes ombres bleues chassent en cadence devant elles la foule des tons orangés et *rose tendre* qui sont comme l'écho lointain et affaibli de la lumière » (C. Baudelaire).

> « Sur les hauteurs pierreuses, il n'y avait toujours que les ajoncs ras aux fleurs *jaune d'or* » (P. Loti).

> *NB :* Jusqu'à une date tardive de l'époque classique, le participe présent pouvait s'accorder au pluriel et même au féminin, malgré l'interdit de l'Académie en 1679, ce qui n'est plus possible de nos jours (cf. p. 79, *NB*) :

> « N'est-ce pas à vos yeux un spectacle assez doux
> Que la veuve d'Hector *pleurante* à vos genoux ? » (Racine).

A - Support unique

1. Règle générale

S'il n'y a qu'un seul support, l'épithète s'accorde en genre et en nombre avec ce support :

> « Depuis que la critique est née et a grandi, qu'elle envahit tout, qu'elle renchérit sur tout, elle n'aime guère *les œuvres* de poésie *entourées* d'une *parfaite lumière* et *définitives* » (Sainte-Beuve).

2. Cas particuliers

a | Support au pluriel, épithètes au singulier

Au cas où le support est au pluriel, deux épithètes ou plus peuvent rester au singulier si chacune ne concerne que la notion singulière de ce pluriel :

> « Les femmes avaient revêtu le luxueux et lourd costume de Bahia avec *ses drapés rouge, bleu, vert, blanc,* brodés de perles » (M. Déon).

Il y a quatre drapés, l'un *rouge,* l'autre *bleu,* etc., mais tous sont « *brodés* de perles ».

b | Accord par le sens

Le sens invite à faire l'accord avec l'un ou l'autre de deux termes dont l'un est complément de l'autre, en particulier quand on a une séquence nom collectif + complément. L'accord se fait suivant qu'on veut caractériser l'un ou l'autre terme :

> « Je me levai enfin, courant au parterre du château, où se trouvaient des lauriers, plantés dans *de grands vases* de faïence *peints* en camaïeu » (G. de Nerval).

> « Il lui frôle le visage d'une touffe *de fleurs jaunes* » (J. Supervielle).

Mais, à l'inverse, le sens peut contraindre à l'accord avec seulement un des termes à l'exclusion de l'autre :

> « Il y avait, dans une carafe, *un bouquet* de fleurs d'oranger *noué* par des rubans de satin blanc » (G. Flaubert).

B - Support multiple

1. Règle générale

S'il y a plusieurs supports de même genre, coordonnés par *et* ou juxtaposés, l'épithète se met normalement au pluriel masculin ou féminin selon les supports — étant entendu que certains adjectifs, qu'on peut appeler « épicènes », n'ont pas de genre marqué :

> « Que valent désormais pour cet étrange converti *le pittoresque et le paganisme chers* à la magnifique Venise ! » (M. Barrès).

« L'univers sait bien qu'il n'entend pas préparer ainsi aux hommes deux chemins de couleur et d'épanouissement, mais se ménager son festival, le déchaînement de *cette brutalité et de cette folie humaines* qui seules rassurent les dieux » (J. Giraudoux).

« Regarde *un cheval, un chat, un oiseau malades* » (H. Taine).

2. Cas particuliers

a | Accord avec le dernier terme

Il peut arriver que l'accord se fasse seulement avec le dernier terme, surtout quand il s'agit de synonymes ou qu'il y a gradation, le dernier l'emportant sur l'autre ou les autres :

> « A défaut du souvenir rebelle un visage venait de lui apparaître avec *une force, une netteté incomparable* : c'était celui du curé de Mégère » (G. Bernanos).

> « Il [le mot *pater*] contenait en lui, non pas l'idée de paternité, mais celle de *puissance, d'autorité, de dignité majestueuse* » (Fustel de Coulanges).

La coordination négative par *ni* entraîne des observations identiques et, si le pluriel est logiquement attendu, on peut trouver l'épithète d'un support multiple au singulier, *ni* étant alors disjonctif :

> « A chaque moment de la journée le soleil se lève, brille à son zénith, et se couche sur le monde ; ou plutôt nos sens nous abusent et il n'y a *ni orient, ni midi, ni occident vrai* » (Chateaubriand).

b | Coordination par ou

En cas de coordination par *ou*, cette conjonction prend valeur :

— soit copulative :

> « On doit voir *un rouge ou un violet plus intenses* que ceux du spectre » (H. Taine).

— soit disjonctive et, par exclusion du ou des autres termes, l'accord ne se fait alors qu'avec le seul dernier terme :

> « *Une patte ou une aile cassée* le matin font de lui une proie pour le soir » (H. Taine).

c | Supports de genres différents

Si les supports sont de genres différents, l'accord se fait normalement au masculin pluriel :

> « *Ce mutisme et cette immobilité conjugués* venaient de me précipiter hors de moi » (M. Jouhandeau).

Mais il n'est pas exclu, lorsque le deuxième terme est un féminin, que l'accord se fasse selon ce second terme pour éviter le rapprochement fâcheux d'un nom féminin et d'un adjectif masculin comme ici :

> « Mes yeux se peuplaient d'*hommes et de femmes distants, dédaigneux, intimidants* au possible » (P. Eluard).

L'accord avec le dernier terme au féminin, qui vise à ne pas froisser l'oreille, ne se rencontre pas que dans la langue orale :

> « L'énergie dans la volupté crée *un malaise et une souffrance positive* » (C. Baudelaire).

> « Les deux enfants étaient debout fixant sur lui de limpides regards. Nul indice de gratitude, mais une expression *d'abandon, de sécurité totale* » (R. Martin du Gard).

> *NB :* A l'époque classique, surtout dans le premier xviie, l'accord au singulier reste assez courant, que les substantifs soient du même genre :

> « *La joie et l'abondance répandue* dans toute la campagne d'Egypte » (Fénelon).

ou de genres différents :

> « par *un soulevement et une esmute generalle* » (Dubosc Montaudie).

Vaugelas préférait cet accord avec le dernier terme.

d | Accord par le sens

L'accord en genre et en nombre dépend aussi du sens. Une épithète peut ainsi ne se rapporter qu'à un seul des supports possibles et ne s'accorder qu'avec lui :

> « Dans cette grenouillerie, cette amphibiguïté *salubre*, tout reprend forces, saute de pierre en pierre et change de pré » (F. Ponge).

II - PILACE DE L'ÉPITHÈTE

La place de l'épithète est un des problèmes épineux de la syntaxe française. Si l'épithète reçoit une place fixe dans certains cas, elle est, dans d'innombrables emplois, susceptible d'être soit préposée, soit postposée à son support — même s'il est vrai que la postposition soit statistiquement plus fréquente. Ce qui d'ailleurs n'était pas le cas dans l'ancienne langue où la préposition était préférée, comme on le voit encore dans des expressions archaïques *(souffrir de male mort, de plain-pied)*, ou des noms composés *(bonhomme, malheur, beau-frère,* etc.) : ces groupes adjectif + substantif sont sentis comme des unités pour le sens et l'adjectif ne peut y prendre un accent tonique. Ce n'est qu'à l'époque classique que la tendance se renversera et que s'établira l'usage général de la langue moderne, quoique les exemples de préposition contraires à ce mouvement ne soient pas rares au XVIIe siècle :

> « Cela supposé, je vous conjure, ma chère Pauline, de ne pas tant laisser tourner votre esprit du côté des choses frivoles, que vous n'en conserviez pour les solides et pour les histoires : autrement votre goût aurait *les pâles couleurs* » (Mme de Sévigné).

Toujours est-il que l'épithète est fondamentalement mobile, et qu'en dehors de certains cas où elle ne saurait être déplacée, en particulier pour des raisons de sens, elle déjoue les tentations d'un classement absolument rigoureux expliquant sa position avant ou après son support. Si l'on peut relever des tendances générales, il est impossible d'établir des règles précises et permanentes qui ne soient contredites dans tel ou tel cas pour des raisons multiples de sens, de rythmique, d'affectivité, etc. Les écrivains ne manquent pas de tirer parti de cette liberté presque sans limite. En ôtant l'épithète de sa place la plus habituelle, ils s'autorisent ainsi de nombreux effets dus à ce qu'on peut appeler un phénomène d'écart dont la poésie, particulièrement, propose de nombreux exemples.

A - Astreintes théoriques

Sur le plan théorique, un certain nombre d'éléments sont susceptibles d'aider à éclairer les raisons de telle ou telle place dévolue à telle ou telle épithète. Il peut s'agir d'astreintes relevant du sens ou de l'organisation des masses phonétiques.

1. Le sens

a | Adjectifs à sens déterminé

Un certain nombre d'adjectifs placés avant le nom prennent, par tradition, un sens déterminé et leur postposition conduit à un changement de sens, l'épithète retrouvant alors son sémantisme courant : « un *grand* homme », « un homme *grand* ».

b | Adjectifs d'identification ou issus de verbes

Les adjectifs d'identification (de relation, de couleur, indiquant la forme, une caractéristique ou le classement dans une catégorie, cf. p. 160-161) et les adjectifs issus du verbe se placent en général après leur support : « une maison *natale* », « un chapeau *vert* », « une tour *ronde* », « une eau *tiède* », « la religion *chrétienne* », « une étoile *filante* », « une feuille *froissée* ».

c | Adjectifs à sémantisme faible

Nombre d'adjectifs fréquents dans la langue et de sémantisme faible se placent d'ordinaire avant leur support : « un *petit* travail », « un *beau* ciel », « un *gros* pain ».

Dans ces occurrences, il semble que l'adjectif antéposé, ayant perdu son accent, perde de son autonomie sémantique; alors que postposé, ayant conservé son accent, il la conserve entière. Placé avant, l'adjectif forme une espèce de tout avec son support; placé après, il s'en distingue nettement et offre une caractérisation maximale. Ce qui permet une opposition telle que, par exemple, « un gros pain » / « un pain gros ». Dans le premier cas, on a affaire à une notion globale où *gros*, prononcé sans pause vocale et comme agglutiné à *pain*, n'est pas loin de former un mot composé avec son support; dans le second, accentué et marqué par une pause vocale, il se détache de *pain* et maintient sa pleine identité sémantique en face de son support.

2. Les masses phonétiques

a | Épithète et support monosyllabiques ou polysyllabiques

Une épithète monosyllabique se place d'ordinaire avant un substantif polysyllabique et inversement : « une *mince* affaire », « un *bref* entretien » / « un rapt *ignoble* », « un cas *indéfendable* », etc. Quand l'adjectif et le substantif sont tous deux monosyllabiques la langue préfère en général la postposition de l'adjectif : « des faits *vrais* », « une mort *douce* », etc.

b | Epithète + complément prépositionnel

Une épithète suivie d'un complément prépositionnel se place toujours après son support : « une *belle* automobile » / « une automobile *belle à regarder* », « un *fidèle* compagnon » / « un compagnon *fidèle à ses amis* ».

c | Epithète modifiée par un adverbe d'intensité

Une épithète modifiée par un adverbe qui prend valeur intensive se place généralement après son support : « une *mauvaise* opinion » / « une opinion *extrêmement mauvaise* », « une *étroite* ouverture » / « une ouverture *bien trop étroite* », etc.

d | Epithète + substantif déterminé

Une épithète accompagnant un substantif lui-même déterminé se place généralement avant ce substantif : « une planche *solide* » / « une *solide* planche en bois de chêne », « une odeur *nauséabonde* » / « une *nauséabonde* odeur de moisi », etc.

On pourrait, certes, trouver à la position de l'épithète, dans la plupart des cas ci-dessus relevés, des raisons relevant à proprement parler de la syntaxe. Ainsi de l'épithète suivie de compléments, ou modifiée par l'adverbe ou accompagnant un substantif déterminé. Pour chacun de ces cas de figure, on ne peut contester que la postposition où la préposition de l'épithète tient compte de nécessités syntaxiques. En particulier, il est sûr que la langue tend, d'une part, à ne pas dissocier les groupes dont les membres sont interdépendants (déterminant-déterminé, complété-complément, etc.) — de là, par exemple, la postposition obligatoire d'un adjectif lui-même complété pour éviter à l'adjectif d'être trop éloigné de son support (cf. « une automobile *belle à regarder* »; on ne peut dire : « *une belle à regarder automobile* »); et, d'autre part, à respecter l'ordre de la séquence progressive qui fait aller la phrase du connu à l'inconnu — ordre respecté dans « une automobile belle à regarder » et plus du tout si l'épithète et son complément sont antéposés.

Mais il semble qu'au fond les différentes dispositions de l'épithète ici constatées obéissent essentiellement à des impératifs de nature rythmique. On remarquera que toutes les occurrences présentent un mouvement fondé sur une organisation par masses croissantes. Ainsi se trouvent placés en tête les éléments les plus courts, ce qui conduit soit à rejeter en fin d'énoncé l'adjectif modifié par l'adverbe ou suivi d'un complément, soit, à l'inverse, à l'antéposer quand le support se trouve déterminé par un complément. Si syntaxe et rythme conjuguent ici leur influence, il semble que le rythme joue un rôle prépondérant qui fait se plier les séquences épithète + support ou support + épithète au mouvement général de la phrase française.

B - Description pratique

Sur le plan pratique, on peut établir une description de la place de l'épithète suivant que celle-ci est unique ou multiple.

1. Epithète unique

a | Epithète à place déterminée

Il s'agit de l'épithète qui n'est pas susceptible de mobilité sans que le sens même du groupe qu'elle forme avec son support soit ou annihilé ou tout à fait différent.

- 1 - *Noms composés et locutions verbales*
- *a* - Noms composés. L'épithète est placée avant son support dans les créations de composés les plus anciennes (mais *vinaigre*) et elle fait corps avec ce support : *malheur, bonhomme, plafond*, etc., ce qui n'empêche pas que l'adjectif prenne la marque du pluriel dans *bonshommes, gentilshommes*. Dans les créations plus récentes, l'épithète, reliée à son support par un trait d'union, est soit avant : *basse-cour, grand-mère, rond-point*, etc., soit après : *amour-propre, coffre-fort, place-forte*, etc.

Des noms composés peuvent être formés par la simple juxtaposition de l'adjectif au substantif soit avant : *bonne foi, haute mer, Saint Empire*, etc.; soit après : *état civil, feu follet, lieu commun*, etc.

Dans tous ces composés, il est impossible de modifier la place de l'épithète sans déboucher sur un non-sens : **propre-amour* ou **civil état* sont impossibles. Le figement de sens et d'ordre est définitif.

- *b* - Locutions verbales. Un certain nombre de locutions verbales héritées de l'ancienne langue proposent ces groupements figés où l'adjectif est à place invariable soit avant : *faire pâle figure, avoir la haute main sur*; soit après : *tenir la dragée haute, faire main basse sur*, etc.

- 2 - *Epithète dont le sens est lié à la place*
Un certain nombre d'adjectifs antéposés forment avec leur support un groupe phonétique complet et prennent un sens particulier. Si on les postpose, les

adjectifs retrouvent leur autonomie sémantique. Dans l'ensemble, les épithètes antéposées ont un sens figuré ou dérivé ; postposées, un sens propre : « un *brave* homme » (sens figuré moral = « bon de cœur ») / « un homme *brave* » (sens propre = « courageux ») ; « un *méchant* poème » (sens dérivé = « mauvais, de piètre qualité ») / « un poème *méchant* » (sens propre = « malveillant ») ; « un *gros* commerçant » (sens dérivé = « riche ») / « un commerçant *gros* » (sens propre = « obèse »), etc. :

> « L'*honnête homme*, celui qui n'infecte presque personne, c'est celui qui a le moins de distractions possibles » (A. Camus).

> « La seule faiblesse de cet *homme vraiment honnête* était de croire aux apparitions des esprits » (H. de Balzac).

Dans l'exemple de Camus, *honnête* signifie « accompli », dans celui de Balzac « d'une morale exacte ».

> « Il y eut une *jeune mère* qui souleva son enfant dans ses bras ; [...] il y eut un *petit garçon* qui détacha une pensée de devant sa porte » (H. de Montherlant).

Une *jeune mère* peut accuser un certain âge, une *mère jeune* est une femme à la maternité précoce ; un *petit garçon* n'est pas nécessairement de taille réduite à l'inverse d'un *garçon petit*.

Il est à noter que le même adjectif prend éventuellement des sens différents suivant le substantif devant lequel il se place : *petit*, ainsi, peut endosser entre autres le sens péjoratif de « de médiocre envergure, minable » dans « un *petit* malfrat » ou le sens hypocoristique de « mignon » dans « un *petit* ange ». Le changement de place de l'épithète amène, dans tous les cas, à un sens tout à fait différent.

- 3 - *Épithète suivie d'un complément*

Si le français classique pouvait admettre que le substantif prît place entre l'épithète et son complément prépositionnel, le français moderne ne l'admet plus. Tout adjectif suivi d'un complément est postposé à son support : « un conseiller *précieux pour ses avis* » (cf. « un précieux conseiller ») ; « un sportif *célèbre par ses exploits* » (cf. « un célèbre sportif »), etc. On ne peut dire « *un précieux conseiller pour ses avis* », « *un célèbre sportif par ses exploits* » :

> « Lorraine, ce nom de mirabelle mûre, de toison laineuse et tiède, ce *nom de pays doux comme un verger en fin d'été* » (F. Nourissier).

b | *Épithète à place théoriquement déterminée*

L'épithète se place suivant le cas avant le support ou après le plus souvent.

- 1 - *Épithète en général avant le support*

Il s'agit en particulier d'adjectifs qualificatifs très répandus, de sémantisme faible, qui forment pour ainsi dire corps avec le nom. Que leur masse sonore soit plus ou moins importante que celle du support n'entre pas en ligne de compte. Ils forment avec le substantif une sorte d'unité phonétique, eux-mêmes étant dépourvus d'accent, et leur sémantisme propre s'efface, ou plutôt s'agglutine à celui du support pour rendre une notion sentie globalement. Ce sont des adjectifs comme : *bon, gros, long, mauvais, petit, vieux, vrai*, etc. : « une *longue* route », « un *mauvais* pas », « un *petit* exemple », etc. :

> « Je crains un peu ces hommes vertueux de naissance. Je les apprécie bien comme de *belles fleurs* ou de *beaux fruits*, mais je ne sympathise pas avec eux » (G. Sand).

Les adjectifs ordinaux ont leur place théoriquement déterminée avant le substantif : « le *premier* jour », « le *deuxième* livre », « la *onzième* heure », etc. Mais on rencontre également : « chapitre *premier* » ou « livre *deuxième* » dans l'indication des parties d'un ouvrage.

- 2 - *Épithète en général après le support*

Dans ce cas, l'adjectif conserve un accent propre qui sauvegarde son individualité. Il exprime une qualité distincte et déterminante. Phonétiquement isolé de son support, il garde un sémantisme plein, nettement séparé de celui du support qui le précède. On rencontre cette disposition dans les cas où sont employés des adjectifs entrant dans une des catégories suivantes :

- *a* - Adjectifs de relation : *azuréen, lunaire, maternel, natal, princier, veineux*, etc. Ces adjectifs sont formés à l'aide de suffixes et équivalent à un complément déterminatif : « une lumière *lunaire* » = « une lumière *de lune* », « le système *veineux* » = « le système *des veines* » :

> « Et lui, Yves Frontenac, [...], avait choisi de gémir en vain, confondu avec le reste de la *forêt humaine* » (F. Mauriac).

- *b* - Adjectifs introduisant une classification et rangeant dans une catégorie ethnique : « la race *noire, blanche* »; religieuse : « la foi *catholique* »; géographique : « le sous-continent *indien* »; sociale : « les classes *laborieuses* »; scientifique : « les sciences *physiques* et *mathématiques* », etc. :

> « Et, de même que si elle fût venue, elle aussi, non de l'état-major mais des *temps bouddhiques*, la *trompe militaire* de l'auto de Chang-Kaï-Shek commença à retentir sourdement au fond de la chaussée presque déserte » (A. Malraux).

- *c* - Adjectifs désignant une couleur : « un pré *vert* », « le ciel *bleu* », « la nuit *noire* », etc. :

> « Ces myriades de points tremblaient devant ses yeux comme des poignées de minuscules *fleurs blanches* à la surface d'une *eau toute noire* » (J. Green).

- *d* - Adjectifs désignant une forme ou indiquant une caractéristique physique ou morale quelconque : « un chapeau *rond* », « une maison *carrée* », « des mains *sales* », « une contrée *chaude* », « un esprit *clair* », etc. :

> « En tournant le visage, Gaston prenait la notion d'une continuité dans la nue, d'un *toit courbe* » (J. de La Varende).

> « L'expérience était de *goût amer*, mais je possédais encore trop d'espoir pour craindre ce *détachement lucide* » (A. Memmi).

- *e* - Adjectifs verbaux et participes passés adjectifs : « une étoile *filante* », « une rue *commerçante* », « une page *déchirée* », « le temps *perdu* », etc. :

> « Mais, de son temps d'Argelouse, elle gardait une figure comme rongée : ses *pommettes trop saillantes*, ce nez court » (F. Mauriac).

> « A travers les *vitres closes*, on entendait la rumeur de la ville » (M. Genevoix).

- *f* - Adjectifs modifiés par un adverbe. Ils se placent le plus souvent après leur support, surtout si l'adverbe qui les accompagne présente une masse importante (adverbes en *-ment*) : « une femme *extrêmement belle* », « un trajet *assez rapide* » :

> « "Je veux essayer si cela m'ira, dit-elle. Ah! Je vais avoir l'air d'une vieille fée!"
> *"La fée des légendes éternellement jeune !...*, dis-je en moi-même" » (G. de Nerval).

Quand les adverbes sont courts et qu'ils ne modifient pas très sensiblement la masse de l'ensemble qu'ils forment avec l'adjectif, cet ensemble peut se placer avant le support. C'est souvent le cas, ainsi, avec les adjectifs au comparatif ou au superlatif : « un voyage *moins long* / un *moins long* voyage », « des yeux *très beaux* / de *très beaux* yeux » :

> « Oui, c'est dans cette atmosphère qu'il ferait bon vivre, — là-bas, [...], où les horloges sonnent le bonheur avec une *plus profonde et plus significative solennité* » (C. Baudelaire).

- *g* - Adjectifs s'appliquant à des noms propres. En général, l'épithète précède le nom propre et s'intercale entre lui et le déterminant : « l'*artificieux* Ulysse », « la *gigantesque* Australie », « ce *cher* Dupont » :

> « Moi, j'allais, rêvant du *divin Platon*
> Et de Phidias » (P. Verlaine).

Mais l'adjectif peut se trouver rejeté après le nom propre, l'article le précédant : « Vaison-*la-Romaine* », « Jacques *le fataliste* », « Louis *le bien-aimé* ». Dans cette construction, on peut d'ailleurs considérer que l'adjectif est substantivé et en apposition :

> « Ils t'ont pris. Tu mourus, comme un astre se couche,
> *Napoléon le Grand*, empereur » (V. Hugo).

Quand on veut donner à l'adjectif sa pleine individualité en face du nom propre, pour l'écarter du statut d'épithète « de nature » qu'il prend en antéposition, on peut purement et simplement le postposer : « l'Allemagne *romantique* », « la France *éternelle* » :

> « Que faisaient vos vertus germaines,
> Quand notre *César tout-puissant*
> De son ombre couvrait vos plaines ? » (A. de Musset).

c | *Epithète à place non déterminée*

Beaucoup d'adjectifs ne rentrent dans aucune des catégories vues précédemment et peuvent se placer soit avant, soit après leur support. Seule l'intention de celui qui parle ou écrit leur attribue leur place. Ce sont en général des adjectifs polysyllabiques sans que pour autant soient exclus de cette totale mobilité certains monosyllabiques : « une *horrible* aventure / une aventure *horrible* », « une *agréable* sortie / une sortie *agréable* », « une *fausse* pièce / une pièce *fausse* ».

Il semble que le choix de l'une ou l'autre position se détermine selon que l'on veut soit banaliser l'adjectif en le préposant, soit lui restituer sa force sémantique en le postposant. Dans le premier cas, l'absence d'accent sur l'épithète amène à sentir le groupe adjectif + substantif comme une unité phonétique et sémantique où l'adjectif perd beaucoup de son poids propre. Dans l'autre, l'accent que porte alors l'adjectif le sépare du substantif et lui restitue sa pleine autonomie sémantique. « Fausse piéce » est très proche du mot composé, « piéce faùsse » distingue nettement le substantif de l'adjectif qui retrouve sa capacité de caractérisation maximale.

2. Epithète multiple

Le support peut se faire accompagner de deux épithètes ou plus — ce dernier cas de figure étant moins fréquent. Les épithètes se trouvent juxtaposées au support ou coordonnées entre elles.

a | Epithètes juxtaposées

Soit elles prennent place ensemble avant ou après le support, soit elles l'encadrent.

- I - *Groupées avant ou après le support*
S'il n'y a que deux épithètes, le premier adjectif du groupe adjectival antéposé ou le second du groupe adjectival postposé jouent le rôle de qualifiant par rapport aux séquences adjectif + substantif et substantif + adjectif. Ces dernières sont senties comme des unités sémantiques et phonétiques globalement caractérisées par l'adjectif qui les précède ou les suit. Dans « un gentil petit garçon » ou « des œuvres littéraires abstraites », les séquences *petit garçon* et *œuvres littéraires* forment des unités alors que *gentil* et *abstraites* caractérisent de façon autonome. Ces adjectifs jouissent d'ailleurs en général de mobilité puisqu'on pourrait, dans la plupart des cas, les changer de place : « un petit garçon *gentil* », « d'*abstraites* œuvres littéraires » — ce qui est impossible pour *petit* et *littéraires* qui constituent des sortes de noms composés avec le substantif :

> « Hier, vous vouliez abandonner le véhicule de notre *courageux petit bonhomme* sous prétexte que... » (F. Marceau).

Il peut arriver que les deux épithètes fassent corps avec le support, l'adjectif en tête ou en fin de séquence étant sur le même plan que l'adjectif central et renforçant simplement le nom composé dont il est partie intégrante :

> « Cette petite crapule, dit-elle lentement. Ça ne m'étonne pas de lui, ce n'est qu'un *sale petit type* » (S. de Beauvoir).

Il est rare que plus de deux épithètes juxtaposées précèdent le support :

> « Antique erreur du bourgeois qui donne un sou et qui pense faire le bien, et qui se croit quitte envers tous ses frères, par *le plus misérable, le plus gauche, le plus ridicule, le plus sot, le plus pauvre acte* de tous ceux qui peuvent être accomplis en vue d'une meilleure répartition des richesses » (A. France).

En revanche, si elles le suivent, leur nombre peut être important :

> « Quand Noël et Albéric Canet redescendirent le grand escalier, les deux hommes étaient fatigués d'une *fatigue lourde, physique, musculaire* » (M. Druon).

- 2 - *Encadrant le support*

S'il n'y a que deux épithètes, les adjectifs se disposent l'un avant, l'autre après le support. Les séquences adjectif + substantif et l'inverse, dans lesquelles l'épithète est à place déterminée, peuvent admettre un adjectif qui les qualifie et se place avant ou après. Par exemple : « un petit garçon *gentil* » / « d'*abstraites* œuvres littéraires », où *petit* et *littéraires* n'ont aucune mobilité, cf. p. 163, - 1 -; « une *agréable* entrevue susceptible de porter des fruits », où l'épithète *agréable* se trouve rejetée en tête, la seconde étant postposée parce qu'elle est suivie d'un complément et que l'ordre de la phrase respecte le principe de la progression par masse croissante.

Quand il y a plus de deux épithètes et que se rencontre une séquence adjectif(s) + substantif ou l'inverse formant une unité, la ou les autres épithètes conservent leur pleine valeur et qualifient cette séquence :

> « Il se rappela le matin des "noces", la *pauvre petite cérémonie miteuse* » (J.-L. Curtis).

Petite forme une première unité phonétique et sémantique avec *cérémonie* renforcée par *pauvre*, ces deux adjectifs prenant un sens figuré; *miteuse* qualifie la séquence *pauvre petite cérémonie*.

b | *Epithètes coordonnées*

Elles conservent par cette disposition toute leur valeur individuelle. Elles sont le plus souvent postposées au support. S'il y a plus de deux épithètes, seule la dernière, en règle générale, est coordonnée à celle qui la précède, les autres étant séparées par une pause vocale marquée à l'écrit par une virgule.

- 1 - *Avant le support :*

> « Tu as fait *de douloureux et de joyeux voyages*
> Avant de t'apercevoir du mensonge et de l'âge » (G. Apollinaire).

- 2 - *Après le support :*

> « On soupçonnait autour de soi, derrière les murs, une *activité sourde, silencieuse, mais ardente* » (J. Genet).

c | *Epithètes juxtaposées et coordonnées*

Les épithètes peuvent ne pas être ou seulement juxtaposées ou seulement coordonnées. Les deux systèmes sont susceptibles d'éventuellement cohabiter pour un même support et les dispositions sont en pratique variables à l'infini :

« Je voudrais pour tes yeux la plaine
[...],
Ou des collines aux *belles lignes*
Flexibles et lentes et vaporeuses » (H. de Régnier).

C - Ecarts

Dans la langue littéraire, surtout poétique, la disposition habituelle des épithètes n'est souvent pas respectée — étant à part la situation des épithètes à place déterminée. Ces changements se trouvent essentiellement dus à des raisons d'expressivité. Ils dépendent de la seule intention de qui parle ou écrit et l'on ne saurait proposer de classement systématique et même de typologie. On entre dans le domaine de la stylistique qui bouscule les schémas les plus courants au profit de la création d'effets. Voici quelques exemples de la liberté que les auteurs, en inversant l'ordre attendu, prennent à l'égard de ce qui paraît la norme.

1. Adjectif de couleur antéposé

« Dis-moi, ton cœur parfois, s'envole-t-il, Agathe,
Loin du *noir océan* de l'immonde cité » (C. Baudelaire).

L'antéposition de *noir* tend à lui faire faire corps avec son support (un seul groupe phonétique) et à créer avec lui un quasi-mot composé apposé à *immonde cité*. L'épithète prend une forte valeur pittoresque et descriptive. *Océan noir*, qui eût été métriquement possible, n'aurait donné à l'adjectif qu'une banale valeur identificatrice d'épithète de couleur parmi d'autres possibles. Cf. dans le même poème *(Moesta et errabunda)* : « le *vert paradis* des amours enfantines ».

2. Adjectif verbal antéposé

« Nous sommes l'instrument sonore
Où le nom que la lune adore
A tous moments meurt pour éclore
Sous nos *frémissantes parois* » (A. de Lamartine).

Frémissantes, adjectif verbal et de surcroît d'un polysyllabisme plus important que son support, se trouve ainsi mis en valeur à la fois par la rupture à l'égard de l'ordre habituel et par sa place centrale dans le vers : ses quatre syllabes culminent entre deux groupes de deux syllabes, c'est lui qui porte l'accent principal. Cf. à l'inverse dans le même poème *(Chute d'un ange*, « Chœur des cèdres du Liban ») : *brises errantes, cordes murmurantes*.

3. Adjectif de relation antéposé

« Des femmes s'avancent, pâles idoles
Avec, en leurs cheveux, les *sexuels* symboles » (E. Verhaeren).

L'antéposition de *sexuels* (= « du sexe ») met particulièrement cet adjectif en relief et souligne l'érotisme provocant de ces femmes.

4. Adjectif monosyllabique postposé dans une expression

« La dot des vrais couples est la même que celle des *couples faux* : le désaccord original » (J. Giraudoux).

La postposition inattendue de *faux* provoque un effet de surprise et confère à la phrase un équilibre chiasmique entre *vrais couples* et *couples faux*. L'inversion de l'épithète est possible dans la mesure où l'expression *faux couple* n'est pas absolument lexicalisée et qu'en conséquence le déplacement de l'épithète ne change pas son sens.

5   l'apposition

Généralités

L'apposition (latin *appositio* de *apponere* « mettre à côté ») pose de nombreux problèmes qui divisent les grammairiens — ce que semble refléter la doctrine officielle elle-même incertaine. Ainsi, la nomenclature de 1910 incluait l'apposition liée, celle de 1949 l'éliminait, mais la circulaire de 1975 la restitue. En s'en tenant à cette circulaire, le plus récent des documents officiels, on adoptera cette position, en admettant d'abord de faire de l'apposition une fonction en soi, alors que sa fonction se calque en réalité sur celle de l'élément auquel elle se rapporte (sujet, attribut, complément), ensuite d'intégrer la possibilité pour l'adjectif d'être en apposition.

L'apposition se présente sous la forme d'un élément phraséologique prédicatif par rapport à un autre élément phraséologique qui lui sert de support, le plus souvent un nom propre ou commun. En restituant, par transformation, une phrase-source prenant pour centre le verbe *être*, on perçoit nettement le caractère prédicatif de l'apposition qui devient alors attribut de son support devenu sujet, d'où le nom qu'on lui donne parfois d' « attribut implicite ». Cette transformation peut être directe ou prendre la forme d'une relative, l'apposition étant une sorte de subordonnée relative elliptique. Elle permet de reconnaître l'apposition en cas d'ambiguïté, puisque son éventuelle mobilité par rapport à son support peut créer l'équivoque.

Ainsi, l'apposition pouvant être le premier ou le second terme de la construction dans l'apposition dite *liée* (ou *intégrée*, cf. p. 173, II), on détermine clairement quel est le mot en apposition dans des séquences telles que :

« L'empereur Napoléon ».
« Balzac le romancier ».

La restitution dans des phrases-sources donne : « Napoléon est un empereur » (ou : « l'empereur qu'(attribut) est Napoléon (sujet) »), « Balzac est un romancier » (ou : « Balzac qui est un romancier »). La première construction appositive propose une structure en ordre inverse attribut + sujet, le mot en apposition étant donc *empereur*; la deuxième une structure en ordre direct sujet + attribut, le mot en apposition étant donc *romancier*.

Dans ces phrases dont *être* est le verbe se pose le problème de l'éventuelle permutation entre le sujet et l'attribut. En fait, il apparaît que c'est le syntagme nominal dont le déterminant possède le plus haut degré référentiel qui est sujet. Ainsi, les articles définis, les possessifs, les démonstratifs déterminent davantage que les outils indéfinis et accompagnent donc le sujet. Les noms propres sont toujours sujets puisqu'ils portent toujours la plus forte charge référentielle. A l'inverse, les syntagmes nominaux accompagnés d'indéfinis ou sans déterminants sont toujours attributs.

Soit, par exemple, la séquence :

« Le roi Louis XIV ».

La phrase attributive sera : « *Louis XIV* est le/un roi »; le nom propre s'impose comme sujet en face d'un attribut aux déterminants plus *(le)* ou moins *(un)* référentiels, en tout cas moins fortement référentiels que le nom propre. Même chose entre articles :

« Le roi soleil »

donne en phrase attributive : « *Le* roi est *un* soleil », le déterminant défini *le* l'emportant en charge référentielle sur le déterminant indéfini *un*. Et même en cas de rencontre d'un déterminant *a priori* de valeur référentielle égale auprès de chacun des termes : « le roi soleil » = « *le* roi est *le* soleil », l'emphase permet de proposer « c'est le roi qui est le soleil » et non « c'est le soleil qui est le roi », en distinguant un degré référentiel supplémentaire pour le déterminant de *roi*, sujet en face de *soleil*, attribut, qui est donc apposition dans la structure « le roi soleil ».

On distingue deux types de constructions appositives, l'apposition *détachée* et l'apposition *liée* (ou *intégrée*).

I - L'APPOSITION DÉTACHÉE

L'apposition détachée se trouve séparée de son thème ou support par une pause, marquée à l'écrit en général au moyen de la virgule, à l'oral par une intonation qui l'isole. Son support peut être suivant le cas un nom propre ou commun, un pronom ou même une phrase et elle est susceptible de mobilité à son égard. Elle prend le plus souvent valeur explicative et on peut l'ôter sans nuire au sens de l'énoncé.

Peuvent être appositions détachées un substantif, un pronom, un adjectif ou un participe, les appositions substantives ou adjectives se faisant couramment accompagner d'un subordonnant (*bien que, même, quoique*, etc.), ce qui souligne bien leur caractère de subordonnées elliptiques :

> « *Bien que philosophe*, M. Homais respectait les morts » (G. Flaubert).

> « *Une fois pris* dans l'événement, les hommes ne s'en effraient plus » (A. de Saint-Exupéry).

A - Apposition substantive

L'apposition peut être soit dépourvue de déterminant, soit déterminée. Sa place est variable.

1. Sans déterminant

L'apposition se place, par rapport au support, suivant la *fonction* de celui-ci, sa nature étant indifférente.

a | Support sujet

L'apposition peut suivre son support :

> « *Les flots* le long du bord glissent, *vertes couleuvres* » (V. Hugo).

ou le précéder :

> « A la fois *plume et corolle*, [...], *une grande fleur blanche*, duvetée comme une aile, descendait du front de la princesse » (M. Proust).

b | Autres fonctions du support

L'antéposition est exclue si le support prend une autre fonction dans la phrase ; par exemple avec un support complément d'objet direct :

> « Le thé empoisonné qui envoya au paradis *Ben Ahmou, sous-lieutenant* de réserve aux tirailleurs marocains et *notaire* à Salé, avait été, sinon préparé par elle, mais du moins offert par ses mains » (P. Mac Orlan).

complément déterminatif, etc. :

> « Pendant deux kilomètres, j'ai marché sans que s'interrompe la succession *des "ermitages"* réguliers comme les divisions d'un instrument de mesure, [...], *fragiles décors bien clos* » (M. Butor).

NB : - 1 - Par un libre usage poétique, le substantif peut cependant se rencontrer avant un support complément, comme ici où il précède le pronom personnel complément d'objet direct *les* :

> « Et moi qui, *mère, enfants, les* vois tous sous mes yeux » (V. Hugo).

- 2 - Le syntagme nominal peut aussi se trouver apposé à une phrase, avant ou après :

> « *Tu m'aimais, chose étrange* » (H. de Montherlant).

On voit le statut prédicatif de l'apposition en restituant une phrase-source comme « cela est chose étrange » où le pronom neutre *cela* reprend la phrase-support *tu m'aimais*.

- 3 - L'infinitif, en tant que forme nominale du verbe, est susceptible de prendre les fonctions du nom, donc d'être apposition détachée, seulement, bien sûr, dans cette structure non déterminée. Il est ou non précédé par *de* :

> « On ne peut toujours pas m'ôter *cela, d'être* la bâtarde d'un roi » (V. Hugo).

> « S'il n'accomplissait pas les prescriptions [...] qu'il s'était imposées, il s'en punissait par *des châtiments* : corporels (*se lever* une heure plus tôt qu'à l'ordinaire), ou spirituels (*se réconcilier* avec un adversaire, *ne pas lire* un livre dont il avait envie) » (M. Arland).

- 4 - Le substantif détaché non déterminé peut se faire précéder de la préposition *en* introduisant une notion comparative ou explicative, mais il se trouve alors toujours caractérisé. Cette construction ne s'admet que si le support est sujet; elle peut donc précéder ou suivre son support :

> « Parce que nous avons été créés justes et courtois, nous nous en parlons, une heure avant la guerre, comme *nous* nous parlerons longtemps après, *en anciens combattants* » (J. Giraudoux).

2. Avec déterminant

L'apposition se place, par rapport au support, suivant la *nature* de celui-ci, sa fonction étant indifférente.

a | Support substantif

L'apposition se place toujours après son support :

> « Mais, il ne faut pas oublier que nous sommes les fils des vaillants Versaillais *du petit Père Thiers, ce parangon des vertus bourgeoises* » (J. Anouilh).
> • Support complément de détermination.

> « Je suis *Yves le Trouhadec, le professeur de géographie* du Collège de France » (J. Romains).
> • Support attribut.

Si, le plus souvent, l'apposition se place dans ce cas en contiguïté avec son support, elle est néanmoins susceptible de faire preuve d'une plus **grande** mobilité et se trouver séparée de ce support par un ou plusieurs éléments de phrase :

> « Cependant *les enfants* rentraient du travail, *une grande fille et trois fils* » (A. Gide).

Ainsi déterminé, le syntagme nominal apposé conserve une pleine valeur substantive et apporte une caractérisation précise permettant d'identifier avec netteté. A noter que l'article défini prend dans cet usage une valeur proche du *ille* emphatique latin tandis que l'article indéfini souligne l'absence de notoriété.

Les noms propres, qui possèdent une charge référentielle maximale, suivent les mêmes normes d'emploi que les appositions déterminées :

> « Dans mon quartier, *l'épicier et sa femme, Mr et Mrs Parini*, connaissent leurs clients et leur disent bonjour » (C. Roy).

b | Support pronominal

Quand le pronom est susceptible de se faire accompagner d'une apposition, celle-ci suit le support sauf s'il s'agit d'un pronom personnel de troisième personne sujet, l'apposition pouvant lui être préposée ou postposée. Elle prend alors une modalité exclamative qui permet de la reconnaître en tant qu'apposition de la simple antéposition ou reprise du type : « *mon frère*, il est sorti », « il est sorti, *mon frère* ». Si elle est postposée, l'apposition ne l'est jamais de façon contiguë :

> « Le voilà donc ce nez qui des traits de son maître
> A détruit l'harmonie ! *Il* en rougit, *le traître* ! » (E. Rostand).

Sont dans ce cas impossibles des séquences comme : « *Il, le traître, en rougit ! »

3. Apposition substantive et complément détaché

Il convient d'éviter de confondre le syntagme nominal détaché, déterminé ou pas, qu'est l'apposition substantive, et le syntagme complément non prépositionnel, lui aussi déterminé ou pas, joint à un nom ou pronom et indiquant un comportement, un aspect, et ayant fonction de complément de qualité de ce nom ou pronom (et/ou de c.c. de manière du verbe pour certains) :

> « A ce moment, *Yves* pénétra dans le petit salon, *les cheveux en désordre, l'œil en feu* » (F. Mauriac).

B - Apposition pronominale

Ce type d'apposition détachée est relativement rare et se rencontre essentiellement sous la forme du pronom démonstratif. Celui-ci est toujours placé après son support :

> « Sans doute, lui dis-je, mais nous savons qu'il n'est qu'*un ordre, celui* de la charité » (G. Bernanos).

On peut hésiter à considérer comme apposés des pronoms personnels détachés qui sembleraient plutôt jouer dans la phrase un rôle d'anticipation ou de reprise :

> « Mais elle quêta, *elle*, un rayon horizontal et rouge et le pâle soufre qui vient avant le rayon rouge » (Colette).

C - Apposition adjective

Elle se présente sous la forme d'un adjectif qualificatif ou équivalent : participe, adjectif verbal, syntagme prépositionnel à valeur adjective (*en pleurs, de loisir*, etc.). Elle se distingue de l'adjectif qualificatif épithète dans la mesure où elle est séparée de son support par une virgule et une pause.

Préposé ou postposé à son support, on appelle l'adjectif dans cette position « adjectif apposition » ou « adjectif apposé »; il est susceptible de prendre des valeurs circonstancielles (cf. p. 270, 274, 284, 313) :

> « *Heureux ou malheureux, on* a vécu ensemble » (R. Rolland).

> « *Une contraction*, vite *réprimée*, du petit visage, trahit la déception de l'enfant » (R. Martin du Gard).

NB : - 1 - S'il est vrai que l'adjectif apposé jouit d'une mobilité certaine, il n'en reste pas moins qu'il n'est normalement préposé à son support qu'à la condition que celui-ci soit sujet (on ne dira pas : « *bruyante et poussiéreuse, j'ai retrouvé la ville »). Et la langue n'admet pas toujours la postposition à un support sujet si le groupe verbal s'intercale entre ce support et l'adjectif (on ne dira pas : « *cette ville m'a fortement déplu, bruyante et poussiéreuse »).

- 2 - L'adjectif apposé ne peut jamais être un adjectif de relation — c'est-à-dire un adjectif qui équivaut à un syntagme nominal et ne peut en général s'employer comme attribut ni être modifiable par un adverbe : « *navale (= de navires), la construction a enrichi ce port ». Ces adjectifs ne peuvent qu'être postposés : « la construction navale a enrichi ce port ».

II - L'APPOSITION LIÉE (OU INTÉGRÉE)

L'apposition liée (intégrée) ne se trouve séparée de son thème ou support ni par une virgule ni par une pause et demeure à place fixe. Cette apposition, comme son support, prend toujours la forme d'un nom propre ou commun. Elle a valeur déterminative et on ne peut l'ôter qu'en nuisant au sens de l'énoncé.

L'apposition liée est soit *directe*, soit *indirecte*.

A - Apposition liée directe

Il y a contiguïté entre l'apposition et son support. Que ces éléments soient deux noms communs ou l'un un nom propre, l'autre un nom commun, on rencontre les successions ordre direct, c'est-à-dire support + apposition, ou ordre inversé, c'est-à-dire apposition + support. Une phrase-source avec *être* permet d'établir le rôle de chaque élément.

1. Deux noms communs

a | Ordre support + apposition

L'ordre est direct, sujet + attribut :

> « *Les Rois mages*, le nègre au milieu, défilaient devant lui » (G. Apollinaire).

la phrase-source étant : « ces Rois sont des mages ».

Cette structure apparaît fréquemment dans des noms composés comme *chou-fleur, fille-mère, hôtel-restaurant, loup-garou, sabre-baïonnette*, etc.

b | Ordre apposition + support

L'ordre est inversé, attribut + sujet :

> « Je ne puis écrire *le mot SUICIDE* sans revoir le radjah dans son décor de flammes » (M. Leiris).

la phrase-source étant : « SUICIDE est un mot ».

Cette structure apparaît parfois dans des noms composés comme *aide-comptable, chef-lieu, maître-autel, reine-marguerite*, etc. Elle peut permettre certaines tournures imagées métaphoriques :

> « *Le pâtre promontoire* au chapeau de nuées
> S'accoude et rêve au bruit de tous les infinis » (V. Hugo).

Se rattachent à cette construction inversée les syntagmes nombreux dans la langue moderne du commerce et de l'industrie faisant intervenir un nom propre, mais dépouillée de toute valeur de nom propre. Ainsi, dans « une chemise Lacoste » = « une Lacoste est une chemise », *Lacoste* a quitté son statut de nom propre de marque et, employé absolument, est senti comme un nom commun.

2. Nom commun et nom propre

a | Ordre support + apposition

L'ordre est direct, sujet + attribut, l'apposition étant ou non déterminée. Elle permet :

— soit de distinguer des traits différents du même nom propre :

> « *Ursus instituteur* et *Ursus tuteur* » (V. Hugo).
> « *Ursus le poète* entraîne *Ursus le philosophe* » (V. Hugo).

les phrases-sources étant : « Ursus, celui qui est instituteur/tuteur », « Ursus, celui qui est le poète/le philosophe ».

— soit de différencier des homonymes :

> « Vengeance! mort!, rugit *Rostabat le Géant*,
> Nous sommes cent contre un. Tuons ce mécréant! » (V. Hugo).

la phrase-source étant : « Rostabat, celui qui est le Géant »; *Géant* marque une qualité particulière de Rostabat et le distingue des autres Rostabat.

On utilise souvent cette construction pour les surnoms : « Jack l'Eventreur », « Ferry le Tonkinois », etc.

b | Ordre apposition + support

L'ordre est inversé, attribut + sujet :

> « *Le docteur Cottard* (un jeune débutant à cette époque) dut un jour remettre sa mâchoire qu'elle avait décrochée pour avoir trop ri » (M. Proust).

la phrase-source étant : « Cottard, celui qui est le docteur ».

B - Apposition liée indirecte

La liaison entre les deux termes de la construction appositive est assurée au moyen de la préposition *de*, mot sans valeur grammaticale, sorte de particule explétive. Le terme apposé précède toujours son support, c'est-à-dire qu'on a affaire dans la phrase-source à l'ordre inversé attribut + sujet (voir discussion, p. 176, *NB*).

1. Nature du support

L'apposition peut s'articuler par *de* :

— soit à des noms propres, noms géographiques ou noms de personnes :

> « Le seul malheur est que *la ville de Donogoo-Tonka* n'a jamais existé » (J. Romains).

la phrase-source étant : « Donogoo-Tonka est une ville ».

> « Et c'est la molle et vraiment féminine tournure de Galathée qui donne à *son tableau de Galathée et Acis* un charme un peu original » (C. Baudelaire).

la phrase-source étant : « *Galathée et Acis* est un tableau ».

— soit à des noms communs désignant le plus souvent un nom d'ouvrage, de grade, de mois, etc. :

> « Le dernier *brevet de capitaine* que le pauvre homme a signé, [...], était le mien » (A. Salacrou).

la phrase-source étant : « capitaine est un brevet ».

> « Je suis soumis au Chef *du Signe de l'Automne* » (G. Apollinaire).

la phrase-source étant : « l'Automne est un Signe ».

2. Apposition qualificative

L'apposition peut endosser, dans ces structures, une quasi-valeur d'adjectif qualificatif, c'est-à-dire désigner une qualité durable du support au-delà de la simple définition, du simple rapport d'identité généralement révélé par la phrase-source. Elle prend une couleur stylistique, le plus souvent péjorative; mise en vedette par son antéposition, elle caractérise le support :

« Tout à coup, *mon phénomène de chauffeur* donna un brusque coup de volant » (B. Cendrars).

la phrase-source étant : « mon chauffeur est un phénomène ».

Cette valeur caractérisante de l'apposition peut aussi se rencontrer avec un nom propre comme support :

« Et voilà le petit Chose, [...], condamné à faire deux cents lieues entre ce gros vilain homme qui sentait la graine de lin et *un grand tambour-major de Champenoise* » (A. Daudet).

la phrase-source étant : « cette Champenoise est un grand tambour-major ».

On peut rapprocher de la construction appositive liée par *de*, telle qu'on la voit dans une séquence comme « mon phénomène de chauffeur », la construction par *quel... que* éventuellement réduite au seul *que*, où le conjonctif joue le rôle d'un inverseur :

« *Quelle énigme que* le cœur humain! » (B. Cendrars).

« *Singulière idée que* d'écrire pour ceux qui dédaignent l'écriture! » (G. Bernanos).

Le *que* permet, à l'instar de *de*, l'antéposition et la mise en vedette du prédicat par rapport à son thème, les phrases équivalant à « le cœur humain est une énigme », « d'écrire... est une singulière idée ».

NB : Les grammairiens ont été divisés sur le point de savoir si, dans les structures appositives où intervient *de*, c'est le premier ou le second des termes ainsi reliés qui se trouve en apposition. Traditionnellement, on estimait que c'était le second. Mais il paraît plus logique et sémantiquement plus satisfaisant de considérer que le second terme constitue l'élément essentiel, le premier ne définissant que le nom de l'espèce et ne faisant que ranger le terme dans une catégorie. Ainsi « la ville de Paris » équivaut à « Paris, qui est une ville », « ville » étant simple terme complétif et désignant la catégorie dans laquelle se range « Paris ».

D'ailleurs, dans une apposition liée directe du type « le mot SUICIDE » (cf. p. 174, *b*), qui peut parfaitement se transformer en apposition liée indirecte du type « le mot de SUICIDE », si l'on admet que *mot* est apposition, on voit mal comment récuser cette analyse lorsque intervient *de*, l'une et l'autre construction prenant pour base la même phrase-source : « SUICIDE est un mot ». A noter que certains proposent une solution plutôt floue et grammaticalement peu pertinente en considérant le second élément relié par *de* non plus comme une apposition mais comme un simple complément déterminatif d' « identification ».

6   le complément

Généralités

La notion de la fonction complément prend une extension différente selon les grammairiens.

Pour certains, est complément tout ce qui complète, de façon générale, tout ce qui est lié à une idée de dépendance ou subordination. Le critère retenu est qu'on peut ôter ces éléments phraséologiques sans que les mots avec lesquels ils se trouvent en relation, dont ils dépendent, voient leur statut syntaxique modifié, effacement en revanche impossible pour les mots qui les régissent.

Ainsi, soit les phrases :

> 1. « Le merle mange *les cerises*. »
> 2. « Le merle mange *voracement*. »
> 3. « Le merle mange les cerises *mûres*. »
> 4. « Le plumage *du merle* est noir. »
> 5. « Le merle, *oiseau familier*, est noir. »

Les éléments soulignés dépendant soit d'un verbe, soit d'un substantif, peuvent s'effacer sans que change le statut des mots dont ils dépendent.

Cette définition est jugée trop large par beaucoup de grammairiens. S'il est vrai que, dans les exemples précités, *cerises, voracement, mûres, merle, oiseau familier* complètent bien le sens des termes auxquels ils se rapportent et que leur suppression n'entraîne pas de modification syntaxique pour ces termes, les ranger tous indistinctement dans la catégorie fonctionnelle du complément risque d'amener à des confusions, d'où des erreurs. Ainsi *mûres* et *oiseau familier*, dans les exemples 3 et 5, étant rangés déjà sous la fonction respectivement d'épithète et d'apposition, on serait conduit à parler de « complément épithète » et « complément apposition », ce qui pourrait faire penser à une double fonction bien évidemment exclue. Cette extension de la notion de complément a pu d'ailleurs conduire des grammairiens à considérer ainsi comme compléments aussi bien l'article que l'attribut, bref tout ce qui se rapporte à un nom. Comme la suppression de ces éléments de phrase ne modifie pas le statut syntaxique des mots auxquels ils se rapportent, selon le critère invoqué plus haut, il ne semble pas que celui-ci soit très pertinent.

Il paraît plus opératoire de s'en tenir à une acception réduite de la notion de complément et de réserver ce terme aux éléments de phrase autres que les déterminants (articles, adjectifs dits pronominaux ou déterminatifs) et les adjectifs qualificatifs auxquels se joignent les prédicats impliqués dans la construction appositive — tous éléments de phrase s'accordant avec leur support. En somme, seront considérés comme compléments les syntagmes restreignant, précisant et déterminant nettement le sens d'un autre terme grâce, très souvent, à une préposition, liés intimement au terme auquel ils se subordonnent, mais ne s'accordant pas avec lui.

On peut distinguer deux catégories principales de compléments : le complément du verbe et le complément de détermination, elles-mêmes se subdivisant en diverses catégories.

I - LE COMPLÉMENT DU VERBE

Définition

Le verbe peut se faire accompagner de compléments exprimant soit sur qui ou quoi passe l'action, soit les circonstances de l'action soit l'agent de l'action. On a donc les trois catégories du complément d'objet (CO), du complément circonstanciel (CC) et du complément d'agent du verbe passif (CA). Chacune se reconnaît à des critères syntaxiques particuliers.

En ce qui concerne le complément d'objet et le complément circonstanciel, certains les différencient selon leur rapport au verbe ou à la phrase. Le complément d'objet étant étroitement lié au verbe et dans son étroite dépendance, il endosse seul l'appellation de complément de verbe. Le complément circonstanciel n'étant pas indispensable au sens de la phrase ni lié au verbe de façon étroite, il endosse l'appellation de complément de phrase dans la mesure où il intéresse non le seul verbe, comme le complément d'objet, mais l'ensemble de la phrase. A l'absence de mobilité du CO, s'oppose la mobilité du CC; à l'impossibilité d'effacer le CO s'oppose la faculté d'ôter le CC.

S'il est vrai que ces critères sont le plus souvent vérifiables, il reste néanmoins des cas où leur application soulève des difficultés en ce qui concerne les compléments appelés compléments de phrase. Certains ne peuvent se déplacer : « Le merle se perche dans le jardin sur le cerisier » peut se transformer en : « Dans le jardin, le merle se perche sur le cerisier », mais pas en : « *Sur le cerisier, le merle se perche dans le jardin ». Ou ils ne peuvent s'ôter : « Le merle se perd dans les feuillages » peut se transformer à la limite en : « Le merle se perd »; mais si le verbe est employé au sens figuré, l'effacement du complément se révèle impossible : « Je me perds dans mes pensées », mais : « *Je me perds ».

Il paraît donc préférable, eu égard à la validité incertaine de ces critères, de ranger sous la même rubrique « complément du verbe » le complément d'objet et le complément circonstanciel.

> *NB :* Les propositions subordonnées compléments recevront un traitement développé à part dans la troisième partie réservée au fonctionnement de la phrase.

A - Le complément d'objet

Le complément d'objet indique la personne ou la chose, représentées par un mot ou un groupe de mots, sur lesquels s'exerce l'action accomplie par le sujet. La personne ou la chose subissent l'action impliquée dans le verbe, ils en sont *l'objet*; ils constituent le point d'application du procès exprimé par le verbe.

Le verbe sous la dépendance duquel se trouve l'objet est appelé verbe *transitif* (ou *objectif*), les verbes n'admettant pas habituellement de complément d'objet étant appelés *intransitifs* (ou *subjectifs*). Certains verbes peuvent se faire suivre de deux compléments d'objet, on les appelle alors *transitifs doubles* (ou *doublement objectifs*). Cf. p. 19-21.

1. Nature

Le complément d'objet peut être :

a | Un substantif ou un mot pris substantivement par changement de classe

> « On imagine derrière ces volets clos *une glycine, un toit* de resserre rougi de vigne vierge, *l'allée* de tilleuls des romans de Tourgueniev » (J. Gracq).

> « Il a bien dû peser *le pour et le contre*, avant de choisir » (E. Ionesco).

> « Je conviens à genoux que vous seul, père auguste,
> Possédez *l'infini, le réel, l'absolu* » (V. Hugo).

b | Un pronom ou un adverbe pronominal

Il représente le plus souvent un nom et parfois une proposition ou l'idée essentielle qu'elle contient :

> « On peut, après *l'*avoir vue, tourner le dos à n'importe quelle toile peinte, elle n'a rien à *nous* dire de plus » (A. Artaud).

> « Il était heureux; je *le* remarquai à un petit souffle qui faisait palpiter ses narines » (J. de Lacretelle).

> « On regardait ses robes, sur la perspective. Elle s'*en* moquait d'ailleurs » (F. Mallet-Joris).

c | Un infinitif

Il a, en règle générale, le même sujet que le verbe recteur :

> « Tout à coup, *il décida de ne pas le faire* » (J.-P. Sartre).

> « Il poussera la porte et *le ciel frémira de recevoir* ce mort plus vivant que la vie » (J. Audiberti).

Mais certains verbes transitifs doubles ont un infinitif COD, introduit par une préposition *à* ou *de* vide de sens, qui a pour sujet logique le COI, tels *apprendre, demander, interdire*, etc. :

> « Qui *nous apprendra à décanter* la joie du souvenir ? » (A. Breton).

> « Je *vous reproche de ne pas respirer* à la hauteur où je respire » (H. de Montherlant).

ou, à l'inverse, un infinitif COI qui a pour sujet logique le COD, tels *empêcher, inviter, persuader*, etc. :

> « Je demande, reprit Hermann, *si vous m'autorisez à aller*, en votre nom, au bureau militaire ? » (P.-H. Simon).

> *NB - 1 -* Symétrie et asymétrie des compléments. Si un verbe se fait suivre de deux ou plusieurs compléments soit directs soit indirects, ceux-ci doivent être, en théorie, similaires, c'est-à-dire de même nature grammaticale. Par exemple, tous substantifs ou infinitifs :
>
> > « J'aperçois, [...], *une étroite vallée* de ciel et *le mur* du prochain cumulus » (A. de Saint-Exupéry).
>
> > « Il aurait voulu *s'accrocher* à cette pierre, *se fondre* à elle, *se remplir* de son opacité » (J.-P. Sartre).

L'ancienne langue montrait une plus grande liberté. On pouvait ainsi faire dépendre du même verbe des compléments de nature grammaticale différente. Les exemples en sont encore nombreux au XVIIᵉ siècle :

« Poussé par le jeu jusqu'à une déroute universelle, il faut que l'on se passe *d'habits et de nourriture, et de les fournir* à sa famille » (La Bruyère).

La langue moderne use de cette possibilité, mais avec une certaine réserve, malgré l'aisance qu'elle confère à la construction de la phrase :

« Moi, je veux *tout*, tout de suite, — *et que ce soit entier* » (J. Anouilh).

- 2 - Objet essentiel et absence de complément. Certains verbes se font nécessairement suivre d'un complément indispensable au sens et ne souffrent en aucun cas de s'employer seuls. Le CO est parfois appelé pour cette raison « objet essentiel ». Il s'agit de verbes comme *aspirer à, ressembler à, souhaiter*, etc. :

« Rien ne *ressemble à la médiocrité* comme la perfection » (J. Paulhan).

« Regards qui ont vu le bien et le mal, *rempli leur tâche, assumé la vie et la mort*, ô regards qui ne sont jamais rendus! » (G. Bernanos).

En revanche, beaucoup d'autres verbes peuvent s'employer sans CO. Cet emploi absolu du verbe est ordinaire quand l'esprit se trouve en mesure de suppléer sans difficulté l'objet implicitement reconnu grâce au contexte :

« Tout vous entraîne, tristesse obséquieuse.
J'aime » (R. Char).

2. Construction

Le complément d'objet est de construction soit directe soit indirecte, c'est-à-dire qu'il se place sous la dépendance du verbe soit directement soit indirectement par l'intermédiaire d'une préposition. Cette différence de construction ne modifie en rien la fonction objet des compléments, elle présente simplement deux types de liaison entre le verbe et son objet.

a | Construction transitive directe (COD)

Le complément d'objet direct se reconnaît à diverses propriétés syntaxiques : construction sans préposition, le verbe ne pouvant être que transitif à la voix active et le COD lui étant nécessaire; place à la droite du verbe, sauf contraintes syntaxiques (cf. les pronoms) et impossibilité de permutation en tête de phrase; réponse aux questions *qui ? quoi ?*; possibilité de remplacement par un pronom personnel de 3ᵉ personne; aptitude à devenir sujet si la phrase est tournée au passif, le sujet devenant complément d'agent :

« Paule vida d'un trait *son verre* et *l'*emplit de nouveau » (F. Mauriac).

Ces propriétés constituent des critères de reconnaissance inégalement opératoires ou applicables : une préposition *à* ou *de* est parfois nécessaire, nombre de verbes transitifs peuvent s'employer absolument, l'attribut répond aussi au test de la transformation interrogative, des verbes ne peuvent se tourner au passif *(avoir, coûter...)* ou la construction est à la limite agrammaticale *(posséder)*, etc.

NB : - 1 - *A* et *de* + infinitif. L'infinitif COD se construit normalement sans préposition comme tout objet direct. Mais certains verbes se font suivre des prépositions *à* ou *de*, vides de sens, simples outils grammaticaux qui n'ôtent rien au caractère direct du passage du procès sur son point d'application :

« Le plus mauvais c'est que le corps avait bel et bien commencé *à brûler* » (J. Giono).

« Après tout, [...], j'essaierai *de me repérer* quand je sortirai du nuage » (A. de Saint-Exupéry).

- 2 - *De*, seul ou en combinaison avec l'article défini + substantif. La préposition perd toute valeur et tend à introduire des COD non nombrables. On a affaire à un article partitif (ou indéfini). En combinaison avec l'article défini, *de* donne *du* (fusion *de* + *le*), *des* (fusion *de* + *les*), *de la* ou *de l'* en cas d'élision :

« Je ne vous laisserai point *de pause ni répit* » (Saint-John Perse).

« Je levai la tête, cherchant *de l'air* » (J. Gracq).

- 3 - Complément d'objet interne. Des verbes intransitifs sont susceptibles de se faire accompagner d'un COD (cf. p. 22, B). L'absence de préposition introduisant ce complément et la possibilité de commuter le substantif avec un pronom confèrent bien à ces tournures le statut de verbes transitifs + objet direct. Mais elles ne peuvent se renverser au passif. Le COD, qui est le plus souvent de même radical que le verbe ou qui représente une idée proche, est normalement accompagné d'un déterminant, parfois d'un adjectif qualificatif (ou équivalent) :

« J'ai conçu la douleur du nom dont on le nomme,
J'ai sué sa sueur et *j'ai saigné son sang* » (A. de Lamartine).

« La lune *neige sa lumière* sur la couronne gothique de la tour du tombeau de Metella » (F.-R. de Chateaubriand).

Mais il n'est pas rare que le complément ne soit pas d'un radical identique à celui du verbe, ni même d'un champ sémantique équivalent :

« Donc, récent avocat, j'allais *bailler mon stage*, comme tout le monde » (A. Villiers de L'Isle-Adam).

« Des petits marchands *criaient les croissants et les pains au lait* » (F. Mauriac).

« La chambre [...] *sentait* à plein nez *la maison de rendez-vous* » (E. Triolet).

- 4 - Expression de la mesure, du poids et du prix. Ces compléments répondent aux critères qui déterminent le COD sauf, comme les compléments d'objet interne, à celui du renversement de la phrase au passif. S'il est vrai qu'ils prennent, pour le sens, une valeur circonstancielle, la structure morphosyntaxique de la phrase conduit à les ranger dans les COD :

« L'horloge *marqua deux heures quarante-deux* » (R. Vailland).

« Ces arbres, dont il supputa que le moindre *devait peser cent mille kilos* » (J. Giono).

« Or le bureau vous *a coûté dix mille francs* pour le bail, *vingt mille* pour l'ameublement, en tout *trente mille* » (M. Pagnol).

Toujours construits directement, on prendra garde de ne pas confondre ces compléments avec des compléments circonstanciels prépositionnels marquant eux aussi la mesure, le poids ou le prix :

« Tu entreras dans cette courbe *à 110* à cause de la hausse sur les pneus » (G. Arnaud).

Seuls, d'ailleurs, les verbes suivis d'un COD peuvent admettre leur effacement pour l'emploi vicariant (ou vicaire « ce qui remplace ») de *faire* :

« KNOCK. — Qu'est-ce que valent les veaux actuellement ?
LA DAME. — Ça dépend des marchés et de la grosseur [...].
KNOCK. — Et les cochons gras ?
LA DAME. — Il y en a qui *font* plus de mille » (J. Romains).

b | Construction transitive indirecte (COI)

Le complément d'objet indirect se reconnaît à diverses propriétés syntaxiques : construction avec une préposition non permutable, en général *à* ou *de*, éventuellement d'autres : *en, contre, sur*, etc., en dépendance d'un verbe transitif auquel il est nécessaire; place à la droite du verbe, sauf contraintes syntaxiques (cf. les pronoms), et impossibilité de permutation en tête de phrase; réponse aux questions *à qui ?, à quoi ?, de qui ?, de quoi ?*, etc.; possibilité de remplacement par un pronom personnel de 3e personne ou adverbial. Le test du retournement au passif ne fonctionne pas ici :

« Va-t-elle sourire *à l'existence, à la vie, au chien, au chat, à Céline, à moi* qui l'entourons ? » (M. Jouhandeau).

« Mais, en m'approchant *des quais*, je devenais tout de même craintif » (L.-F. Céline).

Ces propriétés, dont plusieurs sont communes au COD, ne constituent pas plus que pour celui-ci des critères de reconnaissance absolus : les pronoms se construisent en général directement, certains verbes admettent la permutation de la préposition *(croire à, en)*, d'autres la transformation passive (verbes autrefois transitifs directs : *consentir à, obéir à, pardonner à*), etc.

NB - 1 - Lorsque le COI est un pronom personnel, il prend le plus souvent l'apparence d'un COD, c'est-à-dire apparaît hors la dépendance d'une préposition, sous les formes *me, te, se, nous, vous, lui, leur* avant le verbe :

« Et même la privation *me semble*, [...], souhaitable » (J. Paulhan).

mais toujours après le verbe et sous la seule forme tonique quand il accompagne un impératif à la forme positive :

« *Dis-moi* plutôt où tu étais ce matin » (M. Aymé).

De même, les adverbes pronominaux *en* et *y* et le relatif *dont* COI sont de construction directe. Ils se placent avant le verbe, sauf *en* et *y* qui se placent après l'impératif à la forme positive :

« Il fallut monter avec le poignet. Mon frère l'Africain s'*en acquitta* très bien » (M. Jacob).

« Une autre partie [des Parisiens] a espéré une révolution et *y croit* encore » (P. Soupault).

« Il [le romancier] anime les êtres et les choses réels ou imaginaires *dont il se sert* pour exprimer les idées et les sentiments qui l'animent lui-même » (P. Reverdy).

« Mais *pensez-y...* pensez à ceci : quelle peut être, dans le monde, la place d'un pays sans poète ? » (G. Duhamel).

- 2 - La construction indirecte de l'objet relève uniquement de la forme. L'ancienne langue et même la langue du XVIIe siècle ont souvent hésité, proposant soit des constructions directes, soit des constructions indirectes de l'objet, soit les deux pour un même verbe, à l'inverse de ce que propose l'usage aujourd'hui. On a pu dire ainsi « obéir quelqu'un » ou « profiter quelque chose », « contredire à quelqu'un » ou « étudier à quelque chose », « oublier quelque chose » et « oublier de quelque chose ». L'usage moderne a régularisé les emplois, mais quelques verbes offrent la possibilité d'une construction directe ou indirecte de leur objet, soit sans changement de sens : « croire quelque chose / croire en/à quelque chose », « goûter quelque chose / goûter à quelque chose »; soit, le plus souvent, avec des nuances de sens plus ou moins importantes : « penser quelque chose / penser à quelque chose », « user quelque chose / user de quelque chose », etc. :

« Tout au fond, l'esprit ne *pense l'homme* que dans l'éternel [...]. Il ne faut pas *penser la vie* avec l'esprit, mais avec l'opium » (A. Malraux).

« J'*ai* beaucoup *pensé à la mort*, dit Scali » (A. Malraux).

c | *Construction transitive double (COD/COI conjoints)*

Le COD et le COI peuvent simultanément accompagner certains verbes transitifs à la tournure active. Les compléments de ces verbes transitifs doubles (ou doublement objectifs) sont souvent appelés complément d'objet premier pour l'objet direct, complément d'objet second (ou secondaire) pour l'objet indirect. Il ne peut y avoir d'objet second sans la présence explicite ou même implicite d'un objet premier :

> « Vous demandez *à la liberté de grands biens*; je n'attends *d'elle que l'honneur* » (G. Bernanos).

> « Qui donne *aux pauvres* prête *à Dieu* » (V. Hugo).

Le retournement de la phrase au passif est possible dans cette construction : le COD devient alors sujet et le sujet complément d'agent, le COI n'étant affecté par aucune modification (« De grands bien sont demandés par vous à la liberté »).

Comme dans la construction transitive indirecte, le COI dit objet second peut, lorsqu'il s'agit d'un pronom, se rencontrer hors la dépendance d'une préposition. Il n'en reste pas moins COI :

> « Il y a des gens qui la confondent avec le mort et *lui* présentent des condoléances » (J. Anouilh).

NB : Etant donné que très souvent les verbes transitifs doubles relèvent du champ sémantique du « don » ou du « dire », on a appelé le COI complément « d'attribution », le procès du verbe étant considéré comme s'accomplissant au bénéfice de ce complément :

> « L'ordonnateur *nous donna* nos places » (A. Camus).

> « Elle chantait ton Bien, la sirène, et *me prodiguait* les conseils » (J.-P. Sartre).

Mais, outre que des verbes comme *ôter, interdire, cacher*, etc., également transitifs doubles, impliquent une notion à l'opposé d'une quelconque attribution (on devrait parler de complément « d'interdiction » ou de « privation ») :

> « Il faudra commencer par *enlever à la guerre* ses lettres de noblesse » (A. Breton).

la dénomination de complément « d'attribution » place sur le plan sémantique une structure qui relève uniquement de la morphosyntaxe et fait partie intégrante des modèles transitifs indirects. On préférera donc, pour l'objet indirect de ces constructions, soit l'appellation « COI », soit l'appellation « objet second ».

d | Verbes transitifs et objet commun

Il peut arriver que deux verbes transitifs, rarement plus, se fassent accompagner du même objet. Il n'y a pas de difficultés si l'un et l'autre sont ou transitifs directs, ou transitifs indirects de construction identique :

> « Le poète *juxtapose et rive*, dans le meilleur des cas, *les différentes parties* de l'œuvre » (P. Reverdy).

> « Le poète *se consacre et se consume donc à définir et à construire* un langage dans le langage » (P. Valéry).

Mais si l'un est transitif direct et l'autre transitif indirect, ou si les deux sont transitifs indirects de construction prépositionnelle différente, l'objet se construit normalement avec le premier verbe et se trouve repris avec le second sous la forme d'un pronom à la forme voulue par ce verbe :

« Tout humain, [...], *se cramponne aux autres* et *les entrave* par des adhérences lamentables » (J. Giraudoux).

« Il [l'escargot] colle si bien *à la nature*, il *en* jouit si parfaitement de si près » (F. Ponge).

NB : L'ancienne langue et la langue classique, plus libres, pouvaient faire suivre du même complément deux verbes de construction différente, ce qui n'est pas admis aujourd'hui dans un légitime souci de logique syntaxique et de clarté :

« On a *fondé et tiré de la concupiscence* des règles admirables de police, de morale et de justice » (Pascal).

3. Place

Le complément d'objet direct ou indirect voit sa place dans la proposition répartie en deux grandes catégories : l'une qui relève des règles d'emploi générales, l'autre des raisons affectives ou esthétiques découlant d'un choix stylistique.

a | Règles d'emploi générales

- I - *Après le verbe : susbtantif, pronom indéfini, démonstratif, possessif et infinitif*

- *a* - Ces termes se placent normalement après le verbe :

« J'aime *ma chambre* » (J. Gracq).

« L'homme se promène volontiers au bord des fleuves, ne pensant *à rien* » (H. Michaux).

« Après le dîner, Jean Monnier, toute la soirée, chuchota dans un salon désert, près de Clar Kirby-Shaw, des phrases qui semblaient toucher *celle-ci* » (A. Maurois).

« Pendant bien longtemps, je n'ai eu d'autre souci que votre bonheur, vous n'avez jamais pensé *au mien* » (S. de Beauvoir).

« J'avais reconnu immédiatement l'inutilité d'essayer *de franchir* le cordon de surveillance et *de gagner* la campagne » (R. Char).

Des éléments de phrase peuvent éventuellement s'intercaler entre le verbe et son complément d'objet (adverbe, complément circonstanciel, apposition, etc.) :

> « Vidé de l'abcès d'être quelqu'un, je boirai *à nouveau* l'espace nourricier » (H. Michaux).

> « Il finit par apercevoir *là-bas à l'horizon* quelque chose » (R. Queneau).

- *b* - Verbes coordonnés. L'objet se place :

— soit après ces verbes :

> « Pour connaître et juger *une société*, il faut arriver à sa substance profonde » (M. Merleau-Ponty).

— soit après le premier verbe et se trouve repris avant le second par un pronom ou un adverbe pronominal :

> « J'avais soif de regagner *sa confiance* et d'*en* avoir en lui » (B. Constant).

- *c* - Construction transitive double. L'ordre habituel est COD + COI, quand ces compléments sont de masse semblable :

> « Le temps où vous donniez *vos fils à la patrie*
> Comme on donne *du pain aux pigeons*
> Ce temps-là ne reviendra plus » (J. Prévert).

Cet ordre s'inverse si le COI est plus court que le COD, par application du principe de la progression par masses croissantes :

> « Si l'on nous avait laissé faire, nous autres, l'Eglise eût donné *aux hommes cette espèce de sécurité souveraine* » (G. Bernanos).

Mais il peut se faire que le COI, quoique plus long que le COD, précède ce dernier pour produire un effet de chiasme avec un élément de phrase symétrique :

> « Les mythologies consistent à substituer *à la pluralité des causes un facteur unique*, à prêter *une valeur inconditionnelle à un objectif souhaité* » (R. Aron).

NB : - I - Le substantif, lorsqu'il est introduit par l'adjectif interrogatif *quel* ou les adverbes de quantité *combien (de)* et *que (de)* dans des phrases interrogatives ou exclamatives, se trouve placé avant le verbe :

> « *Quels rivages* as-tu quittés pour celui-ci ? » (J. Gracq).

> « *Que d'histoires* je me suis racontées » (S. Beckett).

- 2 - L'ancienne langue avait une disposition des mots très libre puisqu'elle possédait une déclinaison permettant, par les désinences, de reconnaître la fonction des mots quelle que soit leur place. La disparition de cette déclinaison à deux cas a contraint la langue à désigner aux mots une place fixe suivant leur fonction. On peut encore rencontrer des exemples de l'antéposition du complément, au besoin entre l'auxiliaire et le participe dans les formes composées, jusqu'au XVIIe siècle, mais surtout en poésie :

> « Puis en autant de parts *le cerf* il dépeça » (La Fontaine).

> « Mon père est mort, Elvire ; et la première épée
> Dont s'est armé Rodrigue a *sa trame* coupée » (P. Corneille).

Il est resté, en langue moderne, quelques survivances de l'ancienne liberté dans des expressions archaïques lexicalisées telles que « à *tout* prendre », « sans *mot* dire », « à *Dieu* ne plaise ! », etc.

- 3 - *Tout* et *rien* se placent entre l'auxiliaire et le participe quand la forme verbale est composée :

> « J'avais *tout* oublié de l'autre histoire » (A. Salacrou).

> « La poésie, désincarnée, avait perdu d'émouvoir, et n'avait *rien* gagné » (R. Caillois).

et avant la forme verbale quand elle prend la forme de l'infinitif :

> « Je souhaite que leur saveur m'emplisse la bouche au moment de *tout* finir » (Colette).

> « Croyant contempler le fleuve ou simplement se promener sans *rien* faire, il [l'homme] contemple son propre fleuve de sang » (H. Michaux).

- 2 - *Avant le verbe : pronom interrogatif et pronom relatif*
Ces pronoms, le relatif toujours en tête de la proposition qu'il introduit, se placent avant le verbe :

> « Ô *qui* as-tu perdu ? » (P.-J. Jouve).

> « Et *qu'*ai-je à remettre à Dieu en leur nom ? » (A. de Saint-Exupéry).

> « *De quoi* êtes-vous capable de vous apercevoir ? » (E. Ionesco).

> « Le pilote appuya à droite, [...], pour éviter un avion *qu'*ils dépassaient par-dessous » (J. Roy).

- 3 - *Avant ou après le verbe : pronom personnel ou adverbial*
- *a* - Autres modes que l'impératif :

— Verbe à une forme simple : le pronom personnel objet direct ou indirect se place normalement avant le verbe (sous une forme atone *me, te, se, le, la, lui, les, nous, vous, leur*), de même les pronoms adverbiaux *en* et *y* :

« L'Eglise a les nerfs solides, le péché ne *lui* fait pas peur, au contraire. Elle *le* regarde en face, tranquillement » (G. Bernanos).

« Les escargots aiment la terre humide. [...]. Ils *en* emportent, ils *en* mangent, ils *en* excrémentent » (F. Ponge).

« Donc, si vous n'*y* voyez pas d'inconvénient, nous partirons demain » (A. Maurois).

— Verbe à une forme composée : le pronom personnel ou adverbial se place avant le groupe auxiliaire + participe :

« Peut-être ne *l'*avait-il pas dit, mais Jeanneret *l'*avait entendu » (M. Genevoix).

« Le poisson était frais [...]. J'*en* ai pris deux fois » (E. Ionesco).

— Verbe transitif double : le COI se place avant le COD :

« Car j'aimais tant l'aube, déjà, que ma mère *me l'*accordait en récompense » (Colette).

Mais on a un ordre inverse si le COI prend la forme de troisième personne *lui* ou *leur* :

« Elle dit que, si sa maîtresse *le lui* permettait, elle lui conterait tout son malheur » (Stendhal).

NB : - 1 - Cette dernière disposition est un souvenir de l'ancienne langue qui plaçait le pronom COD avant le pronom COI quand le COD prenait la forme *le, la, les*; cet usage se rencontre encore dans le premier XVIIᵉ siècle :

« On *le m'*a dit, Mademoiselle » (Voiture).

- 2 - Il était aussi courant, au Moyen Age, de ne pas exprimer les pronoms *le, la, les* quand ils entraient en combinaison avec *lui* ou *leur* et cet effacement se rencontre encore à l'époque classique :

« Le Pape envoya le formulaire, tel qu'on *lui* demandait » (Racine).

Cet effacement du pronom, le mot ou la phrase qu'il représente étant encore bien présent dans la pensée, se rencontre dans la langue familière moderne :

« Ça c'est bien vrai, marmonna Zazie. Je *lui* ai déjà dit tout à l'heure » (R. Queneau).

— *De, en* et *à* régents : aucune forme atone ne correspondant au pronom personnel tonique introduit par les prépositions *de* ou *en*, sauf les adverbes pronominaux *en* pour la première, *y* pour la seconde, quand ils représentent des inanimés, ce pronom reste après le verbe :

« Avec cette paix sans trouble qu'aucune maîtresse n'a pu me donner depuis, puisqu'on doute *d'elles* encore au moment où on croit *en elles* » (M. Proust).

Certains verbes même, introduisant par *à* un COI animé, n'admettent pas, ou difficilement par *y*, l'antéposition du pronom, ainsi *se fier à*, *penser à*, *renoncer à*, etc. :

> « D'abord *je penserai à vous*, au lieu de croire en vous... » (J. Giraudoux).

— Périphrase verbale : quand le pronom personnel est complément de l'infinitif, il s'intercale entre le verbe et l'infinitif :

> « Il n'y a rien là qui *puisse nous surprendre* » (J.-P. Sartre).

Mais quand se rencontre la combinaison verbe de perception (*entendre, sentir, voir*, etc.) + infinitif ou *envoyer, laisser* et *faire* + infinitif, le pronom qui est complément du verbe régent de l'infinitif se place avant cette combinaison :

> « Je *l'entends parler* à ses poules » (M. Jouhandeau).

> « Alors, bien sûr, vous ne voulez plus *le laisser vivre* » (P. Reverdy).

Au cas où les verbes de la périphrase régissent chacun un pronom, ces pronoms se placent respectivement devant le verbe dont ils dépendent :

> « Poreuse à l'éternel qui *me semblait m'enclore*,
> Je m'offrais dans mon fruit de velours qu'il dévore » (P. Valéry).

NB : Au Moyen Age, et de façon courante encore au XVIIe siècle, la langue pratiquait l'antéposition du pronom complément par rapport au groupe semi-auxiliaire + infinitif (cf. p. 37, *NB*). La périphrase était sentie comme un tout insécable n'autorisant pas l'intrusion d'un élément étranger en son sein, même s'agissant du pronom entrant dans la composition d'un verbe pronominal :

> « — Point du tout, dit le roi ; je *les veux employer* » (La Fontaine).

> « Mais il *se faut contenter* de voir mon image en cette glace » (C. Sorel).

On rencontre encore ce tour dans une langue moderne à volonté archaïsante :

> « Elle goûte la mort autant que *la peut goûter* une vivante » (F. Mauriac).

> « Je ne sacrifiais que mon épaule nue
> A la lumière ; et sur cette gorge de miel,
> Dont la tendre naissance accomplissait le ciel,
> *Se venait assoupir* la figure du monde » (P. Valéry).

- *b* - Impératif :

— Impératif affirmatif : le pronom complément se place après le verbe :

> « Connais ta faute, *abhorre-la, arrache-la* de toi comme une dent cariée et puante » (J.-P. Sartre).

> « Et *prépare-moi* deux petites couronnes de perles bleues » (Colette).

— Impératif négatif : le pronom complément se place avant le verbe :

> « *Ne les écoute pas. Ne m'écoute pas* quand je ferai mon prochain discours devant le tombeau d'Etéocle » (J. Anouilh).

> « Non! *Ne me touche pas* sacrebleu! » (J. Anouilh).

— Verbe transitif double : l'ordre est COD + COI après l'impératif si celui-ci est affirmatif :

> « — Et que pourriez-vous me dire ?, reprit-elle avec hauteur.
> — Que vous m'aimez, mon ange. Dites-*le-moi*, je n'en abuserai jamais » (Stendhal).

et COI + COD avant l'impératif si celui-ci est négatif (« Ne *me le* dites pas »). Mais cet ordre est inverse si le COI prend la forme *lui* ou *leur* (« ne le *lui/leur* dites pas »).

— Périphrase verbale : les pronoms se placent après ou avant le semi-auxiliaire suivant que l'impératif est affirmatif ou négatif :

> « Vivante ou morte, ô toi qui me connais si bien,
> *Laisse-moi* t'approcher à la façon des hommes » (J. Supervielle).

> *NB* : Quand plusieurs impératifs se succédaient et que le dernier était coordonné aux précédents, l'ancienne langue plaçait le pronom complément du dernier impératif devant ce verbe :

> « Souvenez-vous bien de cela, fripon, *et l'écrivez* tantôt dans votre recueil » (C. Sorel).

b | *Ordre et effets*

Les besoins du style peuvent amener à ne pas suivre les règles d'emploi générales, du moins celles que la syntaxe autorise à contrarier sans que le sens y perde. Ces changements dans l'ordre habituel ont un champ d'application relativement réduit. Il s'agit essentiellement de procéder à une mise en relief du complément d'objet.

Ici, les CO se trouvent rejetés en fin de phrase dans une structure « en guillotine », la chute sur d'une part le COD, de l'autre le COI, loin de leurs verbes et longtemps attendus, attirant particulièrement l'attention sur eux :

> « C'est alors qu'elle appela — du plus profond, du plus intime — d'un appel qui était comme un don d'elle-même, *Satan* » (G. Bernanos).

> « La vie prêtant sa substance, ses sources d'enrichissement, ses ressources toujours nouvelles et infinies *à la légende* » (M. Jouhandeau).

Là, à l'inverse, le COD se trouve en tête de phrase :

> « *Pas un mot* de sa bouche je ne tirais à longueur de journée » (M. Jouhandeau).

La pratique de mise en relief par un ordre inhabituel se remarque essentiellement dans les phrases disloquées.

Ainsi, un CO se trouve en tête de phrase en position d'anticipation et repris par un pronom ; il est séparé du reste de la phrase, avec ses compléments éventuels, par une virgule et une pause ; la ligne mélodique ascendante de la phrase culmine sur lui :

> « *Ces plaques* dont quelques-unes sont encadrées de fleurs, je suis seul ou presque à *les* lire » (P. Soupault).

Si le CO est indirect, il peut être, ou non, repris par un pronom ou un pronom adverbial. Mais l'absence de pronom de reprise est le cas le plus fréquent :

> « *À parler de son amour*, et à la mère de celui qu'elle aimait, Mme d'Orgel se complaisait presque » (R. Radiguet).

> « *À ses examens de conscience*, il apportait encore un scrupule religieux » (M. Arland).

A l'inverse de la structure en position d'anticipation, le CO est rejeté en fin de phrase en position de reprise après avoir été annoncé par un pronom ; il est également séparé du reste de la phrase par une virgule et une pause ; la ligne mélodique descendante de la phrase s'achève sur lui :

> « Venez donc *les* prendre vous-mêmes, *les poissons* » (H. Queffélec).

B - Le complément circonstanciel

Le complément circonstanciel accompagne le verbe, qu'il soit d'état ou d'action, transitif ou intransitif, actif ou passif, en rendant compte d'une circonstance conjointe au procès exprimé par ce verbe.

Est complément circonstanciel tout complément autre que le complément d'objet ou le complément d'agent. Le complément circonstanciel s'oppose aux autres compléments dans la mesure où son rôle ne consiste qu'à apporter une précision qui n'est pas indispensable au sens du verbe. Autant le complément d'objet est présupposé par le verbe auquel il est nécessaire pour que celui-ci prenne un sens complet, autant le complément circonstanciel n'est pas présupposé par le verbe qui peut se passer de lui.

On reconnaît le complément circonstanciel à ce qu'il ne supporte pas le retournement de la phrase au passif, qu'il se trouve en général précédé d'une préposition le plus souvent permutable avec d'autres et que sa prolifération dans la phrase est en théorie illimitée. De plus, ce qui permet aussi de le distinguer du complément d'objet indirect ou du complément d'agent, eux aussi prépositionnels, sa mobilité dans la phrase ne supporte pratiquement pas d'entraves (cf. p. 200). Une question entraînée par la circonstance permet son identification : *où ?*, *quand ?*, *comment ?*, etc.

1. Nature

Le complément circonstanciel peut être :

a | Un substantif ou un mot pris substantivement par changement de classe

> « Une odeur fade de poussière flottait *sur la forêt* » (J. Gracq).

b | Un pronom ou un adverbe pronominal

> « L'avenir était là, *autour de lui* » (J.-P. Sartre).

> « Elle avait gardé la main de son frère *dans la sienne* » (J. Hougron).

> « Elle [cette évidence] est à l'homme ce que l'aquarium est au poisson qui *y* nage » (A. Malraux).

c | Un infinitif

> « Ecoute *pour apprendre* à dire les saisons
> De ce que tu entends » (P. Eluard).

d | Un adverbe

> « Maintenant, il regrettait *amèrement* d'avoir jeté la boîte de Maxiton dans le massif d'hortensias » (R. Vailland).

e | Un gérondif, étant donné sa valeur adverbiale

> « Et nous causions lentement *en mâchant* des pétales de roses » (A. Gide).

NB : On peut rencontrer des constructions asymétriques du complément circonstanciel semblables à celles qu'on observe pour le complément d'objet (cf. p. 182, *NB - 1 -*), les compléments n'offrant pas la même nature grammaticale :

> « Je suis tout à fait incapable de dire si c'était *par scrupule* ou tout simplement *parce que je n'avais plus très envie d'elle* » (J. d'Ormesson).

2. Construction

Le complément circonstanciel peut être construit de deux façons : indirecte ou directe.

a | Construction indirecte

Cette construction est, de loin, la plus fréquente. De très nombreuses prépositions ou locutions prépositives introduisent le complément circonstanciel, surtout le substantif ou son substitut pronominal, telles *à, avec, dans, par, pour, sur, à propos de, en vertu de,* etc. :

> « Grange, rassuré, se remit même un instant en route *pour* le fortin, *sous* la voûte de vacarme » (J. Gracq).

> « Cette grande chose sourde par le monde et qui s'accroît soudain *comme* une ébriété » (Saint-John Perse).

> « Elle [l'eau] ne se répand pas, quand même la carapace se casserait *en* quatre morceaux » (H. Michaux).

> « Il a fait des ronds
> *Avec* la fumée
> Il a mis les cendres
> *Dans* le cendrier
> *Sans* me parler » (J. Prévert).

b | Construction directe

En dehors de l'adverbe, un certain nombre de compléments circonstanciels peuvent être de construction directe, donc ne pas être introduits par une préposition.

- 1 - *Substantifs*

Ce sont des compléments exprimant surtout le lieu et le temps :

« Nous sommes établis depuis douze années, *passage des Bérésinas* » (L.-F. Céline).

« Nous sommes arrivés à Trèves *un dimanche matin (le 19 novembre)* » (G. Bataille).

Mais ce peut être également certains compléments exprimant le propos :

« Il [le jeune homme] était en compagnie d'un camarade et parlait *chiffons* » (R. Queneau).

la mesure :

« Moi, je ne suis pas montée *trois fois*, tu t'imagines! » (L. Aragon).

ou la manière (mais cf. p. 172, *3*, pour le deuxième exemple) :

« Les bombardiers roulaient un peu *bord sur bord* » (J. Roy).

« Et tu t'écrouleras
Les bras stupidement *en croix* » (J. Prévert).

« Roulez *vacances* » (Prévention routière).

NB : Peu recommandable, ce dernier type de complément circonstanciel de manière construit sans préposition est une extension du complément circonstanciel de manière rencontré dans des expressions comme « parler *français* » et d'autres fondées sur ce modèle par la langue politique ou publicitaire (« produire *français* »). Malgré l'absence de préposition et la non-mobilité du complément, ces constructions ne tolèrent pas le retournement au passif et il ne paraît guère possible de les rapprocher du COD comme le suggèrent certains (si l'on peut licitement voir un COD dans « parler *le français* », « parler *français* » présente une autre construction et ne supporte donc pas la même analyse). C'est pour des raisons en revanche contraignantes qu'on rangera parmi les COD les compléments non prépositionnels exprimant mesure, poids et prix (cf. p. 184, *NB - 4 -*).

- 2 - En, y *et* dont

Le pronom complément circonstanciel se trouve normalement introduit par les mêmes prépositions que le nom qu'il représente. Mais les pronoms adverbiaux *en* et *y* et le pronom relatif *dont* s'emploient souvent en substitution d'un pronom introduit par une préposition, généralement *de* pour *en* et *dont*, *à, dans*, pour *y* :

« L'homme alla vers le coffret et l'ouvrit. Il *en* retira douze objets brillants et cylindriques » (B. Vian).

« Plus rien non plus, les petites silhouettes noires, les capuchons pointus de gnomes *dont* elles s'étaient emmitouflé la tête » (M. Genevoix).

« Personne n'est plus conformiste que celui qui arrive dans une maison étrangère avec l'intention d'*y* rester » (C. Roy).

3. Sens

Le complément circonstanciel rend compte d'innombrables circonstances accompagnant le verbe. Un classement logique est impossible eu égard à leur variété. Tout au plus peut-on repérer de grandes catégories, mais, comme toute classification fondée sur le sens, des incertitudes ou des ambiguïtés demeurent et tel ou tel complément circonstanciel offre une nuance propre interdisant de l'intégrer dans une catégorie générale.

a | Grandes catégories

Les grandes catégories sont les suivantes :

— Rapports spatio-temporels :

le temps :

« J'ai vu Norette et Joséphine avec Mme Burle et Louise qui sont venues ici *à cinq heures* avec les livres » (J. Giono).

le lieu, distingué en lieu où l'on est, où l'on va, d'où l'on vient, par où l'on passe :

« Les étoiles pourrissent *dans les marais* du ciel » (A. Césaire).

« Vous ne voulez pas venir avec nous *à la redoute* ?, me demanda-t-il » (M. Proust).

« Est-il sorti *de l'immeuble par une autre porte* qui donnerait sur la rue transversale ? » (A. Robbe-Grillet).

— Cause :

« Les hommes crèvent tous les jours *de faim, de maladie, de travail* » (J. Hougron).

— Manière :

« La femme m'a supplié... Je n'ai cédé qu'*avec répugnance* » (P. Boulle).

« Il demeura *sans bouger* assez longtemps, *sans bouger et sans parler* » (Vercors).

— Moyen :

> « Il tire sa monture *par la bride*, le sabre en main » (L. Aragon).

— But :

> « Richelieu construit une digue à La Rochelle *pour contenir* les giboulées »
> (A. Blondin).

b | *Catégories particulières*

A côté de ces grandes catégories, on trouve de nombreuses catégories particulières irréductibles aux précédentes :

— Propos :

> « Une des choses que je tiens à dire *du verre d'eau* est la suivante »
> (F. Ponge).

— Concession :

> « Or, elle est parvenue jusqu'à moi, *malgré moi* » (J. Anouilh).

— Accompagnement, etc. :

> « Mais il bavardait, il ne pouvait plus s'arrêter. Il s'épanchait *avec
> nous...* » (N. Sarraute).

c | *Inclassables*

A la limite, même, certains compléments circonstanciels ne relèvent d'aucune
catégorie qu'on puisse recenser de façon précise. S'agit-il, ici, d'un complément circonstanciel de destination ? :

> « Je crois, moi, que si Rébecca met son mari *en vente*, c'est qu'elle a de
> bonnes raisons » (F. Billetdoux).

là, d'un complément circonstanciel de manière ou de privation ? :

> « Mais le discipliné Chapalain, vingt minutes plus tôt, s'était réveillé
> *sans aucune aide* » (H. Queffélec).

4. Place

De tous les compléments du verbe, le complément circonstanciel est de loin
le plus mobile. Sa place naturelle le range certes, dans l'ordre canonique de
la phrase, après la séquence sujet + verbe + co ou attribut :

> « En réalité, j'ai la tête *ailleurs* » (L. Aragon).

> « Que son vocabulaire est simple *depuis quelques mois*! » (M. Jouhandeau).

Mais cette place peut varier pratiquement à l'infini. En fait, ce sont des choix stylistiques qui gouvernent le plus souvent la place du complément circonstanciel. Ainsi un complément circonstanciel plus court que le complément d'objet passe avant ce dernier pour respecter une progression par masses croissantes :

> « Il avait l'impression que la jeune fille, [...], dressait *devant ses yeux un mur infranchissable* » (B. Pingaud).

ou bien le complément circonstanciel passe en début de phrase, l'attention se trouvant ainsi spécialement attirée sur lui :

> « La mer, *au pied de la terrasse*, montre ce dos d'un noir absolument lisse » (A. Pieyre de Mandiargues).

ou bien il est anticipé ou repris par un pronom adverbial :

> « Je ne m'en suis pas vanté, mais, en 89, j'étais un des rares d'entre nous qui *y* avait été *à la Bastille* » (J. Anouilh).

> « *De mon éducation*, n'*en* parlons point » (R. Queneau).

D'innombrables combinaisons se trouvent ainsi possibles. Mais il n'empêche que certains compléments circonstanciels, dits « essentiels », ne supportent pas une autre place que la postposition au verbe. Ils sont trop intimement appelés par le verbe et liés à lui, à la manière du COD, pour tolérer l'antéposition. Il s'agit, ainsi, soit de circonstanciels de lieu :

> « Pendant que ma tante devisait ainsi avec Françoise, j'*accompagnais* mes parents *à la messe* » (M. Proust).

soit d'adverbes ou locutions adverbiales de manière, de quantité, d'intensité :

> « Et vous, Inès, vous *semblez avoir parié singulièrement* pour la vie » (H. de Montherlant).

> « Au bout de quelques minutes, il *cessa tout à fait* de regarder le jardin » (J. Green).

Ces derniers compléments font tellement corps avec le verbe qu'ils se placent directement après lui, même avant le CO.

C - Le complément d'agent

Le complément d'agent est un mot ou un groupe de mots indiquant l'origine du procès dans une phrase à la tournure passive ou de valeur passive (*faire, laisser*, pronominaux ou non, + infinitif; et dans l'ancienne langue, verbe pronominal). Ce complément est introduit par la préposition *par*, le plus souvent, ou *de*. Le sujet grammatical subit l'action, le complément introduit par la préposition est l'agent de l'action.

On reconnaît le complément d'agent à ce que, si la phrase passive est renversée à la tournure active, il devient sujet du verbe à l'actif quand le sujet devient COD :

> « L'Eglise a été chargée *par le Bon Dieu* de maintenir dans le monde cet esprit d'enfance » (G. Bernanos).

> • « le Bon Dieu a chargé l'Eglise... »

1. Nature

Le complément d'agent peut être :

a | Un substantif ou un mot pris substantivement par changement de classe

> « La baie est cernée par *une guirlande* de lumière » (M. Déon).

b | Un pronom ou l'adverbe pronominal en

> « Nous ne faisons jamais payer des services qui n'ont pas été réellement rendus *par nous* » (A. Maurois).

> « Ou ces systèmes sont en nous et nous *en* sommes imprégnés au point d'en vivre » (A. Artaud).

2. Construction

a | Emploi des prépositions par *et* de

Toujours construit indirectement, sauf *dont* ou *en*, le complément d'agent ne paraît pas suivre de règles bien nettes dans le choix de la préposition qui l'introduit. On a pu cependant distinguer un certain nombre de préférences d'usage. Ainsi, *par* s'emploie plutôt quand le verbe exprime une action momentanée, ponctuelle :

> « Quand je suis arrivé en cette maison, j'y ai été sauvé *par cette femme* » (J. Roy).

et *de* quand le verbe exprime une action ou une situation durables :

> « La terre est couverte *de boue et de ruisseaux* » (A. Blondin).

Mais cette séparation dans les usages est loin d'être respectée et les deux prépositions s'emploient le plus souvent indifféremment :

> « Les tempes sont couvertes *de sueur* et le visage est marqué *par l'effort* incessant » (F. Nourissier).

Les subtiles distinctions établies par certains ne paraissent pas toujours très pertinentes, de nombreux exemples contraires pouvant toujours leur être opposés (cf. p. 26, *2*).

b | Par et de + autres compléments

Il convient de ne pas confondre les différents usages de *par* ou *de* dans certaines constructions passives :

— Le complément introduit par *par* ou *de* peut avoir une tout autre valeur que celle d'un complément d'agent. Ainsi *de* peut introduire un complément d'objet indirect :

> « Vous serez enfin délivrés *de ces lourds cerveaux* » (M. Aymé).

ou un complément circonstanciel de manière, et *par* un complément circonstanciel de cause :

> « Ses femmes ayant été tuées *de sa main* ou mises à mort *par son ordre* » (M. Leiris).

— Dans des phrases où cohabitent deux compléments introduits l'un par *par*, l'autre par *de*, c'est le complément introduit par *par* qui est considéré comme le complément d'agent, le complément introduit par *de* étant un complément circonstanciel :

> « O douceur de survivre à la force du jour
> Quand elle se retire enfin rose d'amour
> [...]
> Et *de tant de trésors* tendrement accablée
> *Par de tels souvenirs* qu'ils empourprent sa mort » (P. Valéry).

NB : L'ancienne langue et la langue classique employaient plus fréquemment *de* que *par*, et même utilisaient parfois la préposition *à*. On trouve des traces de l'emploi de *à* jusque dans le premier XVIIᵉ siècle :

> « Si l'espoir qu'*aux bouches des hommes*
> Nos beaux faits seront récités » (Malherbe).

Le souvenir de cette construction est resté dans les expressions *mangé aux mites, frappé au coin de*, et même dans la langue contemporaine :

« De la tige qu'elles forment de leur robe vert amande et déchirée *aux pierres* [...] part la grande rosace » (A. Breton).

Jusqu'au XVIIᵉ siècle également, les verbes pronominaux de sens passif pouvaient être accompagnés d'un complément d'agent introduit par *par* :

« Le quintal de fer *par un seul rat se mange* » (La Fontaine).

3. Place

Le complément d'agent prend normalement place après le verbe, sauf quand il est représenté par *dont* ou *en* :

« Elle connaissait [...] les traboules, ces minces tunnels *dont* sont percés dans tous les sens les vieux pâtés de maisons » (E. Triolet).

« Aussitôt les flammes jaillissent. Toute la brousse *en* est illuminée » (A. Robbe-Grillet).

Mais il tolère l'antéposition, particulièrement en poésie :

« *De mouvements si prompts* mes vœux étaient remplis
Que je sentais ma cause à peine plus agile! » (P. Valéry).

« *Par les homm's* décriée *par les dieux* contrariée
La noce continue et Vive la mariée » (G. Brassens).

II - LE COMPLÉMENT DE DÉTERMINATION

Définition

Le nom ou le pronom, l'adjectif qualificatif et certains mots invariables peuvent se faire suivre d'un complément appelé complément de détermination dans la mesure où il limite l'extension du terme qu'il complète. Le complément de détermination marque toutes sortes de rapports spécifiques — possession, temps, destination, etc. — et produit avec le terme auquel il se subordonne une unité sémantique originale irréductible à toute autre.

A - Le complément du nom

1. Nature

Le complément du nom peut être :

a | Un substantif ou un mot pris substantivement par changement de classe

> « Les enfants *des écoles* ont donné tous les sous *de leur tirelire* pour la couronne » (J. Anouilh).

b | Un pronom

Il peut être personnel, possessif, démonstratif, relatif, interro-exclamatif, indéfini ou adverbial :

> « C'était le chien de Giraudoux que des amis *à lui* avaient recueilli » (F. Nourissier).

> « Ce qu'on aime dans un autre, [...], c'est le plaisir qu'on lui donne et qui est encore une forme *du nôtre* » (P. Léautaud).

> « Elle vint se placer devant le portrait *de celui* qu'elle aimait » (M. Toesca).

> « Maison immense, humide et noire *dont* tout le premier étage était inhabitable » (J. Giono).

> « *De qui* tout le monde a-t-il remarqué l'absence ? » (J. Anouilh).

> « Car c'est une forte chose que vous, [...], deveniez le serviteur *d'autrui* » (J. Roy).

> « Silence, Dieu fait l'homme pour toujours,
> Il le devine, il *en* aime le tour » (J. Supervielle).

c | Un infinitif

> « Nous considérons que la valeur fondamentale de l'artiste européen, [...], est dans la volonté *de tenir* l'art et la culture pour l'objet d'une conquête » (A. Malraux).

d | Un adverbe

> « Mais il comprit [...] que le présent baignait dans la même lumière miraculeuse que les jours *d'autrefois* » (J. Hougron).

2. Construction

Le complément du nom se trouve construit le plus souvent de façon indirecte, mais aussi de façon directe.

a | Construction indirecte

Cette construction indirecte s'établit en général par l'intermédiaire de la préposition *de* :

> « Peut-on se fier à *des témoignages d'enfants* ? » (A. Adamov).

et parfois de la préposition *à* :

> « *Cette machine à nous coudre* à des fous [...] est la plus haïssable qui soit » (H. Michaux).

Diverses autres prépositions peuvent également établir le rapport de subordination entre le nom et l'élément de phrase qui le détermine, telles *autour, dans, en, par, sans,* etc. :

> « Puis, en Afrique, je trouvai face à face, sans parvenir à les concilier, *le devoir envers la patrie* et *le devoir envers l'individu* » (H. de Montherlant).

> « Quand il avait commencé à faire *des boulettes en mie de pain,* elles [ses mains] étaient devenues toutes noires, crasseuses » (J. Cayrol).

> « J'avais toujours cru que *l'entrée dans les ordres* était une mort au monde » (H. de Montherlant).

Si le complément déterminatif se trouve commun à deux ou plusieurs noms, ils doivent se construire avec la même préposition :

> « Ça, je n'ai jamais pu me faire *au spectacle et à l'odeur des cadavres* » (J. Dutourd).

b | Construction directe

En certains cas, le complément de détermination du nom l'accompagne sans qu'intervienne une préposition. Cette construction, où le complément se juxtapose purement et simplement au nom après lui, se rencontre pour exprimer :

— Soit une indication de temps ou de lieu; il n'y a aucune pause entre le nom et son complément, ce qui interdit d'analyser celui-ci comme complément circonstanciel du verbe :

> « Le plus jeune, imberbe, avait un veston noir avec des boutons d'or comme *les collégiens chez nous* » (J. Giraudoux).

— Soit une indication de possession, dans des expressions ou noms propres venus de l'ancienne langue, tels *appui-tête, bain-marie, Hôtel-Dieu*, etc. (= « appui de la tête », « bain de Marie », « Hôtel de Dieu ») et surtout des toponymes tels *Bourg-la-Reine, Château-Thierry, Choisy-le-Roi*, etc. (= « Bourg de la Reine », « Château de Thierry », « Choisy du Roi »).

Outre ces expressions, noms propres ou toponymes, le français a conservé cette construction directe pour les noms propres éponymes, le complément exprimant souvent une relation très générale sans rapport avec l'idée de possession : *avenue Kennedy, cité Le Corbusier, affaire Villemin*, etc. Cette construction est un souvenir de l'ancienne langue qui pouvait construire directement le complément du nom lorsqu'il désignait une personne (cf. *La mort le roi Artu*).

La langue contemporaine a élargi ce type de construction à d'autres compléments du nom que les noms de personne. A côté de *avenue Leclerc, musée Picasso* et *agence Séguéla*, créations actuelles mais de structure traditionnelle, on trouve, surtout dans le langage publicitaire ou familier, *compte épargne-logement, rapport qualité-prix, vêtement sport, côté argent, question travail*, etc. Dans l'ensemble, le complément juxtaposé de ces dernières expressions est très proche d'un adjectif (cf. p. 208, *NB*).

3. Sens

Le complément du nom peut prendre des sens très variés. Voici les principaux rapports établis par la préposition entre le nom et son complément; on peut observer que des prépositions différentes peuvent rendre compte d'un rapport semblable ou des prépositions semblables de rapports différents :

— Possession ou appartenance au sens large :

> « Elle [la mort] n'est qu'un *des visages* multiples *du destin* » (E. Berl).

La langue populaire conserve le souvenir de la très ancienne manière d'exprimer la possession par la préposition *à*, que condamnaient déjà les grammairiens du début du XVIIe siècle :

> « Il saisit *la valoche à Zazie* » (R. Queneau).

— Matière :

> « *Ces narines d'os et de peau*
> par où commencent les ténèbres
> de l'absolu... » (A. Artaud).

> « Il fallait se contenter de *la coupe en verre dépoli* » (E. Triolet).

— But, destination :

> « Sur le sol de *la salle à manger* ou du salon, le soldat, [...], vient de tomber » (M. Leiris).

> « Il y avait, [...], les hommes qui vous murmuraient *des invites* à l'oreille *pour des maisons voisines* » (L. Aragon).

— Origine :

> « *La bourrasque d'Ouest!* Cours! » (Colette).

— Lieu, situation :

> « Pareil à cette armure d'argent pur que vous portiez le jour de *votre triomphe dans Rome* » (H. de Montherlant).

> « Elle a dit notre bain, *notre sortie au cinéma* et *notre rentrée chez moi* » (A. Camus).

— Temps :

> « Et le magasinier des baraquements polaires, [...], gardien des lampes d'hivernage et lecteur de gazettes *au soleil de minuit* » (Saint-John Perse).

— Moyen, instrument :

> « Il chercha un souvenir, [...], cette soirée qu'il avait passée à Pérouse, assis sur la terrasse, mangeant *une granité à l'abricot* » (J.-P. Sartre).

> « Le monde est vivant, ainsi, en minuscules *coups de boutoir* » (J.-M.-G. Le Clezio).

— Cause :

> « Le jour où Dieu a eu *son seul accès de joie* » (J. Giraudoux).

— Manière d'être ou d'agir, qualité :

> « Nous l'avons vu en même temps *ce piège à éclipse*! » (A. de Saint-Exupéry).

> « Et ce serait la nuit,
> *Une nuit sans étoiles* » (J. Supervielle).

> « Il avait fallu que sa mémoire lui rappelât cent choses oubliées, devant *cette tour en ruines* que la lune éclairait » (J. Green).

> « Il avait avec lui pour le servir *un autre paysan d'une force de membres incroyable* » (J. Michelet).

— Objet ou sujet de l'action. Des noms d'action ou d'agent tirés de verbes se font suivre d'un complément amené en général par les prépositions *à* ou *de* et qui a valeur de complément d'objet ou d'agent :

> « Les yeux se ferment dans un simple et seul *recours à Dieu* » (P.-J. Jouve).

> « Hors série, le seul amour vraiment charnel, *l'amour d'un père ou d'une mère* pour l'enfant » (J. Chardonne).

Parfois seul le contexte, comme le montre d'ailleurs cet exemple de Chardonne (« pour l'enfant »), permet de déterminer si le complément, lorsqu'il s'agit d'un animé, est subjectif ou objectif : dans « la crainte des ennemis », *ennemis* peut être sujet ou objet : « la crainte qu'éprouvent / que provoquent les ennemis ».

Dans le cas où ces noms sont tirés de verbes transitifs directs, ils peuvent être aussi accompagnés d'un second complément ayant valeur de complément d'agent introduit par la préposition *par* :

> « L'idée de reploiement en soi-même, [...], celle de *la formation par l'être même de sa richesse* de connaissance... » (P. Valéry).

A noter que le complément de ces noms tirés de verbes peut être un infinitif :

> « Ecoute-la [Electre]. Et perds *l'espoir de la ramener* par tes raisons » (J.-P. Sartre).

NB : Complément de détermination à valeur d'adjectif. Souvent le complément du nom, employé avec ou sans déterminant, équivaut à un adjectif qualificatif de relation (cf. p. 160, 163, *NB*) :

> « Comme si tu revivais tes fugues dans la vapeur *du matin* » (R. Char).

> « Si j'avais pu, dans les lueurs rousses qui doraient la table et le parapet, soupçonner une promesse *d'orage ou de sang...* » (J.-P. Sartre).

Cette équivalence se rencontre également pour certains compléments de détermination juxtaposés au nom sans l'intervention d'une préposition, construction fréquente dans la langue courante contemporaine (« la question argent », « du côté résultats », « au point de vue travail », etc., cf. p. 205, *b*) :

> « Sur *le chapitre histoire, Napoléon, César, Jeanne d'Arc*, nous autres on avait Bouboule » (A. Boudard).

4. Nombre

Le complément du nom indéterminé et introduit par les prépositions *à* ou *de* se met, selon le sens, au singulier ou au pluriel.

a | Singulier

Il faut que le complément soit pris dans un sens collectif, c'est-à-dire non nombrable :

> « Puis nous avons bu un verre *de genièvre* » (G. Bernanos).

ou que prédomine l'idée d'unité :

> « Il se heurta devant sa porte, sévèrement gardée par elles, aux deux dames *à canne* » (M. Proust).

Le complément reste au singulier même si le nom auquel il se subordonne est au pluriel.

b | Pluriel

Il faut que le complément intègre une notion de pluralité, c'est-à-dire nombrable :

> « Il y a eu [...], et ma joie quand l'autobus est entré dans le nid *de lumières* d'Alger » (A. Camus).

On peut d'ailleurs rencontrer côte à côte les accords au singulier et au pluriel selon le sens du complément :

> « Les fournisseurs se succédaient dans l'antichambre de l'heureuse fiancée, pliant sous le poids des corbeilles *de fleurs, de fruits et de linge sale* » (B. Vian).

Mais, sauf les cas où le nombre s'impose naturellement par le sens, l'usage fait souvent bon marché de ces critères et les hésitations sont nombreuses : doit-on écrire « huile *d'olive* » ou « huile *d'olives* », « marchand *de vin* » ou « marchand *de vins* » ? Il s'agit d'une question de point de vue, l'esprit pouvant envisager le concept complément comme singulier ou pluriel.

5. Place

Le complément du nom se place normalement après le nom auquel il est subordonné :

> « Je voulais vous dire que *cette proposition sur le mariage des prêtres* cela pouvait faire plaisir à *une grosse partie du bas-clergé...* » (J. Anouilh).

C'est seulement sous la forme du pronom ou de l'adverbe pronominal que le complément du nom prend place avant le nom :

> « Et nous mordîmes des citrons mûrs *dont la saveur première* est d'une acidité intolérable » (A. Gide).

> « Vois ces planètes qui roulent en ordre, sans jamais se heurter : c'est moi qui *en* ai réglé *le tour* » (J.-P. Sartre).

Certains écrivains, poètes en particulier, s'autorisent l'antéposition du complément par rapport au nom. Cette inversion, visant à une mise en relief mais peu conforme à l'ordre habituel du français, peut parfois ne pas aller sans quelque obscurité :

> « Vous qui *de tout homme vivant* êtes *le créancier* attentif et implacable » (P. Claudel).

> « Oh! combien peut grandir dans ma nuit curieuse
> *De mon cœur séparé la part mystérieuse* » (P. Valéry).

> « *Du désespoir de ce lévite*, à peine sorti d'une adolescence attardée, elle n'avait jamais très bien compris *les raisons secrètes* » (F. Mauriac).

B - Le complément du pronom

Le pronom, pour un certain nombre de ses espèces, peut se faire suivre d'un complément de détermination toujours prépositionnel. Il s'agit du pronom démonstratif, mais pas dans ses formes composées, du pronom interrogatif et d'une partie des pronoms indéfinis tels *aucun, certain, chacun*. Sont donc exclus, outre les formes composées du démonstratif, les pronoms personnels, possessifs et relatifs, qui n'acceptent pas de détermination.

1. Nature

Comme le nom, le pronom susceptible de se faire compléter l'est par un nom, un pronom, un infinitif ou un adverbe. Seul le pronom démonstratif admet tous ces compléments, les autres ne tolérant pas tel ou tel d'entre eux. Le pronom interrogatif refuse comme compléments l'infinitif ou l'adverbe (et la proposition relative), le pronom indéfini l'infinitif ou l'adverbe (et, souvent, la proposition relative), à l'inverse du pronom démonstratif :

> « Ni la sagesse de Socrate, ni *celle de Confucius*, ni *celle de Descartes*, ni *celle* non plus *de l'Indien*, ni *celle du berger français* ne nous seront superflues » (R. Etiemble).

> « La condition de veuf n'est pas *celle de n'importe qui* » (R. Nimier).

« Je suis sans illusions, mais sans regrets — hors *celui de ne pas laisser* après moi de monument indiscutable » (F. Mauriac).

« Elle [la troisième fois] marque la péripétie finale du drame des années obscures, *celles d'autrefois, celles d'aujourd'hui* » (R. Aron).

2. Préposition et Sens

Le complément du pronom se trouve en général introduit par la préposition *de*, parfois par la locution prépositive *d'entre*. Deux types d'emplois se dégagent.

a | Pronom démonstratif + de

Le pronom démonstratif + *de* peut introduire tous les compléments marquant les différentes valeurs de sens du nom complément de détermination :

— Appartenance :

« Petits cartons oblongs à tranches dorées. *Celui de ma vieille et massive voisine de gauche* ayant été renversé, je ne puis lire le nom qui s'y trouve inscrit » (C. Mauriac).

— Origine :

« Les deux sources de l'inspiration, *celle de la terre et celle de Dieu*, auront donné ce fleuve trouble » (F. Mauriac).

— Temps, etc. :

« Les procès d'intention qu'on fait [à ceux qui créent] sont aussi grotesques que *ceux de jadis* » (F. Arrabal).

NB : La langue familière n'hésite pas à utiliser, en substitut de *de*, d'autres prépositions comme *à* pour marquer la possession ou *en* la matière (« celui *à* Pierre », « celui *en* bois »).

b | Pronom démonstratif, interrogatif et indéfini + de *ou* d'entre

Ces pronoms + *de* ou *d'entre* peuvent introduire un complément de sens partitif désignant un tout dont le pronom isole une partie :

« *De tous ceux* que je connais, je suis en effet *celle* qui approuve et aime le mieux son destin » (J. Giraudoux).

« Je ne sais *qui de nous deux* cette conversation oppressait davantage » (A. Gide).

« Elle [la confession] risquerait de rendre *l'un ou l'autre de nous* moins libre » (H. de Montherlant).

« Mais *certains d'entre vous*, peut-être, ont visité le musée du Caire ? » (A. Malraux).

C - Le complément de l'adjectif qualificatif

L'adjectif détermine le nom ou le pronom mais peut également être déterminé par un complément.

1. Nature

Le complément de l'adjectif peut être :

a | Un substantif ou un mot pris substantivement par changement de classe

« Le ciel était déjà *plein de soleil* » (A. Camus).

b | Un pronom ou un adverbe pronominal

« Et ce Mal *dont* tu es *si fier*, [...], qu'est-il sinon un reflet de l'être... » (J.-P. Sartre).

« Cependant, nous devions, [...], nous contenter d'elle [de la maison], comme se contentent des leurs, en tout point *analogues à la nôtre*, les hobereaux de la région » (H. Bazin).

« VLADIMIR. — Toi aussi tu dois être content, au fond, avoue-le. ESTRAGON. — *Content de quoi?* » (S. Beckett).

« Mais il n'est pas nécessaire, pour aimer les louanges, de s'*en* croire *digne* » (H. de Montherlant).

c | Un infinitif

« [Un soldat] échappé de mes mains malhabiles, encore *inaptes à tracer*, sur un cahier, même de vulgaires bâtons » (M. Leiris).

d | Un adverbe

« Car un vent pour la première fois *pleinement propice* se sera levé » (A. Breton).

2. Construction

Le complément de l'adjectif se subordonne à cet adjectif dans une construction soit directe, soit le plus souvent indirecte.

a | Construction indirecte

Celle-ci diffère selon que l'adjectif est au positif ou au degré d'intensité forte ou selon qu'il exprime un degré de comparaison.

- 1 - *Adjectif au positif ou au degré d'intensité forte*

Il a pour compléments un nom, un pronom ou un infinitif ordinairement introduits par les prépositions *à* ou *de*, éventuellement *en, par, pour, sur*, etc. :

« Je suis devenu *entièrement inapte aux combats fratricides* » (R. Gary).

« Un bruit de petit jour étouffé de ténèbres
Mais *capable* pourtant *de toucher ta fenêtre*
Et *de la faire ouvrir* » (J. Supervielle).

« Comme j'étais *fort en arithmétique*, ce calcul ne présentait aucune difficulté pour moi » (B. Vian).

« Le yaourt est *excellent pour l'estomac, les reins, l'appendicite et l'apothéose* » (E. Ionesco).

- 2 - *Adjectifs au comparatif ou au superlatif relatif*

Ils ont pour compléments un nom ou un pronom exprimant le second terme d'une comparaison :

- a - Complément du comparatif. Il est introduit par la conjonction *que* :

« Dans ce vague d'un Dimanche
Voici se jouer aussi
De grandes brebis *aussi*
Douces que leur laine blanche » (P. Verlaine).

« J'étais [...], maître de leurs biens et de leurs vies, et cependant *plus pauvre qu'eux* » (A. de Saint-Exupéry).

NB : - 1 - Certains adjectifs, à l'origine des comparatifs latins, introduisent leur complément par la préposition *à*. Ils sont quatre : *supérieur, inférieur, antérieur, postérieur* :

« Leur état de civilisation, [...], n'est pas *inférieur à celui* que l'ethnographe et le missionnaire rencontrent d'ordinaire dans les îles du Pacifique » (A. Malraux).

- 2 - Les prépositions *comme* et *de* servaient, en ancien français, à introduire les noms ou pronoms compléments du comparatif. Il en reste des traces dans des constructions avec *moins/plus* + *de* + nombre exprimant des comparatifs d'infériorité ou de supériorité :

« Depuis le début on leur a tué *plus de quarante mille hommes* » (J. Hougron).

- *b* - Complément du superlatif relatif. Il est introduit, en général, par la préposition *de* :

« *De toutes les centrales de France*, Fontevrault est *la plus troublante* » (J. Genet).

Mais il peut l'être aussi par *entre, d'entre, parmi*, en particulier lorsque le superlatif est substantivé :

« Ils nous méprisent tous, même et surtout *les plus stupides d'entre eux* » (J. Hougron).

« *Le plus dénué d'entre nous* a le pouvoir, [...], de nous remettre un trésor inestimable » (P. Eluard).

« [...] un *des plus audacieux* [...] *parmi les poèmes philosophiques* » (A. France).

b | Construction directe

- 1 - *Adverbes compléments*
Ils peuvent exprimer la manière, la quantité ou le temps et sont juxtaposés à l'adjectif :

« La petite photographie, [...], laisse lire sur son visage et dans la ligne *étrangement évasive* de ses sourcils une sorte d'interrogation » (A. Gide).

- 2 - *Pronoms personnels*, dont, en *et* y *compléments*
Si les pronoms se trouvent normalement introduits par *à* ou *de* le plus souvent, les pronoms personnels peuvent être employés seuls, et les formes spéciales du pronom relatif *dont* et des pronoms adverbiaux *en* et *y* le sont toujours :

« "O vestiges, ô prémisses",
Dit l'Etranger parmi les sables, "toute chose au monde *m'est nouvelle* !..."
Et la naissance de son chant ne *lui* est pas moins *étrangère* » (Saint-John Perse).

« Nanny s'exécuta avec toute la discrétion *dont* elle était *capable* » (Vercors).

« Un jour, il *en* était *sûr*, il ne pourrait plus attendre ni reculer » (B. Pingaud).

« Il faut bien que quelqu'un la porte cette Espagne que vous vous refusez à porter. Et le roi n'*y* est pas *prêt*, pour un temps encore » (H. de Montherlant).

c | Cas particuliers

- 1 - *Même adjectif et prépositions différentes*
Certains adjectifs peuvent se construire avec différentes prépositions intro-
duisant éventuellement des nuances de sens : *célèbre pour | par | à cause de,*
prêt à | pour, etc. :

> « Du brouillard [...] se détachait sa massive silhouette, ramassée sur
> elle-même, *prête à bondir et à mordre* » (J. de Bourbon-Busset).

> « Et nous sommes *prêts pour la guerre grecque* ? » (J. Giraudoux).

- 2 - *Adjectif multiple et complément unique*
Plusieurs adjectifs peuvent avoir un complément commun, à condition
qu'ils se construisent avec la même préposition :

> « C'est avec tendresse qu'elle voyait le soleil farder un peu le visage
> de Lyon, ce visage *pâle et noir de misère* » (E. Triolet).

- 3 - *Impossibilité ou nécessité du complément*
La plupart des adjectifs peuvent se faire suivre ou non d'un complément.
Mais certains n'en tolèrent jamais, tels les adjectifs d'identification et ceux
qui sont issus de verbes comme *humain, rond, brûlant,* etc. (cf. p. 156), ou, à
l'inverse, ne prennent de sens que complétés comme *désireux, enclin, exempt,* etc.

3. Sens

Le complément de l'adjectif endosse toutes sortes de valeurs de sens. Il peut
exprimer ainsi :

— Moyen :

> « La pelouse est *pleine de feuilles,* et les arceaux *de roses fanées* »
> (C. Rochefort).

— Cause :

> « *Honteux d'une pensée mesquine,* Jean lève les yeux » (H. Queffélec).

— Manière :

> « Ces fantoches tous *dissemblables, de couleur, de taille, d'allure* ! »
> (J. Giraudoux).

— Objet de l'action, comme le nom complément du nom, quand l'adjectif
correspond à un verbe, etc.

> « Vous, vous êtes *amoureuse de Florent* ! » (J. Cocteau).

4. Place

Le complément de l'adjectif se place normalement après lui :

> « Vidal, lui, était *beau à regarder* » (J. Romains).

Seuls précèdent l'adjectif des compléments comme l'adverbe :

> « Au réveil, il crut apercevoir contre son visage une bête *extraordinairement mobile* » (M. Yourcenar).

ou les formes pronominales :

> « Le premier personnage me surpassait, le second *m'*est *très inférieur* » (J. Chardonne).

> « Il l'accompagnait [le mot] d'un hochement de tête lent, plusieurs fois répété, *avec lequel* la chienne devait être *familière* » (J. Romains).

> « Ce bourgeois, [...], aura montré la plume à la main une audace *dont* très peu ont été *capables* parmi ses pairs » (F. Mauriac).

> « *A quoi* sont-elles *bonnes* les autorités municipales ? » (E. Ionesco).

> « Lucide, éveillé, c'est avec terreur qu'il sortira de ce mauvais pas. Le tout est qu'il n'*en* soit pas *libre* » (A. Breton).

Pour la production d'un effet stylistique, ou par raison métrique, on peut rencontrer l'inversion du complément de l'adjectif en dehors des cas précités — complément éventuellement repris par un pronom ou un adverbe pronominal dans les phrases segmentées :

> « Sa dent secrète est *de moi si prochaine*
> Que tous les noms lui peuvent convenir » (P. Valéry).

> « *De cela*, au moins, je suis *sûr* » (J. Chardonne).

> « Mais *dire* de quoi il retourne exactement, j'*en* serais bien *incapable*, à présent » (S. Beckett).

D'anciens aphorismes en montrent aussi des exemples :

> « *A quelque chose* malheur est *bon* » (Proverbe).

D - Le complément de mots invariables

Un certain nombre de mots invariables sont susceptibles d'être accompagnés par un complément. Parmi ceux-ci l'adverbe est le plus apte à se faire compléter.

1. L'adverbe

Etant donné qu'il rend compte en lui-même d'une idée complète, il ne comporte en général pas de complément. Cependant, il peut se faire accompagner d'un autre adverbe ou d'un complément nominal.

a | Autre adverbe

> « Ce n'est que *longtemps plus tard* que j'ai commencé à comprendre *combien cruellement* j'avais pu blesser, meurtrir, celle pour qui j'étais prêt à donner ma vie » (A. Gide).

b | Complément nominal

Nom ou pronom, le complément est toujours en construction indirecte. Les adverbes recteurs sont des adverbes de quantité ou de manière.

- 1 - Adverbes de quantité

Ils introduisent leur complément par la préposition *de*, pour certains aussi par *d'entre*, comme *assez, autant, beaucoup, peu, suffisamment*, etc. Ces adverbes deviennent dans cet usage de véritables collectifs et leur complément est souvent appelé complément *partitif* :

> « Avez-vous jamais vécu avec *beaucoup d'hommes ignorants* ? » (A. Malraux).

> « Sûrement, *beaucoup d'entre eux* étaient de gauche » (J.-L. Curtis).

Les adverbes de manière pris comme adverbes de quantité suivent la même construction :

> « Il y a *horriblement de mal* sur la terre » (Voltaire).

Certains considèrent les ensembles *assez de, autant de, beaucoup de*, etc., comme des adjectifs indéfinis. Mais la forte valeur nominale de nombre de ces adverbes amène à voir plutôt en eux des « adverbes nominaux ».

- 2 - Adverbes de manière

Ils sont issus d'adjectifs introduisant en général leurs compléments par *à* ou *de*, comme *conformément (à), indépendamment (de), malheureusement (pour), relativement (à)*, etc. :

> « Art et culture ne peuvent aller d'accord, *contrairement à l'usage* qui en est fait universellement » (A. Artaud).

Ces ensembles peuvent, à la limite, être licitement considérés comme des espèces de locutions prépositives.

2. Autres mots invariables

Peuvent également prendre un complément les présentatifs, la conjonction de subordination, la préposition, l'interjection :

« Paris, *voici ton fleuve et les larmes* que tu versas, *voilà ton visage* au front penché » (R. Nimier).

« A l'annonce du Yang-Tsé, qui débouche *bien avant que* les côtes soient en vue, [...], je pressens un grand spectacle » (P. Morand).

« Un rideau [...], obligeant celui qui veut regarder par-dessus à s'approcher *tout contre* la porte » (A. Robbe-Grillet).

« *Gare à ceux* que je trouve sur mon chemin » (G. de Maupassant).

troisième partie

LE FONCTIONNEMENT DE LA PHRASE

Sommaire

1   la phrase simple

Généralités

La phrase simple se présente sous la forme de structures qui intègrent le plus souvent un verbe à un mode personnel. Mais il convient de ne pas la réduire à ces seules structures, dans la mesure où d'autres énoncés remplissent les critères qui la déterminent, c'est-à-dire l'unité de sens, la mélodie conclusive sur laquelle elle s'achève et les signes graphiques qui la délimitent (cf. p. 7).

La phrase simple correspond à une proposition qui n'est ni principale ni subordonnée. C'est en fait une proposition indépendante isolée et on l'appelle parfois phrase indépendante. Sa syntaxe et celle de l'indépendante ou de la principale en phrase complexe sont identiques.

La phrase simple est susceptible de se présenter sous trois formes principales et sous trois modalités différentes.

I - FORMES DE LA PHRASE SIMPLE

La phrase simple peut être une phrase verbale, une phrase nominale ou un simple mot-phrase.

A - Phrase verbale

C'est la forme la plus habituelle de la phrase simple. Un verbe en est toujours le centre, mais sa structure est variable.

1. Structures canoniques

Deux structures canoniques se partagent à l'ordinaire la phrase verbale :

a | Structure à deux termes

Sujet + verbe intransitif ou transitif employé intransitivement :

> « *Les bouches fument* » (H. Queffélec).

> « Et toi, *tu bois* encore ? » (P. Drieu La Rochelle).

b | Structure à trois termes

— Soit sujet + verbe + attribut; le verbe qui forme le centre de la phrase appelle un attribut du sujet (*être, paraître, sembler*, etc.) ou un attribut de l'objet (*élire, considérer comme, passer pour*, etc.). On la nomme phrase attributive :

> « *La nuit était chaude* » (M. Déon).

> « *Elle m'appelait mon petit roi* » (J. Guéhenno).

— Soit sujet + verbe + complément :

> « *La pluie martelait le trottoir* » (J. de Bourbon-Busset).

Les verbes impersonnels, appelés *unipersonnels* dans la mesure où on ne les rencontre dans cet emploi qu'à la troisième personne du singulier, et les verbes à la tournure impersonnelle peuvent également servir de centre à des phrases simples, ainsi que les présentatifs comme *c'est, il est, il y a, voici, voilà* qui leur sont proches. Hors *voici* et *voilà*, le syntagme qui suit la forme verbale s'analyse comme terme complétif du sujet neutre de troisième personne du singulier qui précède le verbe :

> « *Il* faut bien *s'entraider* » (G. Michel).

> « Puis *il* y avait *beaucoup de femmes* » (B. Cendrars).

Ces structures de base élémentaires peuvent être augmentées par divers compléments accompagnant l'un ou l'autre de leurs termes, en sorte que peut s'établir une phrase simple d'une plus ou moins grande élaboration :

> « Il regardait *droit devant lui* la rue Scribe, *un endroit comme un autre* » (P. Drieu La Rochelle).

2. *Structures incomplètes*

Sous une forme réduite, la phrase verbale peut n'être représentée que par un verbe à l'impératif ou à l'infinitif, c'est-à-dire dans les deux cas sans que le sujet soit exprimé :

> « *Ecoute*. Nous allons faire une légère incision là-dedans » (R. Martin du Gard).

> « *Que dire ? Que faire ?* » (G. Bernanos).

B - Phrase nominale

Ces structures de phrase sont elliptiques du verbe. Elles se présentent sous la forme d'un nom ou pronom, ou d'un groupe nominal :

> « *Edition spéciale ! Emeutes à Bombay ! Deux cents morts !* » (M. Druon).

> « Tu veux un bout ?
> — Non. *De quoi ?*
> — *De biscuit*. Je t'en ai gardé la moitié. *Les trois quarts. Pour toi* » (S. Beckett).

Parfois ces phrases nominales comprennent deux termes dont l'un sert de prédicat à l'autre soit en tête, soit en fin de phrase :

> « "*Mauvais, ça*", murmura Mazel » (J. Romains).

> « *L'intelligence, quelle petite chose* à la surface de nous-mêmes ! » (M. Barrès).

La brièveté de la phrase nominale en fait un outil recherché dès qu'on veut centrer l'attention sur un mot ou transmettre une sensation ou une information sans qu'encombrent des éléments accessoires.

C - Mots-phrases

Doivent être considérés comme phrases simples des mots invariables, simples interjections ou adverbes, qu'on peut appeler *mots-phrases*, dans la mesure où l'idée se trouve complètement exprimée. On a affaire ici au degré le plus réduit de l'expression de la pensée, à des sortes de cris, mais ayant une pleine signification. On se gardera de confondre les mots-phrases avec les structures elliptiques du verbe :

> « — Je n'ai pas dit de choses extraordinaires.
> — *Oh ! Si !* » (M. Achard).

> « — Roule, torrent de l'inutilité !
> — *Comment ?* » (H. de Montherlant).

II - MODALITÉS DE LA PHRASE SIMPLE

La modalité de la phrase simple est la façon dont on énonce le propos, dont on envisage la représentation du fait de pensée qu'il recouvre. Elle peut prendre trois aspects principaux : l'affirmation, l'interrogation, l'exclamation qui englobe entre autres l'ordre et le souhait, c'est-à-dire le *fiat*.

Les observations sur les modalités de la phrase réduite à une proposition indépendante dans la phrase simple valent également pour la phrase complexe. Si on dit : « voyez qui est là », la principale « voyez » est à la modalité impérative, et le fait que la subordonnée soit interrogative indirecte ne change en rien la modalité impérative de l'ensemble de la phrase.

La langue exprime la modalité grâce à des outils syntaxiques comme le mode, l'ordre des mots, des emplois lexicaux spécifiques, et grâce à l'intonation.

A - Modalité affirmative

La phrase de modalité *affirmative* (ou *déclarative* ou *assertive*) exprime une déclaration pure et simple, quelque chose que l'on pose en l'affirmant. La nature de la phrase affirmative n'est pas affectée par la présence d'une négation : affirmer quelque chose peut se faire par une phrase négative. On a donc deux types de phrases affirmatives, l'une *positive*, l'autre *négative* :

> « *Nous ferons* deux ou trois grandes balades, au moins, à travers Paris » (J. Romains).

> « Heureusement, mon sort *ne m'appartient plus* » (R. Radiguet).

Sauf effet stylistique recherché, l'ordre des mots de la phrase affirmative suit les schémas canoniques. La mélodie monte, puis descend.

C'est par l'emploi des modes et des temps verbaux ou des semi-auxiliaires que des nuances peuvent s'installer entre les différentes phrases affirmatives. On peut affirmer quelque chose comme certain, probable ou incertain.

1. Fait certain

On peut affirmer un fait sans mettre en cause son existence objective. Le mode utilisé est l'indicatif, dans la mesure où ce mode pose le fait comme certain, qu'il actualise le procès :

> « Un meurtre excepté, rien ne *marquera* ses pas sur la terre. Sa vie *est* un secret entre elle et son maître » (G. Bernanos).

> « Son cœur *s'apaisa*. Il n'y *avait* plus de bruits » (F. de Chazournes).

Mais on doit relever un emploi de l'infinitif comme substitut de l'indicatif présent ou passé. Cet infinitif, appelé *de narration* ou *historique*, est toujours précédé de la préposition *de* vide de sens; cet ensemble se trouve le plus souvent introduit par la conjonction de coordination *et*. On s'en sert pour donner une impression de rapidité, eu égard à l'aptitude de l'infinitif à exprimer l'idée verbale à l'état brut :

> « *Et de tourner bride* » (M. Jouhandeau).

> « *De me tourner* alors vers notre amie » (M. Jouhandeau).

L'affirmation d'un fait tout certain qu'il est peut cependant se faire sous une forme atténuée quand il s'agit d'effectuer une remarque ou d'articuler un conseil. L'utilisation soit du futur soit du conditionnel permet d'éviter le côté abrupt du présent de l'indicatif en montrant le fait comme à venir ou éventuel :

> « Ce *sera* dommage » (Colette).

> « Ils *voudraient* tous avoir l'air de gravures de mode pour tailleurs » (A. Maurois).

2. Fait probable

Ou l'affirmation est rejetée dans ce qu'il est raisonnable de conjecturer, mais non sans certaines précautions, ou elle se voile de modestie. On emploie alors :

— soit le futur d'éventualité :

> « Ce petit provincial, [...], *aura* tout de même *appartenu* très tôt à l'Académie » (F. Mauriac).

— soit un semi-auxiliaire comme *devoir, pouvoir, sembler* :

> « Il *pouvait être* midi » (C.-F. Ramuz).

3. Fait incertain

On peut affirmer quelque chose en prenant à son égard une certaine distance. Le fait est présenté sans qu'on soit en mesure d'en établir au moment le caractère objectif. On recourt alors au conditionnel qui est apte à conférer au procès une notion d'incertitude, grâce à sa valeur d'éventuel. Cet emploi est fréquent dans le langage de la presse orale ou écrite :

> « Il y *aurait* 2 000 morts dans la seule ville de Mexico » (France-Inter).

B - Modalité interrogative

La phrase de modalité *interrogative* sert à poser une question. Celle-ci porte soit sur l'ensemble de l'énoncé et on l'appelle alors interrogation *totale*; soit sur un des termes de l'énoncé (sujet, objet, circonstances de l'action) et on l'appelle interrogation *partielle*. Dans le premier cas, la réponse à la question posée est *oui* ou *non*, parfois *peut-être*; dans le second cas, la réponse à la question posée s'adapte selon l'une des éventualités possibles :

> « Etiez-vous alors mes maîtres ? Aujourd'hui même, l'êtes-vous ? » (G. Bernanos).

> « Rare Caulet! Combien de fois l'ai-je revu depuis la guerre ? » (J. Romains).

Dans le premier exemple, les questions concernent bien l'ensemble de l'énoncé et il s'agit donc d'interrogations totales; dans le second, la question ne concerne que *combien de fois* et il s'agit donc d'une interrogation partielle.

A noter que, comme dans les phrases affirmatives négatives entraînant une réponse positive :

> « — Vous n'avez pas l'air enthousiastes, dit Ethel.
> — *Si*, dit le père » (C. Rochefort).

la réponse positive à une interrogation (ou une interro-exclamation) totale formulée à la forme négative se fait par l'adverbe affirmatif *si*, éventuellement renforcé *(si fait, que si)* :

> « Mme DELACHAUME. — Edmée, vous ne pouvez pas penser une chose pareille!
> EDMÉE. — *Si*, Madame! » (J. Anouilh).

> « LA DEUXIÈME DAME. — Josyane, vous n'allez pas me dire que c'était votre beau de véritable écaille, cerclé d'or ?
> LA PREMIÈRE DAME. — *Si fait*, Gabrielle! *Si fait* » (J. Anouilh).

Une réponse négative à une interrogation, même implicite, formulée dans les mêmes conditions se fait par l'adverbe *non*, éventuellement renforcé *(que non)* :

> « — Tu ne restes pas ?
> — *Non* » (R. Vailland).

> « Vous connaissez mon mari.
> — Taubelman!
> Elle rit doucement de ma gaffe.
> — *Que non!* » (M. Déon).

Ces observations sur la portée de l'interrogation sont valables tant pour l'interrogation directe (discours direct et indirect libre) que pour l'interrogation indirecte (discours indirect).

1. Construction de l'interrogation

L'interrogation s'exprime selon deux grands procédés : soit le ton et des mots ou des constructions spécifiques, soit simplement le ton.

a | Ton et mots ou constructions spécifiques

- 1 - Interrogation totale
La langue procède selon deux systèmes, la mélodie montant, puis descendant.

- a - Inversion. Le sujet se place après le verbe s'il est un pronom personnel, *on* ou *ce* (interrogation avec inversion simple, cf. p. 111) :

> « Sur le seuil elle demanda : "*As-tu* un mouchoir ?" » (J. Giono).

> « *Reprochera-t-on* à l'existentialisme d'affirmer la liberté humaine ? » (J.-P. Sartre).

Mais si le sujet est un nom ou un pronom autre que ceux qui viennent d'être indiqués, il conserve sa place devant le verbe et se trouve repris après celui-ci par un pronom personnel (interrogation avec inversion complexe ou composée, cf. p. 112) :

> « *Anne avait-elle* un seul des goûts de Thérèse ? » (F. Mauriac).

> « Vous faites votre devoir. Mais *d'autres l'ont-ils fait* ? » (R. Rolland).

Si la forme verbale est composée, le pronom personnel, *ce* et *on* se placent entre l'auxiliaire et le participe, de même que le pronom de reprise dans le cas de sujet autre que ces pronoms :

> « *Ai-je prié?* Je ne sais » (H. de Montherlant).

> « *Zaza avait-elle succombé* à un excès de fatigue et d'angoisse ? » (S. de Beauvoir).

- b - Est-ce que. Il y a intervention en tête de phrase de la locution interrogative *est-ce que* sans inversion du sujet ni rappel par un pronom :

> « *Est-ce qu'on* se souvient ? » (L.-F. Ramuz).

> « *Est-ce que nos Français* ont des leçons à recevoir de personne ? » (G. Bernanos).

NB : Un cas particulier est représenté par l'interrogation totale introduite par la conjonction interrogative *si* (adverbe pour certains). Ce type d'interrogation, à rapprocher de la phrase hypothétique interrogative, ne retient de celle-ci que la partie subordonnée. Il procède par une sorte d'ellipse d'une principale à restituer. Cette structure est propre à la langue parlée :

> « "Que les gens qui croient sont heureux !
> *Si c'était vrai,* pourtant ?" » (P. Claudel).

On ne confondra pas ce *si* avec celui qui reprend une question posée par une subordonnée interrogative indirecte exprimée ou implicite, qu'on peut appeler *si* « de reprise » (de même que peuvent reprendre, selon le même schéma, d'autres éléments introducteurs d'interrogative indirecte : *comment, pourquoi, de quelle façon,* etc.) :

> « ISABELLE. — Vous vous tenez bien droit en ce moment ?
> ROBERT. — *Si je me tiens droit ?* Pourquoi ? » (J. Anouilh).

- 2 - *Interrogation partielle*

La langue procède, dans la plupart des cas, selon les systèmes mis en œuvre pour l'interrogation totale, mais fait précéder l'énoncé d'un mot interrogatif : pronom (*qui, lequel, que ?,* etc.), adjectif *(quel ?),* ou adverbe *(où, quand, comment, pourquoi, combien ?).* La mélodie monte, puis descend.

- a - Inversion.

Quand l'interrogation ne porte pas sur le sujet, on a l'inversion pure et simple du sujet, même s'il s'agit d'un substantif ou d'un pronom autre que le pronom personnel, *ce* ou *on* :

> « *D'où* vient *un attachement si fort ?* » (J. Chardonne).

> « *Où* irait-*elle* d'abord ? » (J. de Lacretelle).

Mais le sujet substantif peut également ne pas être inversé et se trouver repris par un pronom :

> « Et pourquoi *grand-mère* m'empêche-t-*elle* d'accepter des invitations ? » (Colette).

> « Comment *un tel héritage* est-*il* possible ? » (A. Malraux).

En revanche, l'inversion du sujet quel qu'il soit est obligatoire quand l'interrogation porte sur *que* complément d'objet direct ou *qui, que, quel, lequel* attributs :

> « *Que* peut faire *un homme ?* » (M. Arland).

> « Celle-ci [la Résistance], en effet, était le parti des farceurs de mon espèce. *Qu'*y trouvait-*on* surtout ? » (J. Dutourd).

> « *Qu'*était devenue *la robe* en satin bleu ? » (F. Mallet-Joris).

> « *Que* sera-*ce* au bout du jeu de l'homme devant Dieu ? » (P. de La Tour du Pin).

Si l'interrogation porte sur le sujet, représenté par les pronoms interrogatifs *qui* et *lequel* ou un syntagme formé de *quel* + substantif, il ne peut y avoir inversion :

> « *Qui* d'autre que moi *peut vous entendre ?* » (J. Cocteau).

> « Mais *quel mâle n'a parlé* un jour de la femme comme un charretier ? » (C. Manceron).

- *b* - *Est-ce que, qui*.   La locution interrogative *est-ce que*, *est-ce qui*, si le sujet est *qui* représentant personnel ou neutre, peut intervenir et se place toujours après le mot interrogatif ou l'ensemble interrogatif *quel* + substantif. Il n'y a ni inversion du sujet ni possibilité de son rappel par un pronom :

> « *Quand est-ce qu'un homme* s'ennuie ? » (J. Romains).

> « Mon Dieu, le pauvre, *quand est-ce qu'il* est mort ? » (E. Ionesco).

> « *Pourquoi est-ce que je* vis ? » (H. de Montherlant).

> « *Qu'est-ce qu'il* fait ?, demanda le chat » (B. Vian).

> « *Qui est-ce qui* est encore mort depuis hier ? » (Colette).

> « Et *qu'est-ce donc qui* vous appelle ainsi vers ce cavalier ? » (P. Claudel).

> « *Quel mal est-ce que* vous pouvez me faire ? » (T. Bernard).

L'emploi de *est-ce que* est impossible avec *quel* attribut.

Pour un certain nombre de problèmes particuliers concernant l'inversion du sujet en phrase interrogative, cf. *sujet*, p. 111, A, *1*.

> *NB :* On distinguera la véritable interrogation, qui exprime une question vraie en attente de réponse, de l'interrogation dite « oratoire » dont la réponse est connue ou donnée ou qui n'appelle pas de réponse, mais qui permet un effet de style :
>
>> « Cette élite intellectuelle, ces Eglises, ces partis ouvriers n'ont pas voulu la guerre... Soit !... *Qu'ont-ils fait pour l'empêcher ? Que font-ils pour l'atténuer ?* Ils attisent l'incendie » (R. Rolland).

b | Ton

Il n'y a aucune modification de l'ordre des mots. La note la plus haute de la mélodie porte sur la fin de l'énoncé en cas d'interrogation totale, indiquant que l'ensemble est concerné par la question :

> « Tu te crois de jolis instincts ? » (F. Sagan).

ou elle porte sur le seul terme concerné en cas d'interrogation partielle :

> « Pourquoi qu'il est venu, l'aviateur arabe ? » (A. Malraux).

L'interrogation par le ton n'est souvent reconnaissable à l'écrit que par le seul point d'interrogation. Ce procédé est très fréquent dans la langue parlée : la simplicité de son organisation syntaxique le fait naturellement préférer aux systèmes complexes de l'interrogation par le ton et les mots ou constructions spécifiques.

> *NB :* L'interrogation par le ton peut s'exprimer par le simple emploi de mots ou structures d'interrogation dans une phrase sans verbe. Cette construction allégée se rencontre en particulier dans le dialogue dans un système de reprise pour exprimer une réponse :
>
> « LA MÈRE. — Vous devriez, peut-être, essayer la manière douce ? LE VOISIN. — *Comment ? La manière douce ?* » (G. Michel).

2. Mode de l'interrogation

En général, la phrase interrogative, qu'elle soit totale ou partielle, est à l'indicatif, puisque la question qu'on pose n'est pas soumise à interprétation :

> « Ce pont *vaut-il* le prix d'un visage écrasé ? » (A. de Saint-Exupéry).

> « Que *savez-vous* ? Que vous *a-t-elle raconté* ? » (G. Bernanos).

Mais, de la même façon que dans la phrase à modalité affirmative, on peut rencontrer l'emploi du futur ou de semi-auxiliaires pour rendre compte d'une probabilité, du conditionnel ou du subjonctif à valeur éventuelle pour rendre compte d'une incertitude :

> « X... ne *reviendra* sans doute pas au Pensionnat ? » (M. Jouhandeau).

> « Son père n'est pas le duc de Miraflor, alors qui *peut-il être* ? » (J. Anouilh).

> « Le vent du dehors *écrirait* ce livre ? » (G. Bataille).

> « Hors de sa contemplation, cette partie du monde *eût-elle* réellement *vécu* ? » (J. de La Varende).

Egalement, l'infinitif dit « délibératif », présent ou passé, peut être le centre d'une interrogative pour exprimer le procès dans sa généralité :

> « *Me taire ?* Madame est délicate vraiment » (J. Genet).

> « *Comment* l'en *empêcher ?* » (R. Radiguet).

> « *Pourquoi m'avoir provoqué* à parler ? » (H. de Montherlant).

C - Modalité exclamative

La phrase de modalité *exclamative* n'est pas sans se rapprocher de la phrase interrogative avec laquelle elle se confond souvent, la seule marque du point d'exclamation la distinguant en général à l'écrit. Ainsi quand elle exprime purement et simplement un sentiment de surprise, d'étonnement, une vive émotion devant un fait inattendu. Seule l'intonation diffère : si l'accent frappe en général le mot qui provoque la réaction affective, la mélodie s'achève toujours en descendant. A l'écrit, seule la ponctuation permet de déterminer qu'il s'agit d'une phrase exclamative, que la structure se fonde sur des procédures spéciales ou sur le ton :

« Ainsi c'était celá le Monologue intérieur! » (J. Giraudoux).

En revanche, en dehors de l'expression du sentiment de la surprise ou de l'émotion, c'est-à-dire quand elle est simplement affective, la phrase exclamative prend des formes plus déterminées quand elle est jussive (ordre), optative (souhait) ou déplorative (regret). Il est certain que ces trois derniers types de phrases à modalité exclamative se confondent moins, dans l'ensemble, avec des phrases à modalité interrogative :

« "Ne bouge surtout pas!", disait Vidal » (J. Romains).
• Phrase jussive.

« Si je pouvais changer un peu de contemporains! » (H. de Montherlant).
• Phrase optative.

« Et dire qu'on me croit faible! » (H. de Montherlant).
• Phrase déplorative.

1. Phrase simplement affective

Construction et mode : la phrase se construit en général soit comme la phrase affirmative ou comme la phrase interrogative fondée sur la seule intonation, soit comme la phrase interrogative procédant par inversion. Seuls la distinguent l'intonation et le point d'exclamation :

« La mort n'est pas la folie! » (G. Bernanos).

« Petit, petit, petit, veux-tu suivre! » (J. Anouilh).

Mais elle peut aussi se construire selon des critères originaux :

— en ne recourant pas à l'inversion du sujet propre à la phrase interrogative partielle :

> « Quel cœur ignoble et ensanglanté *tu dois avoir* » (A. Camus).

— en s'introduisant grâce aux adverbes d'intensité *combien, comme* et *que*, construction impossible pour la phrase interrogative :

> « *Combien* j'ai pu rêver sur certains noms de lieux! » (G. Marcel).

> « *Comme* ça fait bien! » (Colette).

> « *Qu'*il fait chaud chez vous! » (A. Adamov).

ou grâce à des formules lexicalisées comme *dire que, penser que* :

> « *Dire que* l'on écrira ainsi l'histoire! » (L. Aragon).

— en se présentant sous la forme du seul infinitif :

> « *Penser...!* La pensée gâte le plaisir et exaspère la peine » (P. Valéry).

La phrase est le plus souvent aux formes ordinaires de l'indicatif, le fait étant considéré comme certain; quand celui-ci est seulement imaginé, peuvent intervenir un semi-auxiliaire modal, le conditionnel ou le mode subjonctif; l'auxiliaire se trouve éventuellement renforcé par un emploi au conditionnel ou au subjonctif :

> « De la vie on n'*aurait cru voir* une telle tempête ! » (A. Breton).

> « Oh! Comme tant de mal et de haine *doivent te torturer* ! » (A. Camus).

2. Phrase jussive

Construction et mode : la phrase s'exprime en général au moyen de l'impératif, donc n'intervient aucun élément introducteur et ne se posent pas non plus des questions d'inversion ou de non-inversion du sujet :

> « *Lis*, dit l'homme noir » (J. Giono).

Mais le recours au subjonctif pour exprimer un ordre à la troisième personne impose la présence d'un *que* introducteur, sorte de « béquille » de subjonctif :

> « Il suffit ! *Que l'examen commence...* Entrez, les élèves... » (G. Giraudoux).

L'emploi de l'infinitif jussif ou prescriptif présente une construction exclamative par la seule forme verbale :

« Illumination donc *repartir* cette fois pour toujours » (S. Beckett).

3. Phrase optative

Construction et mode : le plus souvent est employé le subjonctif précédé de la conjonction *que*, sorte de « béquille », ou de *pourvu que*, éventuellement de formules lexicalisées obsolètes dans la langue contemporaine, comme *plaise au ciel, fasse le ciel que* :

« *Que le bon Dieu vous garde* tel, à jamais! » (G. Bernanos).

« N'importe quelle condition, même la plus misérable, *pourvu que je ne le quitte pas* » (H. de Montherlant).

L'inversion du sujet, assez rare, est cependant possible :

« Que tombent *ces vagues de brique* ! » (G. Apollinaire).

NB : L'ancienne langue, qui employait le subjonctif sans *que* (« Sire *souvienne*-vous des Athéniens », Montaigne), a laissé quelques constructions témoins, en particulier dans les expressions figées comme « Dieu vous bénisse! » ou « Vive la France! » sans inversion ou avec inversion. On peut cependant rencontrer cette construction dans une langue moderne littéraire à volonté archaïsante :

« Dieu *punisse* le neutre! » (P.-J. Toulet).

« *Périsse* l'Espagne! » (H. de Montherlant).

Mais cette construction est plus ordinaire quand elle se fonde sur le semi-auxiliaire *pouvoir* :

« *Puisse* votre bonté
O mort avec les mains d'une embaumeuse m'oindre
D'insensibilité » (J. Cocteau).

On peut également exprimer le souhait avec *si* (*encore, pourtant, seulement*, etc.) + imparfait de l'indicatif :

« *S'il ouvrait les bras pourtant*, sans rien demander! » (F. Mauriac).

« *Si encore je voyais* des couleurs au lieu de cet étincelant blanc, blanc, blanc! » (H. Michaux).

le conditionnel présent :

« Ah! *Je voudrais* être encore à la retraite de Bréda! » (P. Claudel).

et même l'infinitif :

> « *Tuer* Fedora! Ou la *forcer* à mesurer ses chevilles avec un mètre de tailleur! » (J. Giraudoux).

4. Phrase déplorative

Construction et mode : la phrase peut être introduite par *que ne* + indicatif, structure de peu d'usage dans la langue contemporaine même écrite :

> « Oh! *que n'*ai-je passé ma vie à Elseneur! » (V. Larbaud).

ou bien l'on trouve des procédés proches de ceux utilisés pour l'expression du souhait : *pouvoir* au subjonctif, mais + l'infinitif au passé, *plût au ciel*, *dire* et *penser que, si (au moins, du moins)* + plus-que-parfait de l'indicatif, infinitif passé. La langue contemporaine n'emploie guère que les trois derniers procédés :

> « *Plût au ciel que* ce fût le sort d'Argos! » (J. Giraudoux).

> « *Dire que j'avais pris* ces mots, en ce temps-là, pour une boutade de mauvais goût! » (Vercors).

> « Oh, *si j'étais né* en esclavage! » (J. Genet).

> « *Si au moins* mon épouse *était rentrée*! » (A. Gide).

> « Et *s'être marié* entre-temps sans rien dire... » (J. Anouilh).

NB : Ces phrases exclamatives se présentent aussi sous la forme de mots isolés sans fonction, formant des phrases sans verbe, annoncées éventuellement par *ô, ah, oh!* :

> « Les beaux quartiers! » (L. Aragon).

> « O renouveau de leur présence alors ! » (M. Jouhandeau).

> « Ah! quel adorable visage! » (A. de Saint-Exupéry).

> « Oh, ma chère, cette fantaisie de clarinette! » (J. Giono).

2   la phrase complexe

Généralités

La phrase complexe se compose soit de propositions indépendantes juxta-posées ou coordonnées, soit d'une proposition principale, plusieurs éventuel-lement, et d'une proposition subordonnée, plusieurs éventuellement, soit d'un mixage de propositions indépendantes, principales et subordonnées.

Les propositions indépendantes et les propositions principales en phrase complexe ont la même syntaxe que la phrase simple, composée d'une seule proposition. En revanche, la syntaxe des propositions subordonnées est spécifique de la phrase complexe. Avant de l'examiner, il convient d'établir un classement des subordonnées, possible parmi d'autres, fondé après examen de différents critères. Sur la phrase simple et la phrase complexe, cf. Préambule.

- 1 - *Critère de forme : les outils de subordination*
La proposition subordonnée dépend d'un mot, le plus souvent verbe ou substantif, de la proposition qui lui est principale, c'est-à-dire qui la com-mande, ou de cette proposition tout entière. Cette position de dépendance est en général assurée par un outil de subordination qui est soit une conjonc-tion ou locution conjonctive dites de subordination (*que, quand, après que,* etc.), soit un pronom ou adverbe relatifs (*qui, lequel, où,* etc.), soit un pronom, adjectif ou adverbe interrogatifs (*qui, quel, comment,* etc.). Mais les propo-sitions subordonnées infinitive et participe ne sont introduites par aucun outil de subordination : le seul critère formel est pour elles le mode du verbe qui en forme le centre.

- 2 - *Critère de sens : les équivalences*
La proposition subordonnée conjonctive est assimilable à un nom ou à un adverbe; la subordonnée relative est souvent assimilable à un adjectif. En

tant qu'équivalent du nom, la subordonnée peut donc être considérée comme une subordonnée substantive. En tant qu'équivalent de l'adverbe, elle peut être considérée comme une subordonnée adverbiale. Mais la subordonnée relative peut remplir dans la phrase un tout autre rôle que celui de l'adjectif, parce qu'elle est assimilable éventuellement à un substantif ou un adverbe, donc être tout autre chose que systématiquement une subordonnée adjective.

- 3 - *Critère de fonction : les analogies*

En tant qu'équivalent du nom ou de l'adverbe, la subordonnée en endosse analogiquement toutes les fonctions : substantive, elle peut être sujet, apposition, attribut et complément d'objet, également complément de l'adjectif et de l'adverbe; adverbiale, elle peut être complément circonstanciel. En tant qu'équivalent de l'adjectif, elle peut être épithète, mais la relative, susceptible d'équivaloir à un substantif ou un adverbe, l'est aussi d'assumer leurs fonctions.

Aucun des différents critères ci-dessus examinés ne donne entière satisfaction. Ainsi, le critère de sens ne permet pas d'attribuer une place précise à la proposition relative, puisqu'elle peut s'assimiler à autre chose qu'à l'adjectif et, en conséquence, participer à une triple série de fonctions propres à l'adjectif, au nom et à l'adverbe. Le critère formel n'est guère non plus satisfaisant en soi, puisqu'il regroupe sous la même rubrique de la subordination conjonctive aussi bien la subordination par *que* que la subordination par *comme, depuis que, lorsque*, etc.

Il semble plus opératoire d'établir le classement suivant : la proposition relative, eu égard aux aspects multiples et contradictoires de ses emplois, sera mise à part, le critère de forme étant prédominant. Les propositions conjonctives seront réparties en deux séries : d'une part celles que l'on appellera *complétives*, de l'autre celles que l'on appellera *circonstancielles*. Pour elles, c'est essentiellement le critère de fonction qui détermine le classement.

La subordonnée complétive se trouve intimement liée à la proposition principale, d'où sa dépendance syntaxique par rapport à celle-ci, et elle prend le plus souvent une place fixe dans la phrase. Elle remplit les fonctions d'un terme dans la proposition et répond ainsi aux questions *qu'est-ce qui ?*, *quoi ?*, etc. Elle se trouve introduite par la conjonction *que* ou les locutions conjonctives *à ce que, de ce que*, structures lexicalisées où le démonstratif est figé, et aussi par des pronoms ou adverbes interrogatifs dans la subordonnée interrogative indirecte.

La subordonnée circonstancielle est mobile à l'égard de la proposition principale, comme l'adverbe ou le complément circonstanciel, d'où son indépendance modale. Elle exprime toutes les circonstances de l'action par rapport à la principale et peut ainsi répondre aux questions *quand ?*, *pour-*

quoi ?, dans quel but ?, etc. Elle se trouve parfois introduite par *que,* mais surtout par toutes les conjonctions et locutions conjonctives autres que *que.*

On étudiera donc successivement et distinctement la proposition complétive, la proposition circonstancielle et la proposition relative. Les subordonnées dont le centre est un infinitif ou un participe recevront, eu égard à leur spécificité, un traitement à part.

I - LA PROPOSITION COMPLÉTIVE

La proposition subordonnée complétive est dans un rapport étroit avec la proposition qui lui est principale (cf. p. 236). Elle dépend en général d'un support qui est soit le verbe ou la locution verbale centre de la principale, soit un terme autre de la principale qui peut être un nom ou un adjectif, soit un adverbe constituant à lui seul une proposition principale sans verbe. La complétive peut aussi ne pas avoir de support mais n'en demeure pas moins étroitement liée alors à l'ensemble de la proposition principale, comme dans le cas de la complétive sujet.

La complétive peut donc être sujet, attribut, apposition, complément d'objet et complément de détermination.

A - La complétive sujet

Ce type de complétive est assez rare.

1. Forme et place

La proposition, introduite par *que,* se trouve le plus souvent en tête de phrase. Le verbe dont elle est le sujet est toujours à un mode personnel :

> « *Que je dusse aimer cet homme* se voyait comme le nez au milieu de la figure, de toute éternité » (C. Rochefort).

Il peut se faire, dans un cas exceptionnel d'interrogation partielle avec *que* complément d'objet direct avec des verbes comme *indiquer, dénoter, signifier quelque chose,* etc., que, par suite de l'inversion, la complétive sujet se trouve en fin de phrase :

> « Qu'est-ce que signifie ici *que l'existence précède l'essence ?* » (J.-P. Sartre).

De même, la complétive se trouve rejetée en fin de phrase dans des structures attributives exclamatives elliptiques d'un verbe *être*. Le thème suit le prédicat introduit par l'adjectif exclamatif *quel* :

« Quel malheur *que je vous aie payé d'avance...* » (M. Aymé).

NB : - 1 - Quand on rencontre des structures où une complétive est placée en tête de phrase et que le sujet du verbe de la principale est *ce, cela* :

« Mais qu'il lui faille renoncer, par votre désunion, à son vrai firmament, *c*'est ce qu'il [Dieu] ne peut pardonner » (J. Giraudoux).

certains considèrent que la complétive est sujet par anticipation et reprise par le pronom neutre. Il semble préférable de voir dans ces complétives soit des appositions au pronom neutre sujet du verbe de la principale, *que* prenant le sens explicatif de « le fait que », « à savoir que », cf. p. 240, soit des termes complétifs en position inversée, cf. p. 260, *a*.

- 2 - De même, quand la phrase commence par des tournures comme *c'est, cela est* + adjectif et se poursuit par une complétive :

« *C'est bien étrange* que tu y sois venu » (J. Gracq).

ou que la phrase commence par des tournures comme *d'où vient, peu importe, reste*, également suivies d'une complétive :

« D'ailleurs *peu importe* que je sois né ou non... » (S. Beckett).

certains considèrent que la complétive est sujet de reprise anticipé par *ce, cela* dans un cas et sujet pur et simple dans l'autre. Il semble préférable de voir dans ces complétives des termes complétifs du neutre sujet d'une tournure impersonnelle, que ce sujet soit exprimé (« *c*'est... ») ou effacé (« peu [*il*] importe que... »), cf. *sujet*, p. 121, 2.

2. Mode

Le subjonctif s'impose dans ces constructions où la complétive présente un fait soumis à appréciation. L'antéposition ordinaire de la subordonnée joue aussi un rôle : cette position laisse en attente, en suspens l'affirmation, et seul le subjonctif convient grâce à son aptitude à présenter le procès comme simplement envisagé :

« Que dans certaines [sociétés primitives] le père *soit* plus maternel que la mère, ou bien que les mères *soient* indifférentes et même cruelles n'a pas vraiment modifié notre vision des choses » (E. Badinter).

Il est évident que, si la complétive exprime un fait intemporel, on peut rencontrer le présent indicatif à valeur gnomique.

B - La complétive attribut

La complétive attribut n'est guère plus courante que la complétive sujet.

1. Forme et place

En tant qu'attribut, la complétive introduite par *que* ne peut être qu'attribut du sujet. Elle se place régulièrement après le verbe.

Elle vient toujours :

— soit après une locution verbale constituée d'un nom sujet de portée générale tel que *idée, intention, désir, malheur, résultat*, etc. + un verbe attributif :

> « *Ma certitude profonde est que la part du monde encore susceptible de rachat n'appartient qu'aux enfants, aux héros et aux martyrs* » (G. Bernanos).

— soit après une séquence formée d'un nominal déterminé (adjectif substantivé) tel que *l'amusant, le mieux, le pire*, etc. + un verbe attributif :

> « *L'essentiel n'était pas qu'un soldat fût tombé* » (M. Leiris).

Selon l'analyse de certains grammairiens, l'attribut étant le terme le plus général, celui qui prend la plus grande extension, c'est la conjonctive qui serait sujet : ainsi dans l'exemple précédent « qu'un soldat fût tombé » n'est qu'une possibilité parmi d'autres, alors que « l'essentiel » peut s'appliquer à bien des hypothèses et endosse donc la fonction d'attribut.

2. Mode

L'indicatif et le subjonctif se partagent les emplois.

Si la complétive exprime un fait certain ou considéré comme tel, voulu par le sens du support, le mode est l'indicatif. Ainsi dans le premier exemple ci-dessous le mot *vérité* pose le fait comme assuré, d'où l'indicatif ; dans le second le mot *condition* impliquant la notion d'un fait voulu, souhaité, le fait exprimé par la conjonctive est simplement envisagé, d'où le subjonctif :

> « La vérité est que vous ne *croyez* pas à la révolution » (A. Camus).

> « La première condition du bonheur est que l'homme *puisse* trouver joie au travail » (A. Gide).

C - La complétive apposition

La complétive apposition se distingue parfois assez mal de la complétive complément du nom. Certains critères permettent cependant de reconnaître l'une par rapport à l'autre.

1. Forme et place

Dans la complétive apposition, le *que* conjonctif introducteur équivaut pour le sens à une sorte de locution conjonctive explicative telle que « le fait que », « à savoir que ». La complétive est en général placée après son support, qui est :

— soit un mot de sens général comme *idée, intention, désir*, etc., toujours nettement déterminé par l'article défini ou un adjectif démonstratif :

> « Il faut rendre au lecteur *cette justice, qu'il ne se fait jamais bien longtemps tirer l'oreille* pour suivre les auteurs sur des pistes nouvelles » (N. Sarraute).

— soit un pronom démonstratif neutre comme *ceci, cela* et, très rarement, un pronom adverbial :

> « Oui, j'ai continué d'avoir honte, j'ai appris *cela, que nous étions tous dans la peste*, et j'ai perdu la paix » (A. Camus).

> « Je regrette, mais je n'*y* puis rien, *que ceci passe peut-être les limite de la crédibilité* » (A. Breton).

Parfois même, une relative substantive sert de support à la complétive apposition :

> « Elle sentira peu à peu *ce qu'elle avait d'ailleurs toujours senti, que notre amour n'est pas un chemin menant quelque part* » (M. Butor).

La complétive développe le sens du nom ou pronom à la façon d'un nom mis en apposition. Mais à l'inverse des autres appositions détachées, la complétive apposition a valeur déterminative et ne peut être supprimée sans qu'en soit altéré le sens de la phrase.

La complétive ne peut se trouver, en tant qu'apposition, qu'en position détachée, c'est-à-dire qu'une pause marquée à l'écrit par une virgule, éventuellement deux points, à l'oral par une intonation, la sépare de son support. L'apposition liée, sans pause, est donc exclue — ce qui interdit du même coup toute confusion avec la complétive complément du nom (cf. p. 257).

Il peut cependant se faire que le signe de ponctuation manque à l'écrit. Il n'en reste pas moins que la pause est obligatoire, l'intonation suppléant à l'absence de ponctuation. Dans cet exemple, une virgule après *ceci* aurait trop fortement isolé le *que* dans une phrase déjà très découpée où la ponctuation surabonde :

> « Je soupçonne que Balzac a porté à une perfection incroyable l'art d'inventer en écrivant, toujours d'après *ceci que*, dans l'esquisse réelle et déjà imprimée, il se montre des promesses et d'immenses lacunes, mais non pas indéterminées » (Alain).

Mais dans celui-ci, rien n'explique l'absence de virgule après *ceci* :

> « Un intellectuel digne de ce nom se distingue par *ceci qu*'il ne dit que du mal de ses confrères » (R. Debray).

Si la complétive apposition se trouve le plus souvent après son support, elle est néanmoins susceptible de mobilité et peut se placer avant lui, en général quand ce support est un pronom neutre :

> « *Qu'un homme, de loin en loin, ait un instant de vie véritable, cela* peut suffire à le sauver » (M. Arland).

> « *Que je m'enfuie ou que je me tue, ça* n'arrange rien » (J.-P. Sartre).

Certains considèrent que ces complétives sont sujets et reprises par *ce, cela* (cf. p. 238, *NB* - 1 -).

2. Mode

Quand la complétive apposition vient après son support, elle est :

— soit à l'indicatif, si le fait est certain ou supposé tel, d'après le sens du support :

> « Pierre avait *ceci* de fâcheux *qu*'à force de se vouloir représentant de l'humanité, *il l'était* vraiment *devenu* » (J. Giraudoux).

— soit au subjonctif, si le fait est donné comme supposé, simplement envisagé dans la pensée, toujours d'après le sens du support :

> « *L'accord* ne fut pas long à établir entre ces deux hauts seigneurs, *Que j'aimasse* Don Pélage » (P. Claudel).

Si la complétive apposition se trouve en position inversée, c'est-à-dire en tête de phrase, le subjonctif s'impose comme mode de l'éventuel, en raison de la charge affective et de la notion d'incertitude que prend alors la complétive dans cette position d'attente :

> « *Qu'un rayon de soleil tiédisse* l'écorce, *atteigne* le pied des herbes, *cela* suffit pour que l'air vierge de l'hiver commence à se peupler » (J. Brosse).

D - La complétive objet

La complétive objet est une formation très productive dans la langue. Elle accompagne toutes sortes de verbes ou locutions verbales. Ceux-ci expriment :

— soit *l'affirmation*, c'est-à-dire la déclaration (*affirmer, dire*, etc.), la connaissance (*apprendre, savoir*, etc.), l'opinion (*croire, penser*, etc.);

— soit *la volonté*, c'est-à-dire le désir (*désirer, souhaiter*, etc.), le commandement (*commander, ordonner*, etc.), l'interdiction ou la permission (*défendre, interdire*, etc. ; *permettre, tolérer*, etc.) ;

— soit *le sentiment*, c'est-à-dire la joie (*se féliciter, se réjouir*, etc.), l'étonnement (*admirer, s'étonner*, etc.), le regret, etc. (*déplorer, regretter*, etc.) ;

— soit *l'interrogation*, c'est-à-dire la demande *(demander, s'informer)*. Ces derniers verbes peuvent être des verbes d'affirmation s'accompagnant d'une idée d'interrogation comme *dire, ignorer, savoir*, etc.

1. *Forme et place*

a | Subordonnants

Les complétives objets directs ou indirects se présentent sous deux formes. Ce sont d'une part les complétives accompagnant les verbes d'affirmation, de volonté et de sentiment, de l'autre les complétives interrogatives indirectes. Des unes aux autres, les outils de subordination diffèrent :

- I - *Verbes d'affirmation, de volonté, de sentiment*
Ils introduisent leur complétive par la conjonction *que* le plus souvent :

> « Il ne me plaît pas de *croire que* la mort ouvre sur une autre vie » (A. Camus).

> « *Veux-tu que* nous laissions étinceler, [...], les dalles des quais de la Néva, ou du Danube ? » (A. Villiers de L'Isle-Adam).

> « Ah! ce fut dur de vous ouvrir mon cœur et *je crains que* vous n'ayez rien compris » (P. Claudel).

Mais on rencontre également les groupes *à ce que, de ce que* où le pronom *ce* a perdu sa valeur d'origine. Ces groupes correspondent à des locutions conjonctives. *A ce que* suit un verbe construit avec la préposition *à*, *de ce que* un verbe construit avec la préposition *de* :

> « Elle tient absolument *à ce que* nous entrions dans une cour » (A. Breton).

> « Pourtant mon père ne se fâchait point *de ce qu*'il y ait toujours les mêmes choses à manger » (H. Poulaille).

NB : - I - La langue contemporaine a tendance à développer l'usage de *à ce que, de ce que* chaque fois qu'il y a concurrence avec *que*, c'est-à-dire quand le verbe support admet les deux constructions, alors que la langue classique avait des préférences inverses :

> « Je comprends qu'en effet vous perdez un peu *que* je ne sois plus à Paris » (Mme de Sévigné).

> « Je me passerai bien *que* vous les approuviez » (Molière).

Cette tendance tient sans doute à deux raisons : d'une part ces locutions ont plus de poids phonétique que le seul *que*, d'autre part se trouve ainsi rapprochée la construction de la complétive de celle du complément d'objet prépositionnel (« se réjouir que / de ce que / de quelque chose »).

En ce que, guère d'usage ni recommandé en raison de sa lourdeur, paraît ne pas devoir se ranger à côté des locutions ci-dessus dans la mesure où cette locution a une forte valeur causale qui en fait l'équivalent de la locution circonstancielle *parce que*.

- 2 - Les présentatifs *voici, voilà* formés sur l'impératif de *voir*, sans *s*, comme dans l'ancienne langue, + les adverbes de lieu *ci* et *là*, gardent une forte valeur verbale et se rattachent à la série des verbes d'affirmation exprimant la connaissance. Comme le veut leur verbe d'origine, ils se font suivre d'une complétive objet :

> « Et *voilà* maintenant *que celui-là nous abandonne* au bout de six mois en nous laissant dans la... » (M. Mithois).

- 2 - *Verbes d'interrogation*

La subordonnée interrogative indirecte se présente ordinairement sous la forme d'une proposition contenant l'objet d'une interrogation exprimée dans une proposition principale (mais cf. p. 245, *b*). On l'appelle « indirecte » dans la mesure où elle dépend d'une autre proposition à laquelle elle se subordonne par un outil interrogatif. L'interrogation directe, quant à elle, ne peut se trouver qu'en proposition indépendante ou principale (cf. p. 226, B).

- *a* - Portée de l'interrogation.   L'interrogation indirecte, comme l'interrogation directe, est :

— soit *totale*, c'est-à-dire qu'elle porte sur l'ensemble de la subordonnée et la réponse ne peut être que *oui* ou *non*, éventuellement *peut-être* :

> « Tu romps le silence en lui demandant *s'il n'est pas en réalité beaucoup plus éloigné qu'il n'en a l'air* » (S. Beckett).

— soit *partielle*, c'est-à-dire qu'elle porte sur un des termes de la subordonnée et les possibilités de réponse sont multiples :

> « Je vous ai dit *qui j'étais* » (A. Adamov).

Quand l'interrogation est totale, le mot unique de subordination est la conjonction interrogative *si* (adverbe pour certains) qui supplée à l'inversion du sujet ou à la locution *est-ce que* de l'interrogation directe :

> « Théorème, [...], se demandait *s'il n'était pas un peu tard pour aller au cinéma* » (M. Aymé).

Quand l'interrogation est partielle, les mots de subordination sont, pour la plupart, les mêmes que ceux qui introduisent l'interrogation directe, qu'ils soient pronom, adjectif ou adverbe interrogatifs :

> « Il me demande *qui* je suis, *à quel titre* j'assiste à cette opération » (R. Stéphane).

> « Il ne se souvenait plus très bien *comment* ils avaient fait connaissance » (E. Dabit).

Seuls les locutions neutres *qu'est-ce qui*, *qu'est-ce que* et le pronom neutre *que* devant un verbe à un mode personnel sont remplacés par *ce qui*, *ce que* sentis comme un tout :

> « Je ne peux dire exactement *ce qui* se passa pendant les minutes qui suivirent » (G. Duhamel).

> « Les jeunes gens qui abandonnent si facilement la foi ne savent pas *ce qu'*il en coûte pour la recouvrer » (P. Claudel).

NB : - 1 - L'ancienne langue et la langue classique utilisaient dans l'interrogation indirecte *que*, rarement *qui*, pour *ce que*, *ce qui*, et l'on en trouve le souvenir dans des expressions comme *ne savoir que faire*, *que dire*, etc. :

> « Apprends-moi cependant *qu'*est devenu ton maître » (P. Corneille).

- 2 - Si le verbe de la principale introduisant une subordonnée par *ce dont*, *ce que*, *ce qui* est un emploi par extension d'un verbe d'affirmation (*dire*, *penser*, *voir*, etc.) accompagné d'une idée d'interrogation, on peut hésiter à faire le partage entre proposition relative et proposition interrogative indirecte : pour certains, il convient de séparer en éléments distincts *ce dont*, *ce que*, *ce qui*, en conférant une valeur pleine à *ce*, d'où une relative par *dont*, *que* ou *qui* complément d'un antécédent *ce* (cf. p. 315, *NB - 2 -*) :

> « J'ignore encore *ce/qui* se passe derrière cette tenture noire » (M. Yourcenar).

> « Mon cœur me désigne *ce/que* je ne laisserai pas mettre en discussion » (M. Barrès).

- *b* - Intonation et inversion. Une mélodie montante dont la note la plus haute vient frapper le mot sur lequel porte l'interrogation, des normes particulières d'inversion du sujet et un point d'interrogation à l'écrit en fin d'énoncé caractérisent l'interrogation directe. L'interrogation indirecte a, en revanche, la même mélodie montante que la phrase affirmative et le plus souvent, comme elle, une structure sans inversion : l'inversion est interdite si l'interrogation est totale :

> « Il lui demanda si *elle* ne voulait pas devenir sa femme » (M. Aymé).

Elle est seulement tolérée dans l'interrogation partielle si le sujet est autre qu'un pronom personnel, *ce* ou *on* :

« Nous tenterons plus loin de déterminer ce que peut être *le but* de la littérature » (J.-P. Sartre).

Elle n'est d'usage qu'avec *qui* ou *quel* attributs et si elle est introduite par *où*, toujours si le sujet est autre qu'un pronom personnel, *ce* ou *on* :

« Cyrille prit par le bras Brancion et lui expliqua qui était *Alain* » (P. Drieu La Rochelle).

« Adieu donc, de nous deux Dieu seul sait quel est *le juste* » (J. Anouilh).

« Que diriez-vous d'aller voir où en sont *les travaux* à l'église Notre-Dame ? (R. Queneau).

b | *Absence de support*

Il peut se faire qu'une complétive puisse être employée seule, sans qu'une proposition principale la régisse. Celle-ci est sous-entendue. La complétive est toujours précédée de la conjonction *que* ou d'un mot interrogatif. On rencontre ce type de complétive « en suspens » dans le cas de titres de chapitres :

« *Que* la souveraineté est inaliénable » (J.-J. Rousseau).

Il faut suppléer une principale comme « je vais expliquer, démontrer ».

« *Si* la volonté générale peut errer » (J.-J. Rousseau).

Il faut suppléer une principale comme « je vais examiner, analyser ». Ou bien il s'agit dans un dialogue d'une réponse à une question :

« — Et d'abord, qu'en feriez-vous ?
— *Ce que* j'en ferais! » (J. Green).

Il faut suppléer une principale comme « vous me demandez ».

Le cas des propositions sans support rencontrées dans le discours indirect libre sera évoqué ailleurs (cf. p. 255, - 3 -). Mais ces structures sont particulières : sans verbe principal, mais aussi sans conjonction qui les introduisent, ces propositions ne peuvent morphologiquement être rangées dans les complétives, même si elles en ont bien des traits.

c | Ne explétif

Après certains verbes ou locutions verbales comme *avoir peur, éviter*, etc., marquant la crainte, l'empêchement, etc., le verbe de la subordonnée, quoique de sens affirmatif positif, peut se faire accompagner d'un *ne* explétif. L'usage de cette particule n'est guère fixé et la langue moderne, surtout parlée, tend de plus en plus à l'éviter :

> « Ces ombres, ces gouffres, *je crains qu'ils n'aient* des noms terribles » (B.-H. Lévy).

> « La violence de votre sentiment m'inquiète, car *je crains qu'elle vous réserve* bien des mécomptes » (M. Aymé).

d | Place

En fonction d'objet, la subordonnée complétive prend normalement place après la proposition principale, qu'elle se trouve introduite par *que (de ce que, à ce que)* ou par un des subordonnants de l'interrogative indirecte. Mais il peut se faire que, pour des raisons stylistiques, quand on veut produire un effet d'attente et de surprise, la subordonnée prenne place avant le verbe qui la régit. Dans ce cas, elle se trouve reprise dans la principale par un pronom personnel neutre ou un pronom adverbial complément d'objet du verbe régent, dans un système de phrase disloquée :

> « *Que l'esprit se propose, même passagèrement, de tels motifs*, je ne suis pas d'humeur à *l*'admettre » (A. Breton).

> « Seigneur, quand vous mourûtes, le rideau se fendit,
> *Ce que l'on vit derrière*, personne ne *l*'a dit » (B. Cendrars).

> « *Que mes désirs charnels s'adressassent à d'autres objets*, je ne m'*en* inquiétais donc guère » (A. Gide).

Quand c'est une interrogative indirecte qui se trouve ainsi en tête de phrase, elle affecte une espèce d'indépendance vis-à-vis de la principale. Si elle est souvent reprise par un pronom complément d'objet du verbe principal, ce qui atteste bien la limite de son indépendance et le caractère nécessaire de la complétive par rapport à son support, cette interrogative indirecte peut aller jusqu'à retrouver les caractéristiques pures et simples de l'interrogation directe et même ne pas être reprise :

> « *Suis-je heureux ou non*, je ne sais » (G. Bernanos).

2. Mode

Les liens étroits qui unissent principale et complétive conjonctive, la dépendance serrée de la subordonnée par rapport à son verbe principal font que le mode de cette subordonnée dépend directement du sens de son support. Quand ce support pose le fait comme assuré, ou vu comme tel, l'indicatif s'impose. Si, à l'inverse, le support entraîne une idée d'incertitude, le subjonctif apparaît. En revanche, la complétive sous forme d'interrogation indirecte suit les règles propres à l'interrogation directe.

Il convient donc de différencier, dans l'inventaire des emplois modaux, la complétive conjonctive et la complétive interrogative indirecte.

a | Complétive conjonctive

La répartition entre indicatif et subjonctif s'établit selon la typologie des supports :

- I - *Verbes d'affirmation*
- *a* - Indicatif. Le mode indicatif intervient quand le verbe support établit le fait comme certain, donc quand il s'agit de verbes d'affirmation, c'est-à-dire qui expriment une déclaration (verbes *dire*), une connaissance (verbes *savoir*), une opinion (verbes *croire* incluant les présentatifs de phrases *voici*, *voilà*), et que ces verbes sont de modalité affirmative positive :

> « J'entends un homme *dire qu'il n'a pas souffert* » (P. Eluard).

> « Et je *sais qu'il ne faut pas* rompre l'enchantement » (L. Aragon).

> « On a tort de *croire qu'elle ne sait* que se taire » (F. Jammes).

> « *Voici que les printemps inévitables et la danse inévitable des petits flots me soumettront et m'enchanteront*, moi, l'enchanteresse » (G. Apollinaire).

- *b* - Subjonctif. Mais ces verbes peuvent entraîner le subjonctif dès l'instant qu'on sort de la structure ci-dessus et que le fait est nié ou considéré comme douteux, incertain. De là deux séries d'emplois du subjonctif :

— dans la première, ces verbes sont de modalité affirmative négative, de forme par l'intermédiaire d'un adverbe négatif ou de sens (*nier* et verbes de doute : *douter, contester*) :

> « *Je ne crois pas que* cette forme liquide de la douleur *ait* une grande valeur aux yeux de la divinité » (L. Aragon).

> « *Je doute que* son affection pour moi *soit* bien vive » (A. Gide).

ou de modalité interrogative :

> « *Pourquoi penses-tu que je t'aie amené* ici ? » (J. Gracq).

ou forment le centre d'une proposition hypothétique :

> « *Si nous croyons que la machine abîme l'homme*, c'est que, peut-être, nous manquons un peu de recul... » (A. de Saint-Exupéry).

Cependant, même dans les conditions ci-dessus, le verbe de la complétive reste à l'indicatif si l'on veut insister sur le caractère certain du fait indiqué par cette complétive, ou que domine l'idée affirmative du verbe principal :

> « Et cependant longtemps *je n'imaginais pas que je pouvais être* ailleurs qu'à son ombre » (P. Claudel).

> « *Crois-tu que je pourrai vivre*, moi, sans elle ? » (J. Anouilh).

> « *Et si on réfléchit qu'il est* le gendre du directeur, ça devient monstrueux » (M. Aymé).

> *NB :* - 1 - Cette possibilité est exclue pour les verbes de sens négatif qui ne peuvent se faire suivre éventuellement de l'indicatif qu'à condition qu'ils soient à la forme négative, c'est-à-dire quand ils prennent un sens affirmatif positif : « je ne doute pas » = « je sais », « je ne nie pas » = « j'admets » :

> > « Je ne vous nierai pas, Seigneur, que ses soupirs
> > M'*ont daigné* quelquefois expliquer ses désirs » (Racine).

> - 2 - L'indicatif est de règle quand l'interrogation, très proche de l'exclamation, a simple valeur affective et qu'elle prend seulement à témoin (« crois-tu qu'il fait beau ?! ») et quand l'interrogation est négative et qu'elle équivaut en fait à une affirmation (« ne crois-tu pas que j'ai raison ? » = « tu crois assurément que... ») :

> > « Vous croyez que c'*est* intéressant les malheurs des autres ? » (F. Mallet-Joris).

— dans la seconde série d'emplois, la complétive se trouve en position inversée et précède la principale où elle se trouve représentée par un pronom neutre ou un pronom adverbial, dans un système de phrase disloquée.

Le fait annoncé avant toute affirmation reste en suspens et demeure dans le domaine de ce qui est possible, éventuel :

> « Que charité *soit* synonyme d'amour, tu *l'*avais oublié, si tu *l'*avais jamais su » (F. Mauriac).

- 2 - *Verbes de volonté et de sentiment*

Le mode subjonctif intervient quand le verbe support implique un fait voulu, donc quand il s'agit d'un verbe de volonté, c'est-à-dire qui exprime désir, commandement, interdiction, etc. :

> « *Empêchez que je sois* à cette maison [...] une cause de corruption » (P. Claudel).

ou quand le verbe support implique un fait certain mais présenté avec une nuance affective d'approbation ou de réprobation, donc quand il s'agit d'un verbe de sentiment, c'est-à-dire qui exprime admiration, joie, regret, tristesse, etc. :

> « *Je regrette qu'il n'y ait pas* de soleil » (P. Morand).

> *NB :* - 1 - Certains verbes de volonté exprimant la décision, c'est-à-dire impliquant un fait dont la réalisation est considérée comme inéluctable, se construisent avec l'indicatif, le plus souvent au futur ou au conditionnel futur dans le passé. Il s'agit de verbes tels *arrêter, décider, décréter*, etc. :

> > « Mais les gars de Heurtebise *décident qu'on ira* jusqu'au bout, *qu'on en aura* le cœur net » (G. Bernanos).

> - 2 - Certains verbes de sentiment peuvent se construire avec la locution *de ce que* et se faire suivre éventuellement de l'indicatif dans la complétive. La locution, qui garde une espèce de valeur nominale grâce au *ce*, donne une certaine épaisseur à la raison qui provoque le sentiment, d'où l'indicatif qui présente cette raison comme palpable. Il s'agit de verbes tels *se féliciter, s'indigner, se plaindre*, etc. :

> > « Yves *se réjouit de ce que Jean-Louis protestait* vivement » (F. Mauriac).

- 3 - *Verbes à plusieurs sens*

Certains verbes peuvent prendre des valeurs de sens différentes et se ranger, suivant le cas, dans la catégorie des verbes d'affirmation, de volonté, d'interrogation. D'où, en conséquence, une complétive qui peut être soit à l'indicatif soit au subjonctif, comme on le voit avec le verbe *dire* :

> « On dit qu'elles me *ressemblent* beaucoup » (M. Aymé).
> • Verbe d'affirmation, indicatif.

> « Va dire à ma chère Ile, là-bas, tout là-bas,
> [...]
> Que je viendrai vers elle ce soir, qu'elle *attende* » (P. de La Tour du Pin).
> • Verbe de volonté, subjonctif.

> « Dites-moi qui vous *étiez* » (J. Cocteau).
> • Verbe d'interrogation, indicatif.

b | Interrogative indirecte

La subordonnée complétive interrogative indirecte ne se distingue de la proposition interrogative directe que par la forme (cf. p. 243, - 2 -). En ce qui concerne le mode, il n'y a aucune différence, le verbe principal étant toujours un verbe d'affirmation, c'est-à-dire posant le fait, comme *demander*, qui exprime l'interrogation, ou d'autres comme *dire, indiquer, savoir*, etc., utilisés par extension. L'indicatif s'impose donc en tant que mode qui implique une certitude, qui actualise :

> « Elle se demande *qui elle a pu être*, dans l'entourage de Marie-Antoinette » (A. Breton).

> « Ce fut alors qu'on connut *qui était à bord* » (M. Jacob).

Si l'interrogative indirecte exprime la délibération ou une éventualité, on emploie le mode infinitif, qui est apte à rendre compte de ces valeurs, à la condition générale que les deux verbes aient le même sujet, explicite pour le verbe principal, implicite pour l'infinitif de la subordonnée :

> « Alain, dit Cyrille, ne sachant *que dire*, tu es un peu parti » (P. Drieu La Rochelle).

> *NB :* Le subjonctif, couramment employé dans la langue médiévale, se rencontre parfois au XVIIᵉ siècle quand il s'agit de traduire une simple éventualité (les emplois du subjonctif équivalent du conditionnel existent en revanche encore dans une langue littéraire) :

> « M. de Beauvais […] ne se souciait pas qui *fût* roi » (Regnard).

3. Concordance des temps

Le verbe qui se fait accompagner d'une complétive peut être à n'importe quel mode personnel ou non personnel. Mais c'est son temps à l'un ou l'autre de ces modes qui engage souvent celui de la subordonnée. Ce phénomène d'accommodation temporelle s'appelle *concordance des temps*. Il concerne tout particulièrement la complétive objet dans la mesure où celle-ci est très étroitement liée à la principale, sans qu'il y ait cependant d'automatisme dans l'appariement temporel, le sens gouvernant en définitive le choix du temps.

Quant aux relatives et aux circonstancielles, elles sont bien plus indépendantes et leur temps, en conséquence, n'est pas astreint à s'adapter plus ou moins systématiquement à celui de leur principale :

> « Sur la mer, que *j'aimais* comme si *elle eût dû* me laver d'une souillure, je voyais se lever la croix consolatrice » (A. Rimbaud).

Les règles générales de la concordance des temps s'établissent selon que la complétive est à l'indicatif ou au subjonctif et selon que la principale est au présent, au futur ou au passé. Le temps de la complétive marque simultanéité, antériorité ou postériorité par rapport à la principale.

a | Complétive à l'indicatif

- 1 - *Verbe principal au présent ou au futur*
La complétive se met au temps exigé par le sens, c'est-à-dire l'indicatif présent, passé ou futur, comme s'il s'agissait d'une indépendante, selon que l'action de cette complétive est simultanée, antérieure ou postérieure par rapport à l'action exprimée par le verbe de la proposition principale :

— Simultanéité :

« Il constate qu'elle [la valise] *est* ouverte » (A. Gide).

— Antériorité :

« J'ose dire que je *fis* une belle défense et que la lutte *fut* royale et complète » (P. Claudel).

— Postériorité :

« Je pense qu'elle me *verra* partir avec soulagement et plaisir » (A. Gide).

- 2 - *Verbe principal au passé*
La complétive se met au temps exigé par le sens, c'est-à-dire l'indicatif imparfait, plus-que-parfait ou conditionnel dans son emploi de futur ou futur antérieur dans le passé, selon que l'action de cette complétive est simultanée, antérieure ou postérieure par rapport à l'action exprimée par le verbe de la proposition principale :

— Simultanéité, l'imparfait remplace le présent :

« Edmée découvrait que non seulement Frank *était* léger, mais que sa tête *était* légère » (J. Giraudoux).

— Antériorité, le plus-que-parfait remplace le passé simple ou composé :

« C'est pourtant vrai, je ne savais plus que j'*avais eu* des jouets » (J. Anouilh).

— Postériorité, le conditionnel futur ou futur antérieur dans le passé remplace le futur ou le futur antérieur :

> « Et je t'ai dit que je te *porterais* des fleurs » (F. Arrabal).

> « Je croyais que vous m'*auriez voulu* » (J. Anouilh).

> *NB :* Ces transformations de temps ne sont cependant pas systématiques. Ainsi, on peut trouver dans la complétive un présent à valeur gnomique, ou un présent ou un futur exprimant le moment de la parole, etc. :

> > « Ces quelques heures m'avaient suffi pour me montrer *que l'Enfer est partout où n'est pas Jésus-Christ* » (P. Claudel).
> > • Valeur gnomique du présent de l'indicatif.

b | Complétive au subjonctif

- 1 - Verbe principal au présent ou au futur

La complétive se met au subjonctif présent si l'action de cette complétive est simultanée ou postérieure par rapport à l'action exprimée par le verbe de la proposition principale; et au subjonctif passé si elle lui est antérieure. Le subjonctif ne disposant que d'un nombre restreint de temps, on observe que son présent a valeur de présent et de futur :

— Simultanéité et postériorité :

> « Je veux qu'on *se taise* » (A. Breton).

— Antériorité :

> « Je crains que vous *n'ayez rien compris* » (P. Claudel).

- 2 - Verbe principal au passé

La complétive se met au subjonctif imparfait si l'action de cette complétive est simultanée ou postérieure par rapport à l'action exprimée par le verbe de la proposition principale; et au subjonctif plus-que-parfait si elle lui est antérieure :

— Simultanéité et postériorité, l'imparfait remplace le présent :

> « Ah, je n'avais pas besoin qu'on m'*expliquât* ce qu'était l'Enfer » (P. Claudel).

— Antériorité, le plus-que-parfait remplace le passé :

> « Rien ne pouvait plus empêcher qu'il l'*eût tué* » (H. de Montherlant).

NB : Comme pour la complétive à l'indicatif (cf. p. 252, *NB*), il n'y a pas d'application systématique de ces accommodements temporels. Une subordonnée au présent peut ainsi dépendre d'une principale au passé si on la situe dans le moment de la parole ou si elle exprime une vérité générale :

> « A qui voulais-tu donc que je *téléphone* ? » (J. Anouilh).
> • Actualité.

- 3 - *Verbe principal au conditionnel*

— Si ce verbe est au conditionnel *présent*, le verbe de la complétive se met aujourd'hui au subjonctif présent, à la limite à l'imparfait, pour exprimer une action présente ou future, alors que la langue classique mettait l'imparfait, qui se rencontre encore dans une langue soutenue :

> « La flamme éclairerait sa figure et ses mains,
> Et nous attendrions que sa bouche *remue* » (J. Romains).

> « Il se pourrait donc que ces exemples *vérifiassent* l'hypothèse au lieu de la contredire » (C. Lévy-Strauss).

Pour exprimer une action passée, la langue moderne utilise le subjonctif passé dans la subordonnée, la langue classique et littéraire le plus-que-parfait :

> « Et si je mourais sans être arrivé au bout, est-ce que tu préférerais que je *n'aie jamais existé* ? » (F. Mallet-Joris).

> « Je voudrais bien qu'on m'*eût dit* ce qu'il faut faire » (Vaugelas).

— Si le verbe principal est au conditionnel *passé*, le verbe de la complétive se met aujourd'hui au subjonctif présent pour exprimer une action présente ou future, alors que la langue classique mettait l'imparfait, aujourd'hui encore la langue littéraire :

> « Je n'aurais pas pensé que vous *alliez partir* au milieu de la nuit » (J. Anouilh).

> « Il aurait mieux valu qu'ils *restassent* dans l'ombre, méprisés ou ignorés, vivotant de leur métier » (M. Déon).

Pour exprimer une action passée, la langue moderne utilise le subjonctif passé dans la subordonnée, la langue classique et littéraire le plus-que-parfait :

> « J'aurais préféré que tu l'*aies avoué* toi-même » (J. Cocteau).

> « Il aurait voulu qu'elle *eût été* jusqu'à ce jour une petite Marie Ransinangue » (F. Mauriac).

NB : En tout état de cause, la langue contemporaine fait un usage très réservé des imparfaits et surtout des plus-que-parfaits du subjonctif, régulièrement employés en langue classique, à cause de leur conjugaison compliquée, de leurs formes obsolètes et de leur consonance étrange à une oreille d'aujourd'hui. Il n'est guère que la troisième personne du singulier de l'imparfait qui soit encore d'usage dans la langue littéraire, qui préfère souvent recourir à d'autres tours pour éviter les autres formes. La langue parlée, elle, remplace systématiquement l'imparfait par le présent et le plus-que-parfait par le passé de ce mode, ce qui apparaît chez certains auteurs calquant plus ou moins cette langue :

> « Il a fallu qu'il me *repêche* » (L.-F. Céline).

4. Discours indirect et indirect libre

Des paroles ou des pensées peuvent être rapportées de trois façons différentes par le *discours* (ou style) *direct, indirect* et *indirect libre*.

a | Les trois discours

- 1 - *Discours direct*

Il propose une transcription textuelle des paroles ou pensées. Cette transposition prend deux formes. Ou bien celui qui parle et qui raconte sont une seule et même personne, c'est-à-dire que locuteur et narrateur se superposent dans un récit à la première personne comme dans les *Confessions* de J.-J. Rousseau ou les *Nouveaux Mémoires intérieurs* de F. Mauriac :

> « Je sens mon cœur et je connais les hommes. Je ne suis fait comme aucun de ceux que j'ai vus », etc. (J.-J. Rousseau).

> « Le nom de poète, je me moque bien qu'on me l'ait dénié !
> J'en suis un et je n'aurai même été que cela », etc. (F. Mauriac).

Ou bien le narrateur donne la parole à un locuteur pour une intervention limitée annoncée par deux points et encadrée par des guillemets; dans les dialogues, un tiret annonce et sépare les interventions :

> « Il s'est retourné et a marché vers le mur sur lequel il a passé sa main lentement : "Aimez-vous donc cette terre à ce point ?", a-t-il murmuré » (A. Camus).

> « — Nous prenons bien part, Félicie, dit le papé.
> — Merci bien, dit Félicie » (J. Giono).

- 2 - *Discours indirect*

Il ne propose pas une transcription textuelle des paroles ou pensées, mais il les rapporte par l'intermédiaire d'un verbe annonçant une prise de parole (*dire, demander,* etc.) suivi d'une subordonnée complétive complément d'objet, sauf éventuellement à l'impératif, transcrivant non les paroles ou pensées mais leur sens :

« Je ne peux pas *dire que* je me sente allégé ni content » (J.-P. Sartre).

« *Dis-moi si* tu aimes mes cheveux... » (B. Vian).

- 3 - *Discours indirect libre*

Il se situe de façon intermédiaire entre le discours direct et le discours indirect. Principale et subordonnants sont supprimés, ce qui allège beaucoup la phrase. Seulement parfois signalé par un mot indiquant une prise de parole, il se réduit en somme à une suite de propositions indépendantes suivant la même syntaxe que les subordonnées du discours indirect, sauf pour l'interrogation qui conserve la syntaxe du discours direct :

« Mme de Villeron protesta qu'elle n'y avait jamais songé. *Mais son amie, Emma Buffaut, venait d'organiser à Versailles un syndicat de l'aiguille et réclamait depuis plusieurs mois sa visite... Lucile n'avait aucun rendez-vous pour la fin du mois : il fallait saisir l'occasion. L'air de Versailles serait excellent pour Marie* » (F. Mauriac).

« Poupette ne comprit pas ma question ; elle m'aimait, Zaza m'aimait : *de quoi m'inquiétais-je ?* » (S. de Beauvoir).

Il est parfois très délicat de faire le partage entre le discours indirect libre et la narration d'auteur :

« La porte de Xavière était fermée de l'intérieur. *On croirait à un accident ou à un suicide.* "De toute façon, il n'y aura pas de preuve", pensa-t-elle » (S. de Beauvoir).

La phrase en italique rapporte-t-elle un fragment de monologue intérieur en discours indirect libre ou s'agit-il d'un élément de la narration ?

b | *Syntaxe du discours indirect*

Le discours indirect a comme principale caractéristique d'être formé de complétives compléments d'objet, mis à part, éventuellement, pour l'impératif. Par rapport au discours direct, on observe donc un certain nombre de changements dans le mode, le temps et la personne.

- 1 - *Changements dans le mode*

Le mode est le même que dans le discours direct :

« Les rapports disent que la lutte *a été acharnée* » (J. Romains).

« Une créature s'évade hors de l'île déserte où tu imaginais qu'elle *vivrait* près de toi jusqu'à la fin » (F. Mauriac).

sauf si la proposition est à l'impératif : la subordonnée qui lui correspond au discours indirect se met au subjonctif ou est remplacée par un infinitif précédé par *de* :

> « Va dire à ma chère Ile, là-bas, tout là-bas,
> [...]
> Que je viendrai vers elle ce soir, *qu'elle attende* » (P. de La Tour du Pin).

> « Je la suppliais *de n'en rien faire* » (J.-P. Sartre).

- 2 - *Changements dans le temps*

Il n'y a de changement qu'en vertu de l'application des règles de la concordance des temps. En effet, si le verbe introducteur est au présent ou au futur, le temps est le même qu'en discours direct :

> « On ne peut pas dire qu'elle *est* belle » (E. Ionesco).

Mais si le verbe introducteur est au passé la proposition du discours direct qui serait au présent passe à l'imparfait dans le discours indirect, celle qui serait au passé passe au plus-que-parfait, celle qui serait au futur passe au conditionnel à valeur de futur dans le passé :

> « Elle répondit au vieil homme qu'elle *acceptait* de devenir sa femme » (M. Aymé).

> « Et je t'ai demandé qui l'*avait inventée* [cette histoire] » (F. Arrabal).

> « Il nous a bien assurés, [...], qu'on *serait* sûrement récompensés » (L.-F. Céline).

- 3 - *Changements dans la personne*

Il concerne les pronoms personnels et les pronoms et adjectifs possessifs de première et de deuxième personne, ceux de troisième personne ne subissant pas de transposition. Les pronoms et adjectifs de première et deuxième personne passent en général à la troisième personne :

> « Il ne comprend pas davantage pourquoi Marcelle *l*'a quitté » (E. Dabit).
> • « Pourquoi *m*'a-t-elle quitté ? »

> « Il sourit à la serveuse quand on lui demanda s'*il* était satisfait » (J. Cayrol).
> • « Etes-*vous* satisfait ? »

Cependant, si les propos rapportés impliquent le locuteur ou le destinataire, les transpositions varient :

> « La dame a eu beau jeu pour me rétorquer que *je* niais les droits de l'Eglise enseignante » (F. Mauriac).
> • « *Vous* niez... »

- 4 - *Changements des démonstratifs et adverbes de lieu et de temps*
Les pronoms-adjectifs démonstratifs *ceci, ce...-ci* sont en général remplacés par *cela, ce...-là*; l'adverbe de lieu *ici* par *là*; les adverbes de temps *hier* par *la veille, aujourd'hui* par *le jour même, demain* par *le lendemain, maintenant* par *alors*, etc. :

> « Elle [...] l'avertit qu'elle l'attendrait toute la journée, *le surlendemain,* qui était un dimanche » (F. Mauriac).

E - La complétive complément de détermination

On rangera sous cette rubrique les complétives ayant le statut du nom complément du nom, de l'adjectif et de l'adverbe (cf. *le complément*, p. 203, II).

1. La complétive complément du nom

a | Forme et place

La complétive, introduite par *que*, détermine le nom à la façon d'un nom complément d'un nom exprimant l'objet d'une action (cf. p. 206, *3*). Le support exprime en général une idée d'affirmation, soit la connaissance comme *bruit, nouvelle, souvenir*, etc., la déclaration comme *affirmation, annonce, promesse*, etc., l'opinion comme *espérance, pensée, supposition*, etc. Quand on a affaire à des locutions verbales comme *avoir le désir* ou *concevoir l'espoir*, il semble préférable, ces locutions étant senties comme un tout, de les assimiler purement et simplement à des verbes *(= désirer, espérer)* et de faire de la complétive un complément d'objet.

La complétive se place toujours après le nom et le suit d'habitude directement, sans pause à l'oral et sans virgule à l'écrit. Elle fait pour ainsi dire corps avec son support, ce qui interdit de la confondre avec la complétive apposition, séparée de son support par une pause, le plus souvent marquée à l'écrit par une virgule (cf. p. 240). Le support est toujours précédé d'un article défini ou d'un démonstratif :

> « *La pensée que Bonnava avait agi par calcul et non par vengeance* faisait tomber la colère de Patrick » (R. Abellio).

> « Pénétré de *cette idée que la foule pense d'abord avec ses sens*, [...], le Théâtre de la Cruauté se propose de recourir au spectacle de masses » (A. Artaud).

b | Mode

Si le support exprime un fait **certain** ou donné comme tel, le mode est l'indicatif :

> « Oui, on avait la sensation étrange qu'elle *était* là avec son mari » (M. Toesca).

Si le support introduit une notion d'incertitude, le mode est le subjonctif :

> « Il faut donc renoncer à l'idée que l'état de civilisation *ait pu* dans le passé modifier la substance humaine, et qu'il *soit appelé* à la modifier encore dans l'avenir » (J. Rostand).

2. La complétive complément d'adjectif

a | Forme et place

La complétive détermine l'adjectif à la façon du nom complément d'un adjectif exprimant l'objet d'une action (cf. p. 215, *3*) ou un sentiment, une opinion, comme *convaincu, désireux,* ou *content, sûr,* etc.

Elle se trouve normalement introduite par la conjonction *que*; seuls certains adjectifs ou participes passés à valeur adjective peuvent se faire suivre des groupes prépositionnels *à ce que, de ce que* comme *attentif (à ce que), heureux (de ce que), satisfait (de ce que),* etc.; ces tours peu élégants tendent à se répandre surtout dans la langue parlée :

> « LIANE. — C'est un reproche si tu me condamnes...
> FLORENT. — A quoi ? A travailler ? A devenir *digne qu'on te supplie, qu'on te paye une fortune ?* » (J. Cocteau).

> « Et tout à coup *ouvert à ce que cette soirée comportait de confirmation pesante,* il me semblait que je savais maintenant que le vieux Carlo allait mourir » (J. Gracq).

Elle se place d'ordinaire après l'adjectif et dans ce cas aucune pause ne l'en sépare à l'oral, ni aucune virgule à l'écrit. Mais elle jouit d'une certaine mobilité et peut se placer par prolepse avant l'adjectif, l'adverbe pronominal *en* la rappelant dans la principale :

> « *Que Louis se fût enfin décidé,* elle *en* était tout exaltée, mais aussi un peu honteuse, voire inquiète » (H. Bazin).

On se gardera de confondre la complétive complément d'adjectif avec la subordonnée de comparaison quand celle-ci dépend d'un adjectif au comparatif (cf. p. 299, - 2 -).

b | Mode

Si le support implique que le fait exprimé dans la complétive est certain ou considéré comme tel, le mode est l'indicatif. Ce mode est entraîné par des adjectifs exprimant la connaissance :

« Et toi, Hugo, tu es *sûr que tu ne t'es jamais menti...?* » (J.-P. Sartre).

Si le support implique que le fait exprimé dans la complétive est douteux, simplement envisagé, présenté comme le résultat d'un mouvement affectif, le mode est le subjonctif. Ce mode est entraîné par des adjectifs exprimant un sentiment :

« Elle vomit cette chose qu'elle avait toujours détestée et dont elle était *heureuse*, maintenant, *qu'on la débarrassât* » (B. Pingaud).

Mais la langue admet également le subjonctif si la principale est négative, interrogative ou hypothétique, quoique l'adjectif exprime la connaissance :

« *On n'est jamais sûr que ce ne soit pas* la Gestapo qui vienne ouvrir » (R. Vailland).

Il est possible, à l'inverse, qu'un adjectif exprimant un sentiment introduise une complétive à l'indicatif si le subordonnant est *de ce que*. Les raisons sont les mêmes que pour un verbe de sentiment construit de cette façon (cf. p. 249, *NB* - 2 -).

3. La complétive complément d'adverbe

a | Forme et place

Une structure particulière est représentée par des phrases où la principale sans verbe est réduite à un simple adverbe suivi de *que* exprimant en général un jugement affirmatif, négatif, suppositif, etc., comme *assurément (que)*, *non (que)*, *peut-être (que)*, etc. Il est à observer que ces principales sans verbe peuvent être représentées aussi par un adjectif ou un nom équivalant à des adverbes : *Possible (que)* = « peut-être (que) », *nul doute (que)* = « assurément (que) », etc. Ces complétives prennent toujours place après l'adverbe :

« *Heureusement que* je sors de scène avant eux tous » (J. Cocteau).

« *Bien sûr qu'*ils bâillent! » (G. Bernanos).

Très souvent ces tournures sont propres au langage parlé familier comme le montre l'exemple de Bernanos : c'est un simple curé de campagne au langage sans fioritures qui s'exprime.

b | Mode

Si l'adverbe support pose le fait comme certain, on a l'indicatif :

> « Heureusement que la poche *n'était pas percée* comme les autres »
> (J. Cayrol).

Si le fait est simplement envisagé, on a le subjonctif :

> « Non pas qu'il ne *fût* jamais semblable à lui-même, mais il ne donnait
> pas l'impression, [...], d'être une simple gargouille de l'humanité »
> (J. Giraudoux).

F - La complétive terme complétif

Une place à part doit être réservée à cette structure spéciale. Il s'agit de la construction où une proposition complétive accompagne soit un verbe impersonnel, soit un verbe ou une locution de forme impersonnelle. On ne peut, d'un point de vue morphosyntaxique, faire des éléments qui accompagnent ces verbes ou locutions un sujet dit « réel », le sujet neutre du verbe étant considéré comme un sujet dit « apparent » (cf. *sujet*, p. 99, - 3 -). En fait, la conjonctive (comme le substantif ou l'infinitif) qui accompagne l'impersonnel sert à compléter le sujet vrai de celui-ci (*il* en général), sorte d'indice neutre de troisième personne du singulier, elle lui donne son sens dans une espèce de relation d'équivalence qui en assure la « complétude ». C'est pourquoi la fonction de la complétive dans ces structures ne peut bien s'exprimer que par la notion spécifique de « terme complétif », inassimilable et irréductible à toute autre fonction.

1. Forme et place

a | Structure canonique

La complétive terme complétif, introduite par *que*, accompagne des verbes impersonnels comme *il faut, il appert*, etc., de forme impersonnelle comme *il convient, importe, reste*, etc., et de nombreuses locutions de forme impersonnelle composées avec *être* + adjectif le plus souvent, comme *il (ce, cela) est bon, sûr, triste*, etc. Normalement la complétive suit la séquence impersonnelle :

> « Car il y a une chose qu'*il faut que vous appreniez...* » (J. Anouilh).

Mais la complétive peut, dans une construction rare, se trouver en tête pour un effet affectif de mise en relief :

> « *Que la plus plate musique puisse se faire entendre par de tels procédés,*
> c'est ce qui est évident » (Alain).

On peut la considérer soit comme terme complétif en position inversée, soit comme apposition au sujet *c'*(est) (cf. p. 238, *NB* - 1 -).

b | *Ellipse*

La séquence impersonnelle est susceptible de se présenter sous une forme elliptique :

— soit, quand il s'agit d'un verbe, il peut y avoir effacement de l'indice sujet neutre, d'où des séquences comme *d'où vient, peu importe, reste (que)* :

> « *N'empêche qu'*on le tient à l'écart, *qu'*on le laisse seul avec ses souvenirs » (E. Dabit).

— soit, quand il s'agit d'une locution verbale *être* + adjectif, la séquence se trouve réduite au seul adjectif :

> « *Bizarre qu'*il se sentît si peu vainqueur » (L. Aragon).

2. Mode

a | *Indicatif*

On a l'indicatif après les impersonnels constituant un support qui marque certitude ou du moins vraisemblance, comme *il est sûr, il est vrai, il semble, il est probable (que)*, etc. :

> « *Il est vrai que* depuis un certain temps les concepts d'instinct et de nature humaine *ont* mauvaise presse » (E. Badinter).

> « *Il me semblait que* dans les cérémonies catholiques, [...], je *trouverais* un excitant approprié » (P. Claudel).

b | *Subjonctif*

On a le subjonctif :

— après les impersonnels constituant un support qui contient une idée d'obligation, de possibilité, d'incertitude, ou qui exprime un sentiment comme *il faut, il se peut, il est douteux, il est triste (que)*, etc. :

> « Et *il se peut que* ces nefs de fous, [...], *aient été* des navires de pèlerinage » (M. Foucault).

> « *Cela serait bien étonnant que* vous le *laissiez* partir sans rien faire! » (J. Anouilh).

— après les impersonnels dont le support marque certitude ou vraisemblance si la séquence est négative, interrogative ou hypothétique :

> « *Il n'est pas sûr que* les témoignages qui nous sont parvenus, [...], de ces âges lointains nous *suggèrent* une idée très exacte... » (J. Romains).

> « *Est-ce vrai*, ma sœur, *que* Jacques *ait pu voir* les cloches revenir de Rome ? » (F. Mauriac).

> « Et *s'il était exact*, [...], *que* les approches de la vérité *soient devenues* de plus en plus compliquées et difficiles, il faudrait simplement continuer de faire le même pari » (J. Guéhenno).

c | Echanges

Une complétive normalement au subjonctif peut être à l'indicatif si on veut insister sur la notion de certitude ou de vraisemblance :

> « Il était seulement arrivé que j'en *étais sorti* » (P. Claudel).

De même qu'à l'inverse il peut se faire que certains supports entraînant normalement l'indicatif soient suivis du subjonctif si ce support véhicule un tant soit peu une idée de doute :

> « *Il est constant que nous tenions* à l'attachement des êtres que nous n'aimons pas ou que nous croyons mépriser » (F. Mauriac).

> « *Il semble que tu connaisses* les deux rives » (P. Emmanuel).

Le subjonctif s'impose en tout cas dans les rares cas d'inversion eu égard à la valeur d'incertitude consécutive à cette inversion, la subordonnée restant pour ainsi dire en suspens. Cf. l'exemple d'Alain, p. 260, *a*.

II - LA PROPOSITION CIRCONSTANCIELLE

Généralités

De même que le complément circonstanciel précise le sens de la proposition, de même la proposition circonstancielle précise le sens de la phrase. Elle complète la principale ou une autre subordonnée, mais, tout en apportant des précisions importantes, elle ne lui est pas nécessaire comme l'est la proposition complétive. Celle-ci accompagne un verbe de sens déterminé — verbe d'affirmation, de volonté, de sentiment, d'interrogation — alors que la proposition circonstancielle peut accompagner un verbe de n'importe quel sens.

La proposition circonstancielle est toujours introduite par une conjonction *(comme, quand, si,* etc.) ou une locution conjonctive *(après que, comme si, sans que,* etc.). Au cas où se succèdent plusieurs subordonnées circonstancielles en dépendance de la même conjonction ou locution conjonctive, on peut ne pas répéter l'élément subordonnant et le remplacer par *que* (cf. p. 310, *NB*) :

« *Quand* j'étais petit et *que* j'étais certain qu'un jour... » (G. Bataille).

Un problème délicat à résoudre est celui du classement des propositions circonstancielles. Un classement fondé sur des valeurs de sens ne peut être absolu dans la mesure où il est souvent difficile, par exemple, de faire un partage net entre proposition hypothétique et concessive (« même s'il avoue, on ne le croit pas ») ou entre proposition finale et consécutive (« il se cache en sorte qu'on ne le voie pas »). Un classement fondé sur la forme du subordonnant ne peut être retenu en échange du fait qu'un subordonnant peut introduire des propositions à valeurs de sens très différentes : *quand* introduit en général une subordonnée de temps, mais peut également se faire suivre d'une subordonnée hypothétique ou concessive (« quand je le voudrais, je ne le pourrais » / « il reste enfermé quand il fait si beau »).

Malgré les possibles difficultés d'interprétation, il convient de retenir le classement logique traditionnel établi sur les valeurs de sens, c'est-à-dire sur la résultante des rapports entre principale et subordonnée. Certaines propositions subordonnées abusivement rangées comme des catégories à part seront intégrées dans telle ou telle des catégories suivantes :

— *Proposition subordonnée temporelle :* elle indique une action qui a lieu pendant *(quand)*, avant *(après que)*, ou après *(avant que)* l'action énoncée dans la principale, l'action de la principale ayant donc lieu pendant, après ou avant l'action de la subordonnée. On peut aussi l'appeler proposition (subordonnée) de *temps.*

— *Proposition subordonnée causale :* elle indique pour quoi, pour quelle cause s'accomplit l'action énoncée dans la principale *(parce que)* ou la raison dont l'action exprimée dans la principale est la conséquence *(puisque).* On peut aussi l'appeler proposition (subordonnée) de *cause.*

— *Proposition subordonnée concessive :* elle indique le fait malgré lequel s'accomplit l'action énoncée dans la principale *(bien que).* On peut aussi l'appeler proposition (subordonnée) de *concession* ou d'*opposition.*

— *Proposition subordonnée consécutive :* elle indique ce qui résulte de l'action énoncée dans la principale *(de sorte que).* On peut aussi l'appeler proposition (subordonnée) de *conséquence.*

— *Proposition subordonnée finale* : elle indique dans quelle intention, dans quel but s'accomplit l'action énoncée dans la principale *(afin que)*. On peut aussi l'appeler proposition (subordonnée) de *but*.

— *Proposition subordonnée hypothétique* : elle indique à quelle condition peut s'accomplir l'action énoncée dans la principale, le fait sans lequel l'action énoncée dans la principale ne pourrait avoir lieu *(si)*. On peut aussi l'appeler proposition (subordonnée) de *condition* ou de *supposition*.

— *Proposition subordonnée comparative* : elle indique un rapport de ressemblance entre le fait qu'elle exprime et l'action énoncée dans la principale *(comme)*. On peut aussi l'appeler proposition (subordonnée) de *comparaison*.

Un type de proposition subordonnée circonstancielle n'entre dans aucune des catégories ci-dessus : la proposition « d'addition » introduite par *outre que*. En revanche est impropre d'établir des catégories particulières comme la proposition dite de « lieu » introduite par *où, où que*, etc., qui s'intègre à la proposition relative; comme la proposition dite de « manière », qui s'intègre à la proposition de comparaison quand elle est introduite par *comme* et à la proposition de conséquence ou de concession quand elle est introduite par *sans que, que... ne*; comme la proposition dite de « restriction » qui, introduite par des locutions conjonctives telles que *excepté que, sauf que, sinon que*, etc., s'intègre à la proposition de concession. S'il est vrai que des nuances subtiles peuvent s'établir dans les rapports entre principale et subordonnées, il est inutile de créer des catégories quand celles qui existent proposent sans difficulté une structure d'accueil.

A - La proposition temporelle

La proposition temporelle, ou de temps, indique le moment où se situe la principale par rapport à une autre action. C'est-à-dire que la subordonnée temporelle précise que la principale exprime une action qui est, par rapport à cette subordonnée, *simultanée, postérieure* ou *antérieure*. Pour ces deux derniers cas, il est évident que la subordonnée se trouve par rapport à la principale dans une position inversée, c'est-à-dire qu'elle lui est antérieure d'une part et postérieure de l'autre.

1. Subordonnants

De nombreux outils subordonnants introduisent la proposition temporelle et expriment, dans l'ensemble, des rapports tranchés. Il s'agit soit de simples conjonctions : *comme, lorsque, quand,* soit de locutions conjonctives : *après que, dès que, pendant que*, soit de locutions composites formées sur un substantif + *où* : *à l'instant où, au moment où, le jour où*, etc. Mais quelques conjonctions peuvent exprimer soit la simultanéité, soit la postériorité suivant la nature de l'opposition entre la forme verbale qu'elles régissent et celle de la principale. Ce sont *comme, lorsque, quand*.

2. Rapport entre principale et subordonnée

a | Simultanéité

La simultanéité peut se traduire par des conjonctions et locutions conjonctives exprimant diverses nuances telles que :

- 1 - *Simultanéité simple* avec *alors que, au moment où, comme, lorsque, quand*

« *Alors que* les invités se disperseront en ordre régulier, [...], Anne Desbaresde s'éclipsera » (M. Duras).

« Je pensais qu'*au moment où* les étoiles disparaîtraient, je serais certainement dans la rue » (G. Bataille).

« *Comme* j'entrai, elle tourna les yeux vers moi » (J. Giono).

« Comme le temps passe, *quand* on s'amuse » (S. Beckett).

- 2 - *Simultanéité à nuance durative* avec *à mesure que, aussi longtemps que, cependant que, comme, en même temps que, lorsque, pendant que, quand, tandis que, tant que*

« "Non, non", dit-il en souriant à Golda *cependant qu*'un nouveau flot de sang s'écoulait de ses yeux » (A. Schwartz-Bart).

« Ce *cunctator* dont le *De viris* [...] m'avait conté l'histoire *en même temps qu*'il m'apprenait ce que c'est que temporiser » (M. Leiris).

« Des mots inintelligibles résonnèrent à mes oreilles, *tandis que* j'écrivais sur le mur ces douces paroles » (M. Blanchot).

« J'allais mener la Douloire, *tant que* Clarius serait malade » (J. Giono).

- 3 - *Simultanéité à nuance itérative* avec *chaque fois que, lorsque, quand, toutes les fois que*

« Grave incertitude, *toutes les fois que* l'esprit se sent dépassé par lui-même; *quand* lui, le chercheur, est tout ensemble le pays obscur où il doit chercher » (M. Proust).

On remarquera que certains subordonnants tels *comme*, *lorsque*, *quand* peuvent exprimer l'une ou l'autre des nuances de la simultanéité. Ainsi, *lorsque* et *quand* expriment-ils une simultanéité itérative si le verbe de la principale est au présent ou à l'imparfait de l'indicatif :

> « *Lorsque* la pauvreté se conjugue avec cette vie sans ciel ni espoir [...], alors l'injustice dernière, et la plus révoltante, *est consommée* » (A. Camus).

De même, la conjonction *si* peut prendre une valeur temporelle itérative dans des phrases à l'indicatif présent :

> « *Si je remonte* les bords de l'étang, vent debout, les bécassines se lèvent sous mes pieds » (M. Déon).

b | *Postériorité*

Aucune nuance particulière ne sépare les différents subordonnants qui peuvent être *après que*, *aussitôt que*, *depuis que*, *dès que*, *sitôt que*, *une fois que* :

> « Elle [la littérature] est la présence des choses avant que le monde ne soit, leur persévérance *après que* le monde a disparu » (M. Blanchot).

> « Mais *une fois qu*'on a connu les faubourgs industriels, on se sent à jamais souillé » (A. Camus).

Les conjonctions *comme*, *lorsque* et *quand* prennent cette valeur de postériorité si le verbe qu'elles introduisent est à une forme composée alors que le verbe de la principale est à une forme simple :

> « *Lorsque nous aurons levé* les yeux au ciel, nous dirons de la lune : Elle est la banlieue de la Terre! » (H. Pichette).

NB : Une structure particulière, où n'intervient pas de subordonnant à proprement parler, se range également dans la rubrique postériorité. Il s'agit de la construction dite par « subordination inverse ». La subordonnée est placée en tête de phrase et se trouve reliée à la principale par l'outil conjonctif *que*, sorte d'inverseur de proposition; elle comprend la locution adverbiale *à peine*, entraînant l'inversion du sujet ou sa reprise si celui-ci est autre qu'un pronom personnel, *ce* ou *on*, ou la locution adverbiale négative *ne... pas... plus tôt/plutôt* :

> « *A peine* l'un d'eux était-il recruté par la firme *que*, selon son salaire et son poste, il devenait illico un collègue et un ennemi » (R.-V. Pilhes).

> « Vous *ne* serez *pas plus tôt* arrivés à Chamrousse *qu*'il en faudra repartir » (H. Bazin).

On peut rattacher à cette construction fondée sur un *que* inverseur qui lie une subordonnée à une principale marquant la postériorité les constructions suivantes : *Il y a* et les structures similaires ou les présentatifs *voici, voilà* + adverbe ou complément circonstanciel de temps :

« *Cela faisait bientôt trois ans qu*'il était libre » (L. Aragon).

« *Voilà dix ans que* j'interroge une bouche d'ombre qui garde le silence » (J. Cocteau).

c | Antériorité

Aucune nuance particulière ne sépare les subordonnants qui peuvent être *avant que, en attendant que, jusqu'à ce que, jusqu'au moment où* et, rarement, *que* si la principale est négative :

« Ce livre [...] dont peut-être, [...], j'aurais failli mourir *avant que* le sort se charge de m'éliminer » (M. Leiris).

« Passe deux ans, en passe trois, *jusqu'à ce qu*'un d'Aix, [...] loue En-chau pour un automne » (J. Giono).

« Je te jure qu'il *ne quittera pas la maison que* nous ne sachions le fin mot de son histoire » (F. Mauriac).

La locution conjonctive *avant que* peut ou non se faire accompagner d'un *ne* explétif :

« La vue de la petite madeleine ne m'avait rien rappelé *avant que je n'y eusse goûté* » (M. Proust).

« Les légionnaires accoururent. Ils s'alignèrent *avant même que Gilieth en eût donné l'ordre* » (P. Mac Orlan).

NB : L'antériorité dans la principale se rend aussi, comme la postériorité, par la subordination inverse. La subordonnée est à la forme affirmative négative avec intervention des locutions adverbiales négatives *ne... pas, ne... pas même, ne... pas encore*, etc., et de l'outil conjonctif inverseur *que* :

« *Nous n'avions pas encore fini d'étudier* [...] le dixième théorème de géométrie plane, *que* je me trouvais déjà en possession d'une carte assez satisfaisante de mes propriétés » (H. Vincenot).

3. Mode

Les propositions de temps se partagent entre l'indicatif et le subjonctif suivant les rapports établis entre principale et subordonnée.

a | Indicatif

Si la principale est simultanée ou postérieure par rapport à la subordonnée, l'indicatif s'impose, l'action de la subordonnée étant considérée comme en cours d'exécution dans un cas, comme déjà réalisée dans l'autre :

> « *Quand je vous vis*, sur de hauts talons vous marchiez dans la pluie » (J. Genet).
> • Simultanéité.

> « J'ai répondu que nous le ferions *dès qu'elle le voudrait* » (A. Camus).
> • Postériorité.

b | Subjonctif

Si la principale est antérieure par rapport à la subordonnée, le subjonctif s'impose, l'action de la subordonnée étant envisagée, donc d'une réalisation incertaine :

> « Il grelottait dans la nuit tiède *en attendant que la grille s'ouvrît* » (Colette).

4. Place

A l'instar du complément circonstanciel de temps, la subordonnée temporelle jouit d'une certaine mobilité eu égard à la lâcheté des liens qui l'unissent à sa principale. Si l'ordre principale + subordonnée domine, on peut trouver l'ordre inverse, en particulier quand on veut insister sur la succession chronologique des faits entre les deux propositions, l'action de la principale étant postérieure à celle de la subordonnée :

> « *Après qu'il eut longtemps cherché une entrée en matière*, le jeune homme risqua : "La belle nuit, n'est-ce pas ?" » (F. Mauriac).

> « *Dès que je me sentais utile ou aimée*, l'horizon s'éclairait » (S. de Beauvoir).

5. Equivalents

L'idée de temps et les différents rapports chronologiques entre principale et subordonnée peuvent s'exprimer par des procédés linguistiques se substituant à la subordonnée temporelle.

a | Juxtaposition et coordination

Les rapports chronologiques entre procès peuvent s'établir par la juxtaposition ou la coordination des propositions dans la chaîne phraséologique quand la principale marque simultanéité ou postériorité par rapport à la subordonnée. Il s'agit d'un phénomène de subordination implicite.

S'il y a simultanéité, les propositions se rangent dans l'ordre principale-subordonnée :

> « Juanito retombe sur le sol comme un petit coussin, *rattrape le chat du même mouvement* » (F. Mallet-Joris).
> • « En même temps qu'il rattrape le chat... »
> « Les eaux se gonflaient *et redescendaient lentement* » (A. Camus).
> • « En même temps qu'elles redescendaient. »

S'il y a postériorité, les propositions se rangent dans l'ordre subordonnée-principale. L'outil de coordination peut éventuellement souligner la succession chronologique déjà marquée par la position en second rang de ce qui serait une principale postérieure dans la construction par subordination avec *après que*, *dès que*, etc. :

> « Pizzaccio posa les yeux successivement sur chacun des cinq autres joueurs, *puis son regard revint sur celui-ci, sur celui-là* » (R. Vailland).
> • « Son regard revint... après qu'il eut posé les yeux... »

> *NB :* Dans une construction parataxique particulière exprimant la postériorité, tout se passe comme si on faisait l'économie de *à peine... que*, étant maintenue la structure propre à cette construction avec antéposition de la temporelle et inversion du sujet (cf. p. 266, *NB*) :

> « Avait-on poussé la porte et gravi le petit escalier, *on était accueilli par une odeur suffocante de carton chaud* » (J. Cabanis).
> • « On était accueilli... dès qu'on avait poussé la porte... »

b | Infinitif

L'infinitif présent ou passé est introduit par *avant de* lorsque l'action de la principale est antérieure; l'infinitif passé est introduit par *après* lorsque l'action de la principale est postérieure. Le sujet des verbes doit être identique :

> « Je ne savais pourtant pas ce qu'était le vrai malheur *avant de connaître* nos banlieues froides » (A. Camus).
> « Mais la société refuse que l'on dénomme le petit truc *avant de l'avoir subi* » (B. Vian).
> « Le lendemain, ça prend du côté de Niozelle *après avoir tourné* sur Oraison » (J. Giono).

Simplement précédé par *à* ou *de*, l'infinitif peut, rarement, marquer la simultanéité. L'identité du sujet entre principale et « subordonnée » est également requise :

> « *A se pencher*, pour compter les paliers, elle n'apercevait qu'un puits noir et profond » (A. Pieyre de Mandiargues).
> « Et *de regarder* ses formes [...], je me sens devant un don inexplicable, — une apparition » (A. Malraux).

c | Formes en -ant

- 1 - *Participe*

Il peut se substituer à la proposition temporelle de simultanéité ou de postériorité :

— En étant apposé, il permet de rendre soit la simultanéité par son emploi au présent, soit la postériorité par son emploi au passé; un adverbe de temps marque parfois explicitement le rapport de temps en accompagnant le participe ou le verbe principal :

> « *Et essuyant* les larmes de sang qui sillonnaient ses joues, Ernie se détourna de la jeune fille » (A. Schwartz-Bart).

> « *Pas plus tôt rentré* chez moi, le sommeil m'assomme comme un coup de masse » (J. Giono).

— En formant le centre d'une proposition participe, il permet de rendre la postériorité; également un adverbe de temps peut accompagner le participe ou le verbe principal :

> « *Le dernier point posé*, le greffier d'une petite voix nette relit sa petite écriture » (H. Bazin).

> « *Les pauvres — tes pauvres — une fois secourus*, tu ne t'en trouvais que plus à l'aise pour exiger ton dû des créatures vivant sous ta dépendance » (F. Mauriac).

- 2 - *Gérondif*

Il peut se substituer à la proposition temporelle de simultanéité; il est fréquemment précédé de l'adverbe *tout* renforçant l'idée de concomitance :

> « Blâmez si vous voulez, mais décemment, *et tout en criant* vive le roi! » (V. Hugo).

d | Substantifs et adjectifs

Quand ils sont apposés, substantifs et adjectifs se trouvent susceptibles de rendre compte de la simultanéité :

> « A Sri Lanka, Pierre comprit que le rêve qu'il avait eu, *enfant*, et qui n'avait pas cessé de le hanter depuis, était prémonitoire » (J. Chalon).

> « Elle n'était plus là mais n'en retenait pas moins dans sa couche celui qui, *vivante*, l'avait fuie » (F. Mauriac).

B - La proposition causale

La catégorie de la proposition subordonnée causale, ou de cause, regroupe des propositions de nuances diverses, allant même jusqu'à une véritable opposition avec *parce que* et *puisque* qui, par rapport à la principale, jouent un rôle exactement inverse.

On ne considérera pas les propositions introduites par *que* ou *de ce que*, après certains verbes de sentiment, comme des causales. S'il est vrai qu'une interprétation par le sens peut les en rapprocher, la structure morphosyntaxique des ensembles verbes + conjonction (*je me réjouis, je m'étonne que, de ce que*, etc.) interdit de voir en elles autre chose que des complétives. Elles sont liées très intimement au verbe et dépendent de lui étroitement, comme le montre la nécessité du pronom de rappel quand elles se trouvent en position inversée (« que tu aies réussi, je m'*en* réjouis »).

1. Subordonnants

On peut répartir les subordonnants en deux séries selon qu'ils introduisent une cause admise ou non.

a | Cause admise

La plupart des subordonnants de cause introduisent une proposition présentant un fait objectivement admis. Ce sont *à cause que* (archaïque), *attendu que, d'autant que, du fait que, du moment que, en ce que, étant donné que, sous prétexte que, vu que*, etc. Mais les plus usuels sont *comme, parce que, puisque* :

> « Et [Jean-Paul] s'excuse de vouloir faire la bête, *à cause qu*'il voulut trop faire l'ange » (F. Mauriac).

> « *Du moment que* leurs corps étaient là, leurs âmes étaient encore là » (P. Drieu La Rochelle).

> « A double tranchant, l'émission. Réconfortante, *en ce que* Jacqueline vit dans la paix... » (F. Mallet-Joris).

> « *Comme* il n'arrivait pas et que j'avais du temps, je me suis relevé » (F. Nourissier).

> « Ils [les canons de fusil] poussent vers le bas *parce qu*'ils sont plus lourds que la terre » (B. Vian).

> « *Puisqu*'il est assuré que les hommes ne se passent point de récompense, tel serait mon sauvage bonheur » (R. Nimier).

Une nuance importante sépare la notion causale introduite par *parce que* et *puisque* (et les subordonnants de valeur similaire comme *dès lors que, dès l'instant que, du moment que*). *Parce que* indique proprement la cause expliquant ce qui est dit dans la principale, la cause qui produit — ou a produit — l'action de la principale. *Puisque*, à l'inverse, introduit une subordonnée nécessitant une explication que va donner la principale; elle indique le motif dont l'action exprimée dans la principale est en quelque sorte la conséquence — valeur d'ailleurs soulignée par la position souvent antéposée de la subordonnée comme en attente d'une réponse et par la présence fréquente dans la principale d'un élément conclusif quelconque, *donc* par exemple. Dans la citation de B. Vian, c'est le poids des canons (subordonnée) qui les fait pousser vers le bas (principale). Dans celle de R. Nimier, de la constatation que la récompense est nécessaire aux hommes (subordonnée) résulte que c'est là que le locuteur trouvera son bonheur (principale).

b | Cause niée ou envisagée

La catégorie des subordonnants qui introduisent une proposition exprimant une cause niée ou simplement envisagée est très peu productive, contrairement à la précédente.

- 1 - *Cause niée*

On emploie *non (pas) que*, la proposition introduisant la cause admise étant introduite par *mais* adversatif, au besoin avec le renfort de *parce que* :

> « Il m'est toujours plus pénible qu'à quiconque de m'exprimer par le pronom JE; *non qu'*il faille voir là quelque signe particulier de mon orgueil, *mais parce que* ce mot JE résume pour moi la structure du monde » (M. Leiris).

> *NB :* La cause niée peut être aussi introduite par *ce n'est pas que*, où l'on peut voir une principale sous la forme *ce n'est pas* suivie de *que* ou une sorte de présentatif lexicalisé. Une proposition introduite par *ce n'est pas que* ou *non que* peut, isolée, former indépendante. Elle marque comme une réflexion après ce qui vient d'être dit :

> « Il était décidé à ne plus avoir affaire à des coquettes. *Non qu'il fût misogyne* » (R. Rolland).

- 2 - *Cause envisagée*

On emploie *soit que... soit que..., que... ou (que), que... ou non*, présentant chaque terme d'une alternative :

> « *Soit que* la foi qui crée soit tarie en moi, *soit que* la réalité ne se forme que dans la mémoire, les fleurs qu'on me montre aujourd'hui pour la première fois ne me semblent pas de vraies fleurs » (M. Proust).

2. Mode

Quand la cause est présentée comme certaine, c'est-à-dire après les subordonnants introduisant une cause admise, on a l'indicatif, comme dans les propositions temporelles :

> « Comme vous ne *pourrez* vous rendre ni via Monte della Farina, ni à l'Albergo Quirinale, vous arrêterez au taxi » (M. Butor).

Quand la cause est présentée comme fausse ou comme une alternative, c'est-à-dire après les subordonnants introduisant une cause niée ou envisagée, on a le subjonctif :

> « Dans toute l'histoire de l'esprit humain, l'étonnement a joué un rôle considérable et déployé de précieuses vertus. *Non qu'il ait été* suffisant; mais il a été indispensable » (J. Romains).

3. Place

La plupart des subordonnées causales se placent après la proposition principale parce qu'elles donnent réponse à la question implicite contenue dans cette principale. Mais avec *puisque*, étant donné que cette conjonction, inversement, pose une question implicite à laquelle la principale apporte une réponse, la subordonnée se place souvent avant :

> « Elle [mon horloge] me plaît, *parce qu'elle me rappelle cette loi* : on n'a rien sans peine » (Alain).

> « *Puisque j'ai vécu jusqu'au jour d'aujourd'hui*, y a pas de raison que ça ne continue pas » (R. de Obaldia).

Mais des raisons de mise en valeur stylistique de la causale peuvent modifier cet ordre :

> « *Et parce que les perceptions fortes et faibles se suivent selon une attente*, le nombre paraît comme objet » (Alain).

> « Le monde nous échappe *puisqu'il redevient lui-même* » (A. Camus).

Seule la proposition introduite par *comme* semble régulièrement demeurer en tête de phrase, sans doute eu égard à sa valeur proche de celle de *puisque* :

> « *Comme on ne les voyait plus venir*, on allait manger sans eux » (E. Ionesco).

4. Equivalents

La notion de cause peut s'exprimer par des moyens autres que la subordonnée causale.

a | Juxtaposition et coordination

Il s'agit du phénomène de subordination implicite :

— soit la succession des propositions entraîne seule un rapport logique de causalité :

> « La pauvreté, d'abord, n'a jamais été un malheur pour moi : *la lumière y répandait ses richesses* » (A. Camus).

— soit une conjonction de coordination explicative *car, en effet* introduit la seconde proposition et souligne sa valeur causale :

> « Mais peut-être est-il temps que je m'arrête, *car je m'aperçois que "ce que je crois" commence à ressembler un peu trop à ce que j'espère* » (J. Rostand).

b | Infinitif

Il se fait précéder des prépositions et locutions prépositives comme *à, de, faute de, à force de, pour, sous prétexte de*. *Par,* utilisé dans la langue classique, ne l'est plus aujourd'hui. Le sujet du verbe principal et celui de l'infinitif doivent être identiques :

> « *D'avoir tordu* le long du sentier les brins de genêt qui me frôlaient les mains, mes doigts sont restés âcres et verts » (Colette).

> « *Faute d'y être passés* [en prison], ils ne peuvent pas savoir à quoi ils condamnent les accusés » (M. Aymé).

> « Et j'ai toujours conçu que le bonheur leur venait [à ceux de mon peuple] comme la beauté à la statue *pour n'avoir point été cherché* » (A. de Saint-Exupéry).

c | Formes en -ant

- 1 - Participe

En apposition, il peut prendre une valeur causale :

> « *Étant la maîtresse du procureur Maillard*, il vous suffisait, pour me sauver, de lui dire la vérité » (M. Aymé).

> « Or l'instabilité de la science est une notion qui heurte le sens commun, *habitué à considérer la science* comme le domaine du positif, du permanent et du certain » (J. de Bourbon-Busset).

De même quand il forme le centre d'une proposition participe :

> « *Toutes leurs hardes portant l'étoile cousue au côté gauche*, Golda proposa qu'on sortît tout simplement en bras de chemise » (A. Schwartz-Bart).

> « *Sa quille retenue*
> *Au limon de l'îlot*,
> Une barque était morte » (R. Char).

- 2 - *Gérondif*

Il a aussi souvent une valeur adverbiale causale :

> « *En voulant bien* que je t'aime,
> Tu me donnes l'infini... » (F. Mauriac).

d | Adjectif et substantif

L'adjectif et le substantif en apposition peuvent prendre une valeur causale :

> « Mais, *rebelles* à la forme vide, les poètes le furent, par excès, à toute forme » (P. Emmanuel).

e | Proposition relative

La proposition est toujours à l'indicatif :

> « Le colonel, *qui avait horreur des conflits*, voulut en profiter pour parler d'autre chose » (A. Maurois).

C - La proposition concessive

L'appellation même de proposition concessive, ou de concession, doit être nuancée. Elle répond bien au sens de la subordonnée quand celle-ci indique un fait en dépit duquel s'accomplit l'action de la principale (« Bien qu'il fasse beau, Pierre reste à la maison »). Elle paraît moins appropriée lorsque la subordonnée indique seulement la coexistence avec la principale. Ainsi lorsque la subordonnée est introduite par *alors que, pendant que, tandis que*, etc., d'une part (« Pierre joue alors que Jean travaille »), ou *à moins que, excepté que, sans que*, etc., de l'autre (« Pierre se porte bien, excepté qu'il est un peu fatigué ») : on a plutôt affaire à une idée soit d'opposition, soit de restriction par rapport à la principale, au point qu'on pourrait appeler ces propositions adversatives ou restrictives.

C'est par souci d'éviter la création de catégories supplémentaires qu'on regroupe sous la seule dénomination de concessive ces différentes valeurs. Mais elles doivent cependant être soigneusement distinguées à l'intérieur de ce cadre unique : propositions concessives à valeur d'opposition intégrant la valeur de restriction, rare au demeurant, et propositions réellement concessives. Les subordonnants qui introduisent les unes et les autres sont dans l'ensemble spécifiques.

1. Subordonnants

a | Concessive à valeur adversative ou restrictive

- I - *Valeur adversative*
La concessive s'introduit le plus souvent par des outils conjonctifs marquant le temps et rendant compte d'une simultanéité entre principale et subordonnée tels *alors que, lorsque, lors même que, maintenant que, pendant que, quand, tandis que* :

> « Elle m'en voulait. Mais de quoi ? Sans doute d'être encore vivant *alors que* son fils, mon camarade, était mort » (P. Drieu La Rochelle).

> « *Maintenant que* nous arrivons au royaume, croyez-vous que je resterai en dehors ? » (A. Schwartz-Bart).

> « Mère, on m'écrit que tu blanchis comme la brousse à l'extrême hivernage
> *Quand* je devais être ta fête » (L. S. Senghor).

Elle peut également s'introduire par des outils conjonctifs marquant ou l'opposition absolue tels *au lieu que, (bien) loin que,* l'un et l'autre de peu d'usage en langue moderne :

> « L'espérance cherche des secours hors d'elle, *au lieu que* la foi se jette dans l'aventure forte d'elle seule » (Alain).

ou une simple opposition atténuée grâce à la conjonction hypothétique *si*, dépouillée de sa valeur, au sens de « s'il est vrai que » :

> « Mais, *si* cette question a quelques points de contact avec celle qui nous retient en ce moment, elles sont très loin de coïncider » (J. Romains).

Sans que peut introduire une concessive à simple valeur adversative, mais tout aussi bien une vraie concessive quand cette locution équivaut à *bien que... ne... pas.*

Opposer :

> « La mère s'était levée *sans qu'elle* [Aline] *s'en aperçut* » (H. Bazin).

Et :

> « La leçon se fixe souvent dans la mémoire *sans qu'on y pense* » (S. Weil).

- 2 - *Valeur restrictive*

La concessive s'introduit par des outils conjonctifs marquant la réserve ou l'exclusion tels *à moins que, excepté que/si, sauf que/si, si ce n'est que, sinon que*. Certains intègrent notion concessive et hypothétique :

> « L'on pouvait remettre sa pendule à l'heure. *A moins qu'*on ne voulût, [...], attendre que l'Angélus carillonnât à Saint-Jean de Brigues » (R. Dorgelès).

> « C'est pourquoi encore cette épidémie ne m'apprend rien, *sinon qu'*il faut la combattre à vos côtés » (A. Camus).

> « Aussi très peu de gens ont-ils eu à se plaindre de moi *sauf s'*ils sont grossièrement venus se jeter dans mon chemin » (H. Michaux).

b | *Concessive vraie*

Elle peut porter soit sur le procès de la subordonnée soit sur un des termes rattachés au procès. Dans le premier cas elle est introduite par des conjonctions, dans l'autre par des locutions de types variés.

- 1 - *Conjonctions*

- *a* - Si la concession concerne un fait qu'on ne met pas en doute, les conjonctions utilisées sont *bien que, encore que* (archaïque), *quoique* :

> « Et, *bien qu'*en aucune façon je ne puisse croire que j'en dirige l'exécution, Néanmoins, il est en mon pouvoir de manier en moi certains engins ou dispositifs » (F. Ponge).

> « Et qui sait voir la terre aboutir à des fruits,
> Point ne l'émeut l'échec *quoiqu'*il ait tout perdu » (R. Char).

De ce que, de valeur à la fois concessive et causale, est rare :

> « *De ce que* Proust a écrit d'admirables pages sur la jalousie, je me garderai de conclure que Proust, [...], était jaloux » (A. Maurois).

NB : Les conjonctions *en dépit que* et *malgré que* ne peuvent se faire suivre en théorie que du verbe *avoir*, comme dans l'ancienne langue. *En dépit que* a maintenu cette construction (« en dépit qu'il en ait »). *Malgré que* se construit aujourd'hui, dans une langue un peu relâchée, comme *bien que* ou *quoique*, le souvenir de son étymologie (*malgré* = « mauvais gré ») et du rôle de complément d'objet direct de *que* s'étant estompé. Sa valeur est souvent hypothétique.

- *b* - Si la concession concerne un fait supposé assimilable à une hypothèse, les conjonctions utilisées sont *alors même que, même si, quand, quand (bien)
même* :

> « Tout écrit possède un sens, *même si* ce sens est fort loin de celui que
> l'auteur avait voulu y mettre » (J.-P. Sartre).

> « *Quand* il [un mari] vaudrait son pesant d'or,
> Qu'il est lourd, qu'il est lourd et que je suis légère! » (Marie Noël).

> « On devrait tenir pour une impolitesse de décrire aux autres un
> mal de tête, une nausée, [...], *quand même* ce serait en termes choisis »
> (Alain).

Des tours introduisant une alternative comme *soit que... soit que, soit
que... ou (que), que... ou* + négation, en général *non* ou *pas*, sont équivalents.
Bien que la proposition soit spécialement proche de l'hypothétique, l'idée
concessive domine cependant au point qu'il semble préférable de ranger
ces tours à côté des conjonctions précédentes :

> « *Soit que je me repose ou que je me promène*
> Votre contact m'est cher » (J. Cocteau).

> « Il n'y a pas de révolution économique, *que ses moyens soient sanglants
> ou pacifiques*, qui n'apparaisse en même temps politique » (A. Camus).

> « *Que cela me fît plaisir ou non*, pour moi comme pour tout le monde
> c'était maintenant une jeune fille » (Vercors).

- 2 - *Locutions adverbiales, adjectives et relatives indéfinies*
- *a* - Si la concession concerne un adjectif ou, plus rarement, un adverbe,
elle est introduite par les locutions formées sur un adverbe, ou un élément
à valeur adverbiale, comme *pour... que, quelque... que, si (aussi,* cf. *NB* - 2 -,
p. 279) *... que, tout... que* :

> « Aux visages non plus, *pour peu que* les deux versants se vaillent, il ne
> semble manquer rien d'essentiel » (S. Beckett).

> « *Quelque déchu qu*'il soit, l'Ordre est le reliquaire de tout ce qui reste
> encore de magnanimité et d'honnêteté en Espagne » (H. de Montherlant).

> « Le climat de l'illégalité, *si légitime qu*'en soient les motifs, est inhumain »
> (R. Vailland).

> « Mais elle ne m'écoute pas, *toute attentive qu*'elle est au manège d'un
> homme qui passe à plusieurs reprises devant nous » (A. Breton).

> « *Aussi loin que* la science recule ses frontières [...], on entendra courir
> encore la meute chasseresse du poète » (Saint-John Perse).

La concessive peut être introduite par le seul *si*, mais il y a alors inversion du sujet :

> « La poésie involontaire, *si banale, si imparfaite, si grossière soit-elle,* est faite des rapports entre la vie et le monde » (P. Eluard).

NB : - 1 - L'expression *pour peu que*, étant porteuse d'une forte valeur de supposition, est souvent rangée dans les substituts de *si* hypothétique.

- 2 - Un laxisme assez répandu tend à substituer *aussi* à *si* dans la langue moderne, sans doute à cause du peu de poids phonétique de *si* :

> « L'expérience qu'elle [la poésie] octroie de la réalité — *aussi aiguë* soit-elle... » (J.-C. Renard).

> « J'ai des raisons de croire que le souvenir de nos amours, *aussi brèves qu*'elles aient été... » (M. Aymé).

> « *Aussi profondément qu*'il fût engagé dans la réussite artistique de ce livre, il ne s'était pas engagé qu'en elle » (A. Malraux).

- *b* - Si la concession concerne un substantif, elle est introduite par les locutions formées sur un adjectif indéfini, comme *quel que, quelque... que* :

> « *Quelle que* soit la méfiance qu'éprouve tout historien envers les célèbres "dates fatidiques" [...], c'est cependant bien... » (Daniel-Rops).

> « *Quelque idée que* l'on se fasse de l'origine et du sens de l'aventure humaine, la conquête de l'espace par l'astronautique est un triomphe pour l'homme » (P.-H. Simon).

- *c* - Si la concession concerne un pronom, elle est introduite par les locutions formées sur un pronom ou un adverbe relatifs indéfinis, comme *qui que, quoi que, où que, d'où que,* etc. :

> « Ils ne veulent pas convaincre *qui que* ce soit » (M. Cardinal).

> « Oui, j'essaierai de faire, pour tenir dans mes bras une petite créature, à mon image, *quoi que* je dise » (S. Beckett).

> « *Où que* j'aille désormais, [...], mon miel aura toujours le goût de la bruyère chaude » (F. Mauriac).

NB : Sans qu'on puisse là non plus parler proprement de subordonnant (cf. p. 266, *NB*), un *que* « inverseur » peut relier une proposition à valeur concessive placée en tête à une autre proposition qui joue le rôle de principale :

> « Un dix mille tonnes prendrait le *Gamineur* en écharpe et l'expédierait dans les fonds *qu*'elle ne s'en douterait pas » (H. Queffélec).
> • « Alors même que, même si..., elle... »

« Raymond était depuis des semaines un jeune homme soucieux de sa tenue, converti à l'hydrothérapie, sûr de plaire et occupé à séduire, *que* sa mère le considérait toujours comme un collégien malpropre » (F. Mauriac).

• « Bien que..., sa mère... »

2. Mode

L'indicatif et le subjonctif se distribuent, à l'intérieur des concessives à valeur d'opposition ou de restriction et des concessives vraies, selon qu'est admis ou non comme certain le fait exprimé par la subordonnée.

a | Concessive à valeur adversative ou restrictive

- 1 - Indicatif

La conjonction marquant une simple opposition ou restriction et le fait exprimé dans la subordonnée n'étant pas mis en cause ou en doute, on a l'indicatif. C'est le cas général :

« Le danseur ne revenait généralement pas pour la [danse] suivante *alors qu'on ne revoyait pas* Flora de la soirée » (B. Groult).

« Je ne savais rien d'elle [la société des hommes], *sinon que j'y logeais* » (A. de Saint-Exupéry).

- 2 - Subjonctif

En revanche, si la conjonction entraîne l'idée que le fait est envisagé, interprété, on a le subjonctif. Ainsi avec *à moins que*, *sans que*, éventuellement *au lieu que* :

« Le lecteur d'un grand roman, d'une grande biographie, vit une grande aventure *sans que sa sérénité en soit troublée* » (A. Maurois).

(Bien) loin que, qui récuse avec vigueur toute certitude au fait, est toujours suivi du subjonctif :

« *Loin que nous puissions modifier* notre situation à notre gré, il semble que nous ne puissions pas nous changer nous-mêmes » (J.-P. Sartre).

b | Concessive vraie

- 1 - Indicatif

L'indicatif intervient régulièrement quand la concession exprime un fait supposé ou possible qu'on admet, c'est-à-dire avec les conjonctions *alors même que*, *même si*, *quand*, *quand (bien) même* :

« Réduire l'imagination à l'esclavage, *quand bien même il y irait* de ce qu'on appelle grossièrement le bonheur, c'est se dérober à tout ce qu'on trouve, au fond de soi, de justice suprême » (A. Breton).

Mais les tours équivalents introduits par *soit que... soit que, que... ou*, et *que... ou* + négation entraînent le subjonctif par suite de la forte valeur d'incertitude qu'ils introduisent :

« C'est pourtant par ces médiocres-là que la Révolution sera faite, *que cela vous plaise ou non*, à vous et à vos semblables! » (J. Anouilh).

- 2 - *Subjonctif*

- *a* - On rencontre le subjonctif d'une part avec les conjonctions introduisant un fait qu'on ne met pas en doute, certes, mais qui demeure néanmoins un fait voulu (« Je veux bien que... »), telles *bien que, encore que, en dépit que, quoique* :

« Je ne dis pas que Dieu m'agrée par ces sortes d'hommages, *bien que* l'esprit qui les inspire *soit* plutôt de l'Ancien Testament que du Nouveau » (G. Bernanos).

« Moi, de mon côté, timide et rougissante, *encore qu*'en réalité je *susse*, [...], à quoi m'en tenir, [...], je babillais » (B. Vian).

NB : - I - *Malgré que* + subjonctif est défendu par certains auteurs parmi les plus grands :

« Le banc s'appuyait au chêne qu'on appelait "le gros chêne" *malgré que d'autres le fussent* plus que lui » (F. Mauriac).

Il n'en reste pas moins qu'il s'agit là d'une licence surtout propre au langage parlé populaire :

« *Malgré qu'on soit cultivé*, des fois, il nous échappe un mot vulgaire » (M. Aymé).
• C'est un policier marron qui parle.

- 2 - Au XVIIᵉ siècle, surtout dans sa première moitié, l'indicatif était admis pour insister sur la certitude du fait concédé. Il s'agissait du souvenir d'un état de langue constant antérieurement :

« *Quoique j'ai joué* fort étourdiment, je ne me suis pas pourtant si fort emporté » (Voiture).

La langue moderne n'exclut pas cette possibilité, qui demeure fort rare et peut passer pour une incorrection :

« Je les souhaite [les hommes] vivants plutôt que morts. *Encore qu'il faut* bien que les générations s'en aillent » (A. de Saint-Exupéry).

- *b* - On rencontre le subjonctif d'autre part avec les locutions faisant porter la concession sur un adjectif, un adverbe, un substantif ou un pronom, la subordonnée concessive exprimant un fait soumis à interprétation par la pensée :

> « Ce ne sont pas les différences de langue, *si nuisibles qu'elles nous paraissent*, qui risquent de compromettre gravement l'unité humaine » (P. Eluard).

> « Ils se barricadent dans leurs parties privatives, [...], mais *si peu qu'ils en laissent sortir*, [...], c'est par l'escalier que ça sort » (G. Pérec).

> « Mais nous devons le faire [parler] pour tous ceux, en effet, qui souffrent en ce moment, *quelles que soient les grandeurs*, [...], des Etats et des partis qui les oppriment » (A. Camus).

> « *Quoi que nous fassions*, nous révélons l'énergie sous une forme humaine » (P. Emmanuel).

NB : Dans ce dernier type de concessive, seule la locution *tout... que* se fait suivre normalement de l'indicatif dans la mesure où elle pose avec force la certitude de la qualité concédée, quoique la langue ait tendance à aligner le mode qu'elle entraîne sur celui des autres locutions adverbiales :

> « Penses-tu, j'étais cent cinquante fois mieux installé qu'il pouvait l'être, *tout colonel qu'il était...* » (J. Dutourd).

> « Cet appel, *tout médiocre qu'il fût*, c'était le premier appel » (F. Mauriac).

Mais si l'on veut insister sur l'aspect certain du fait, l'indicatif est susceptible, à l'inverse, d'être employé avec les autres locutions :

> « *Pour dévoués qu'ils me sont*, déranger leurs habitudes, me créer auprès d'eux une servitude nouvelle! » (M. Jouhandeau).

3. Place

La concessive jouit d'une assez grande mobilité. Loin de se placer systématiquement dans l'ordre logique après la principale, elle est souvent antéposée. Le fait opposé ou concédé se trouve mis en avant pour produire un effet d'attente : la principale apporte après coup l'idée ou le fait auquel on s'oppose ou auquel on fait concession et il en résulte un effet de surprise :

> « *Bien qu'elle se tût toujours et se tînt à l'écart*, [...], ils sentaient sans cesse, comme en un point sensible de leur chair, sa présence » (N. Sarraute).

> « *Tout morts que vous êtes*, il y a chez vous la même proportion de braves et de peureux que chez nous... » (J. Giraudoux).

4. Equivalents

La notion de concession peut s'exprimer par des moyens autres que la subordonnée concessive, c'est-à-dire en l'absence de tout subordonnant.

a | Juxtaposition et coordination

On a affaire à des phénomènes de subordination implicite :

- 1 - Juxtaposition

La proposition à valeur concessive se met au conditionnel ou, rarement dans la langue moderne, au subjonctif à valeur de conditionnel; il y a inversion du sujet. Ces formes verbales expriment une supposition valant concession et la proposition correspond à une subordonnée introduite par *même si*, cf. p. 311, - 1 -. Elle se place toujours en tête de phrase. La « principale » se met elle aussi le plus souvent au conditionnel ou au subjonctif, mais, pour insister sur la certitude du fait qu'elle exprime, on peut employer le présent ou le futur de l'indicatif :

> « *Serions-nous* muets et cois comme des cailloux, notre passivité même *serait* une action » (J.-P. Sartre).

> « *Eussiez-vous*, par un meurtre heureux, *supprimé* vos cinq ennemis, ils vous *créeront* encore des ennuis » (H. Michaux).

- 2 - Coordination

Un outil de liaison à très légère valeur de coordination figure dans la proposition jouant le rôle de principale qui se trouve toujours placée en second rang. Cet outil se caractérise par sa valeur d'opposition, comme les adverbes *cependant, néanmoins, pourtant,* etc. :

> « *Je n'ai rien bu hier soir, pourtant* j'ai un mauvais goût dans la bouche » (E. Ionesco).

b | Infinitif

Il est dans cet usage précédé de *au lieu de, loin de, sans* :

> « Il s'agit d'une autre crainte qui, *loin d'être fondée* sur des instincts racistes de refus, vient au contraire d'instincts tendres et possessifs » (F. Parturier).

> « Nous avons conscience [...] d'être assis entre deux chaises : entre un marxisme que nos familles prétendent rejeter à notre place, avec horreur, *sans l'avoir approfondi* et le régime bourgeois qui déjà n'existe plus » (M. de Saint-Pierre).

L'emploi de *pour* relève d'une langue littéraire et archaïsante, souvenir de l'époque classique. C'est dans la principale que se trouve, s'il y a lieu, un adverbe marquant opposition comme *cependant, pourtant, toutefois*, etc. :

> « Le vieux, déçu, regarde à terre. C'est une attitude qui, *pour lui être habituelle*, ne lui est pas particulière » (R. Martin du Gard).

c | *Formes en* -ant

- 1 - *Participe*

En apposition, il peut prendre une valeur concessive, valeur parfois soulignée par les conjonctions *bien que* ou *quoique* :

> « *Croyant* contempler le fleuve ou simplement se promener sans rien faire, il [l'homme] contemple son propre fleuve de sang » (H. Michaux).

> « Les mots détruisent, les mots prédisent; *enchaînés* ou sans suite, rien ne sert de les nier » (P. Eluard).

> « *Bien que voilée* par la pluie battante, elle [la rue] conservait dans son esprit sa perspective » (A. Malraux).

> « Le Sacrement ? *Bien qu'ayant cessé de pratiquer* depuis son mariage, elle n'y était, certes, pas indifférente » (H. Bazin).

De même quand il forme le centre d'une proposition participe :

> « Et comme, *le gibier disparu*, un chasseur en retrouve le gîte... » (F. Mauriac).

A noter que l'adjectif en apposition a aussi parfois la même valeur concessive que le participe :

> « C'est là ce qui me permet à moi, *si vieux* déjà et si près de quitter la vie, de ne pas mourir désespéré » (A. Gide).

- 2 - *Gérondif*

Il peut prendre également cette valeur concessive lorsqu'il est précédé de *tout* adverbe marquant non pas un degré absolu mais une simultanéité renforcée et soulignant l'opposition entre le gérondif et le verbe principal :

> « Il [Héraclite] partage avec autrui la transcendance *tout en s'abstenant* d'autrui » (R. Char).

d | *Proposition relative*

La proposition relative est toujours à l'indicatif :

> « Flaubert, *qui a tant pesté* contre les bourgeois et *qui croyait* s'être retiré à l'écart de la machine sociale, qu'est-il, pour nous, sinon un rentier de talent ? » (J.-P. Sartre).

e | Opposition lexicale

La locution verbale d'opposition lexicale *avoir beau* se fait suivre d'un infinitif, l'ensemble se plaçant toujours en tête de phrase :

> « *Ils avaient beau voir* les constructions neuves monter à l'assaut sous leurs boucliers de zinc, ils ne doutaient pas plus de la victoire que les Douze de jadis » (R. Dorgelès).

> *NB* : Pour les uns, cette locution est passée du sens de « avoir la possibilité de... » au sens, par antiphrase, de « perdre son temps ». Pour d'autres, l'infinitif valant pour un substantif accompagné de l'épithète *beau*, la locution *avoir beau dire, faire*, etc., signifiait « avoir la parole, l'action ("dire", "faire") facile », puis elle a dénoté un effort inefficace : « Il a beau dire, faire » = « même s'il a la parole, l'action facile ». Dans l'un et l'autre cas, on débouche sur la notion de concession, mais la seconde analyse est seule fondée linguistiquement.

D - La proposition consécutive

La proposition consécutive, ou de conséquence, peut se définir de façon générale comme une proposition exprimant le résultat de l'action énoncée dans la principale, l'effet produit par cette action — alors que la proposition causale, à l'opposé, se définit comme une proposition exprimant la cause de l'action énoncée dans la principale (mais cf. *puisque* p. 272). L'inversion du rapport entre consécutive et causale se trouve donc nettement marquée et la confusion exclue *(de sorte que ≠ parce que)*.

En revanche, on peut rencontrer des difficultés à établir le partage entre consécutive et finale. Les notions de résultat et de but recouvrent à l'occasion les mêmes zones, particulièrement quand la subordonnée intègre l'idée d'intention caractéristique de la proposition finale, et le matériel grammatical utilisé peut être commun. Si l'on dit : « J'insiste pour que tu sois présent », veut-on signifier qu'on veut obtenir un résultat (conséquence) ou qu'on veut atteindre un but (finalité) ? Ni la marque de subordination *(pour que)* ni le mode (subjonctif) ne permettent ici de trancher.

Dans l'ensemble, on a affaire à une subordonnée consécutive toutes les fois qu'intervient un élément subordonnant exprimant manière *(de façon que, de manière que, de sorte que*, etc.) ou intensité *(au point que, si... que, tellement... que*, etc.). En somme, le critère de forme est le plus souvent décisif pour trancher sur la majorité des cas. Le mode ne peut être déterminant puisque l'indicatif et le subjonctif interviennent réciproquement suivant le cas, ainsi qu'on le verra plus loin (« Il parle de manière qu'on le *comprend/ comprenne* »).

1. Subordonnants

a | *Manière*

Les subordonnants utilisés prennent la forme de locutions conjonctives en général très marquées sémantiquement comme *de façon/de manière (à ce) que, de/en sorte que, sans que, si bien que*. La plupart peuvent être déterminés par *tel* :

« Les boutiques étaient toutes mises ensemble, [...], *de façon que* chaque bonne femme ait le même nombre de pas à faire pour aller prendre ses nouilles » (C. Rochefort).

« Le grand chic consiste à le basculer [le rouleau] *de telle manière qu'*il se déroule tout de suite deux ou trois tours » (R. Ikor).

« Il se passe à chaque instant des choses abominables, l'amour se fait sans amour, les mots se prononcent *sans qu'*on y croie » (F. Mallet-Joris)

« Certes nos goûts, notre verve, nos satisfactions sont multiples, *si bien que* des parcelles de sophisme peuvent d'un éclair nous conquérir » (R. Char).

La relation de conséquence impliquée dans ces locutions est si forte que la subordonnée en acquiert une sorte d'indépendance et qu'une ponctuation forte, notée à l'oral par une pause, peut séparer la principale de la subordonnée :

« Peu à peu l'imagination se pénètre du sens de l'ordre, et l'entendement développe en soi l'instinct de l'analogie; *si bien qu'*on peut parfois attribuer à la raison l'invention de certaines images » (P. Emmanuel).

b | *Intensité*

On relève deux types de constructions faisant le plus souvent intervenir l'un et l'autre un corrélatif d'intensité dans la principale.

- I - *La conjonction* que *unit principale et subordonnée*
- a - Soit elle est annoncée dans la principale par un adverbe d'intensité modifiant un verbe, un substantif, un adjectif, un adverbe. Ces corrélatifs sont spécialisés pour la plupart :

Si... que accompagne l'adjectif et l'adverbe :

« Et la monnaie qu'il rend contient des drôles de pièces, *si drôles qu'*on a pas fini de les examiner des semaines et des semaines après » (L.-F. Céline).

« Pour l'instant, il [le vent] souffle *si fort qu'*il couvre la rumeur des vagues » (R. Dorgelès).

Tant (de)... que accompagne le verbe et le substantif :

« *J'ai tant rêvé* de toi *que* tu perds ta réalité » (R. Desnos).

« Noël Tournebise avait *tant de filles* à marier et si peu de mémoire *qu'*il ne pouvait pas se rappeler tous leurs noms » (M. Aymé).

Tellement (de)... que accompagne le verbe, le substantif, l'adjectif et l'adverbe :

« Tu *as tellement ri que* tu nous as fait chavirer » (S. Beckett).

« On découvre dans tout son passé ridicule *tellement de ridicule, de tromperie, de crédulité qu'*on voudrait peut-être s'arrêter tout net d'être jeune » (L.-F. Céline).

« Puisqu'en multipliant les générations [...], on arriverait à un nombre d'âmes *tellement surnaturel et impossible,* le multiplicateur étant infini, *que* Dieu infailliblement en perdrait la tête » (G. de Maupassant).

« J'ai rêvé *tellement fort* de toi,
[...]
*Qu'*il ne me reste plus rien de toi » (R. Desnos).

- *b* - Soit la conjonction *que* est annoncée dans la principale par l'adjectif d'intensité *tel* accompagnant un substantif :

« *La fatigue et la confusion mentale* sont parfois *telles que* l'on se prend à regretter naïvement les Tahiti... » (P. Valéry).

- 2 - *Les locutions* pour que *et* au point que *unissent principale et subordonnée*
La première est annoncée par les adverbes *assez, suffisamment, trop (de)*, non spécialisés dans leur emploi, la seconde peut se faire accompagner par *tel* :

« Avais-je une chance pour devenir une femme *assez* jolie *pour qu'*on l'aimât ? » (S. de Beauvoir).

« Ma roue est *trop* large *pour que* je puisse seulement pénétrer dans la cour » (M. Aymé).

« Comment expliquez-vous que votre femme se soit blessée *au point qu'*on l'ait trouvée partagée en huit morceaux » (H. Michaux).

« Il arrive en effet que je manque de sommeil et de solitude *à un point tel que* je ne les comprends plus [mes enfants] » (M. Cardinal).

NB : - 1 - On relève l'emploi de *que* seul pour introduire une consécutive.

— Soit il s'agit d'une tournure qui fait l'économie de l'annonce de la conjonction par un corrélatif. La modalité est normalement interrogative :

> « A-t-elle absorbé la lumière pleinière de céans
> *qu'*elle brille ainsi [la carafe]... ? » (Saint-Pol-Roux).

Cette construction est un souvenir de la langue classique :

> « Vous m'écrivez avec des façons *que* si vous continuez, nous ferons comme les évêques » (La Rochefoucauld).

— Soit il s'agit d'une tournure où la conjonction suit le verbe *faire* et représente la réduction de *en sorte que* :

> « Ils avaient fait la grande Révolution, [...], pour [...] *faire que* toutes choses pussent librement se discuter autour d'une table » (J. Romains).

— Soit il s'agit d'une tournure propre à la langue littéraire qui introduit une relation de conséquence par un *que* équivalant à *sans que* : la principale est négative, la conjonction toujours accompagnée d'un *ne* explétif :

> « Cette misérable vieille [...], *ne te vendait pas* une salade *que tu n'eusses mis* ton honneur à rogner de quelques sous son maigre profit » (F. Mauriac).

- 2 - *Pour que* sans corrélatif peut introduire une proposition non pas de but mais de conséquence. La locution signifie quelque chose comme « avec pour tel résultat que »; la principale véhicule une idée de restriction exprimée par la négation :

> « *Ce ne serait pas la peine* que la nature fasse de chaque individu un être unique *pour que* la société réduisît l'humanité à n'être qu'une collection de semblables » (J. Rostand).

ou par les verbes *falloir* et *suffire* :

> « *Il faudrait* un miracle *pour que* toujours les meilleures [barques] aient fait naufrage » (Alain).

2. Mode

La répartition des emplois entre indicatif et subjonctif se fonde sur les critères suivants :

a | Indicatif

L'élément conjonctif indique que la cause exprimée dans la principale permet que le résultat soit atteint; la conséquence exprimée dans la subordonnée est considérée comme certaine (ou possible). D'où l'indicatif, qu'on rencontre après des subordonnants marquant l'intensité ou la manière.

- 1 - *Intensité*

Le subordonnant se trouve annoncé par les corrélatifs *si, tant, tel, tellement* ou prend une des formes de la locution *au point que* :

> « Il y avait une locomotive *si bonne qu'elle s'arrêtait* pour laisser passer les promeneurs » (M. Jacob).

> « Oh! votre père, il me méprise *tellement que jamais je n'oserai* lui parler d'une chose pareille... » (T. Bernard).

> « La vie lui paraissait courte *à ce point qu'il s'ingéniait* à la rendre morne » (M. Aymé).

- 2 - *Manière*

Le subordonnant marque la manière, étant exclu *sans que*, dont la forte valeur d'exclusion annule toute possibilité que la conséquence soit acquise :

> « *En sorte qu'il est vrai* que la musique suggère beaucoup mais n'exprime rien qu'elle-même » (Alain).

b | Subjonctif

Ou bien l'élément conjonctif introduit l'idée que la conséquence ne peut être acquise ou bien la conséquence est considérée comme simplement voulue. A noter que *pour que* se trouve toujours par nature suivi du subjonctif, mais que divers éléments dans la principale renforcent l'emploi de ce mode.

- 1 - *Conséquence non acquise*
- *a* - Le subordonnant marque l'intensité et se compose d'un corrélatif d'intensité suivi de *pour que*, qui établissent un lien exprimant que la conséquence ne peut être acquise :

> « Est-il *assez* grand deuil *pour que vous reveniez* ? » (L. Aragon).

> « On n'en tirera rien. Il est *trop* délicat *pour qu'on puisse* le travailler » (M. Aymé).

> « Vos femmes, messieurs, sont-elles *tellement* douces et séduisantes, sont-elles *si* délicieusement féminines *pour que vous soyez* aussi inquiets ? » (F. Parturier).

- *b* - La proposition principale est interrogative ou négative, ce qui interdit à la cause d'être susceptible d'amener la réalisation de la conséquence :

> « Notre civilisation *est-elle donc si solide que vous ne craigniez pas* d'ébranler ses piliers ? » (R. Rolland).

> « Maria [...] s'assit au piano, mais *ne jouait pas si fort qu'elle ne pût* entendre la porte d'entrée » (F. Mauriac).

- 2 - *Conséquence voulue*

- *a* - La locution conjonctive *pour que* suit les verbes *falloir* et *suffire* ou une principale négative qui introduisent une restriction :

> « *Il n'en fallait pas tant pour que* toute la ville lui *chantât* pouilles » (F. Mauriac).

> « Mais *il n'y a pas de raison pour que* vous y *pensiez* » (J. Romains).

- *b* - Le subordonnant marque l'intensité et la subordonnée exprime une éventualité :

> « Je note mes rendez-vous mais sur une feuille *si mince que je puisse* la bouffer à la moindre alerte » (R. Vailland).

- *c* - Le subordonnant indique la manière, sauf *si bien que* qui garde une valeur intensive, si on veut exprimer, par la pensée, que la conséquence est simplement voulue. Mais, dans ce cas, il est difficile de faire le partage entre conséquence et but :

> « Moi qui m'étais juré, [...], de faire *en sorte qu'il n'y ait jamais* des enfants en haut à jeter des petits miroirs aux enfants d'en bas » (M. Cardinal).

Sans que, introduisant l'idée que la conséquence ne peut en aucun cas être réalisée, se fait toujours suivre du subjonctif :

> « Elle hurle, *sans toutefois que* son beau grand visage roman *s'anime* » (F. Mallet-Joris).

3. Place

La structure même de l'attelage principale-consécutive impose un ordre, outre les raisons de logique chronologique. Quand, dans la principale, un corrélatif d'intensité annonce le *que* proprement subordonnant, tout renversement est interdit, eu égard à la nécessaire succession entre corrélatif et conjonction. Quand la conséquence est introduite par une locution conjonctive, quoique le lien soit plus lâche, la locution étant sentie comme un tout, le rapport de conséquence n'en impose pas moins que la subordonnée vienne en second rang. On ne peut, à la limite, trouver l'ordre inverse que lorsque la subordonnée intègre conjointement à la notion de conséquence celle de finalité et indique la raison de l'action de la principale :

> « *Pour que ce monde rime à quelque chose*, il ne tient qu'à vous » (A. Gide).

4. Equivalents

On peut rendre compte de l'idée consécutive par un certain nombre de procédés autres que la subordination conjonctive. Cela est particulièrement vrai quand le lien exprime la manière, étant donné la relative lourdeur des subordonnants qui l'expriment (*de manière (à ce) que, de (telle) sorte que,* etc.).

a | *Juxtaposition et coordination*

Une proposition, le plus souvent placée par nécessité logique en second rang, exprime la conséquence par rapport à une autre proposition à valeur causale qui lui est « principale ». Si un adverbe dans l'une des deux propositions permet parfois de décider nettement le rapport établi, l'absence de marque rend le choix plus difficile :

> « Un peu à part étaient posés des beaux chalets entièrement vitrés, *on voyait tout l'intérieur en passant* » (C. Rochefort).

> « Seulement, on s'arrange pour les faire travailler tout le temps *et alors ils ne peuvent pas en profiter* » (B. Vian).

Cette subordination implicite s'observe particulièrement quand interviennent les adverbes *tant* et *tellement* dans la proposition jouant le rôle de principale. La « consécutive » est souvent en tête, mais ce n'est pas une contrainte :

> « *Taor ne put se retenir d'adresser à ses invités une brève allocution, tant* cette pièce montée lui semblait chargée de signification » (M. Tournier).

> « Ensemble, *tellement* ils étaient appareillés dans cette lutte, cette danse, cet embrassement, *le taureau et l'homme s'arrêtèrent* » (H. de Montherlant).

b | *Infinitif*

L'infinitif prépositionnel peut se substituer avec une valeur consécutive à la construction conjonctive à condition qu'il y ait identité du sujet entre lui et le verbe principal. Cette substitution syntaxique peut s'opérer de façon presque générale : ainsi, il suffit pour la plupart des subordonnants de manière de remplacer *que* par *à* ou *de* (*de façon à, en sorte de*). *Pour que* se réduit à *pour*. La langue orale donne largement sa préférence à ces constructions en raison de leur simplicité.

- 1 - *Manière*

On trouve la conséquence exprimée par l'infinitif après *à, au point de, de façon à, de manière à, en sorte de, jusqu'à, sans* :

> « Le plafond, dans l'enseignement, doit être compris *de façon à faire ressortir* la taille de l'adulte vis-à-vis de la taille de l'enfant » (J. Giraudoux).

> « Est-ce qu'on peut tuer son prochain *sans se renier, sans appeler* la mort sur sa propre tête ? » (M. Aymé).

- 2 - *Intensité*

On trouve la conséquence exprimée par l'infinitif après les locutions *assez (...) pour, trop (...) pour* :

> « La seule imagination me rend compte de ce qui peut être, et c'est *assez pour lever* un peu le terrible interdit » (A. Breton).

> « *Trop timide pour aller toucher* aux arrosoirs, il avisa un plantoir » (J. Perret).

Pour employé sans corrélatif peut suivre une principale négative ou les verbes *falloir* et *suffire* :

> « Un grenier *suffit* à Rimbaud enfant *pour connaître* le monde *et illustrer* la comédie humaine » (F. Mauriac).

On observera que seul l'infinitif est susceptible de rendre compte d'un complément circonstanciel de conséquence.

c | *Proposition relative*

Elle se met à l'indicatif si le fait est considéré comme certain, au subjonctif si le fait est pensé, particulièrement après une principale interrogative ou négative :

> « Et l'homme, cependant, au lieu d'être apaisé dans son travail ou ses distractions par l'image d'une épouse *qui l'admire ou le craint...* » (J. Giraudoux).

> « Il n'est point d'architecte *qui puisse dire...* » (Alain).

E - La proposition finale

La proposition finale, ou de but, indique dans quelle intention s'accomplit l'action exprimée par la principale, le résultat qu'on souhaite atteindre ou non, en somme la conséquence voulue ou refusée qui provoque l'action.

La parenté des outils linguistiques utilisés la rapproche de la consécutive dont il est parfois délicat de la distinguer. Ainsi consécutive et finale utilisent souvent les mêmes subordonnants, tels *de façon que, en sorte que, pour que,* etc.; et le subjonctif, toujours obligatoire pour la finale, l'est aussi pour la consécutive avec *pour que* et peut intervenir avec *de façon que, en sorte que.* Il peut alors s'introduire une telle nuance finale dans ce qui passe, en théorie, pour une consécutive, ainsi avec *de façon que* et *en sorte que,* qu'il est parfois pratiquement impossible de démêler qui l'emporte de la notion de conséquence ou de celle de finalité.

1. Subordonnants

a | Conséquence voulue

La proposition finale est introduite par *afin que, en sorte que,* etc., et *pour que* quand elle indique un but qui est une conséquence voulue :

> « Ils [les hommes] les piétinent [les minerais] *afin que* leurs pieds mêmes partagent leur bonheur » (R. Queneau).

> « Ah, elle raconterait tout à son frère, *pour qu*'il cessât de fréquenter ce malotru ! » (R. Martin du Gard).

b | Conséquence refusée

La proposition finale est introduite par *de crainte que* (*crainte que,* archaïsme) et *de peur que* quand elle indique un but qui est une conséquence refusée :

> « Il aura aussi la gentillesse de commande qu'ont Agathe, Rose ou Guy, [...], l'œil sur la porte, *de peur* sans doute *que* j'aille donner un tour de clef » (H. Bazin).

Ces derniers subordonnants sont fréquemment accompagnés d'un *ne* explétif :

> « *Dans la crainte que* le fameux secret *ne* s'ébruitât, mon ami ne le révéla jamais à ses enfants » (T. Bernard).

c | Réductions

Les unes et les autres de ces locutions conjonctives peuvent se réduire après un impératif ou une interrogation. *Que* se substitue alors à *afin que, pour que, que ne* à *de crainte que, de peur que,* cette dernière réduction n'étant plus guère d'usage dans la langue actuelle :

> « Redis-moi les vieux contes des veillées noires, *que* je me perde par les routes sans mémoire » (L. S. Senghor).

« Où est-il, le triomphateur, *que* je le serre dans mes bras confraternels ? » (**M.** Aymé).

« Fuyez, *qu*'à ses soupçons il *ne* vous sacrifie » (P. Corneille).

2. Mode

Etant donné que la subordonnée finale exprime toujours un résultat qu'on souhaite atteindre ou non, que la conséquence est donc toujours pensée, donc incertaine, le seul mode possible est le subjonctif :

« On prête son corps aux morts pour qu'ils *puissent* revivre. » (J.-P. Sartre).

3. Place

S'agissant pour la proposition finale d'exprimer une conséquence, comme pour la proposition consécutive — mais à la différence que cette conséquence est voulue ou refusée —, l'ordre logique fait normalement passer la subordonnée au second rang comme pour la proposition consécutive :

« A bon droit on me poussait vers le mur *pour que je m'y casse*, vers le précipice *pour que je m'y broie* » (G. Arnaud).

Il peut cependant se faire que les raisons grammaticales et logiques qui concluent à cette disposition cèdent à d'autres considérations et que la subordonnée se trouve en tête. Ainsi, quand on veut faire ressortir le motif qui provoque l'action :

« *De peur que tu ne rompes ta corde*, je vais t'enfermer dans l'étable » (A. Daudet).

4. Equivalents

Les équivalents de la proposition finale sont peu nombreux. En particulier, la finalité ne peut être rendue par la juxtaposition ni par la coordination faute de conjonction de coordination exprimant une idée finale, ni par un emploi quelconque des formes en -*ant*. Seuls l'infinitif et la proposition relative peuvent se substituer à ce type de subordonnée.

a | Infinitif

L'infinitif est soit prépositionnel soit non prépositionnel.

- I - *Infinitif prépositionnel*

La locution substitue *de* à *que* et prend les formes *afin de*, et *de (par) crainte de*, *de (par) peur de* (= « afin de ne pas »), etc., ou se réduit à *pour*; *en vue de*, qui ne peut subir de transformation conjonctive, est également employé, de même *à*. Le sujet de l'infinitif doit être le même que celui du verbe principal, sauf éventuellement pour *à* :

> « Il but ensuite une tasse de camomille *afin de faciliter* sa digestion » (J. Romains).

> « Il ne se dépêchait pas trop, *par crainte de renverser* du liquide » (J. Supervielle).

> « A l'école, tu sais comme ils doivent travailler *pour tenir tête* aux Européens » (J. Roy).

> « Madame sera invitée *à dîner* » (J. Anouilh).

> *NB :* En ce qui concerne l'identité des sujets, la langue classique en usait beaucoup plus librement :

> > « Il manque de domestiques *pour servir* à table et *être chargés* du soin des noces » (La Bruyère).

- 2 - *Infinitif non prépositionnel*

Il suit les verbes de mouvement comme *aller*, *envoyer*, *sortir*, etc. L'identité des sujets n'est pas obligatoire, le complément d'objet de la principale pouvant être le sujet de l'infinitif :

> « *Viens jouer* avec moi, lui proposa le petit prince » (A. de Saint-Exupéry).

> « Elle *m'envoyait* toujours *choisir* les billets de loterie » (A. Salacrou).

b | *Proposition relative*

C'est le mode subjonctif qui introduit la notion de conséquence voulue :

> « Je voulais une situation pittoresque, et une maison *où je fusse seul* » (E. de Senancour).

F - La proposition comparative

La proposition comparative, ou de comparaison, met en rapport une proposition avec une autre proposition qui lui est principale en établissant un niveau de comparaison. Celui-ci n'est pas homogène mais prend des valeurs très différentes qu'on peut ranger en trois groupes. C'est ainsi que la comparaison formulée peut conduire entre deux propositions :

— soit à un rapport d'*équivalence* qui peut être un simple rapprochement marquant la conformité, mais qui peut aussi conclure à l'égalité ou l'identité. Ce rapport établit donc que deux propositions expriment deux notions similaires (« Pierre parle comme il écrit », conformité), ou parfaitement superposables (« Pierre est aussi travailleur que Paul est paresseux », égalité; « Pierre travaille avec la même ardeur que Paul joue », identité);

— soit à un rapport de *dissemblance,* c'est-à-dire qu'il établit que deux propositions expriment deux notions inégales (« Pierre travaille plus qu'il ne joue »);

— soit à un rapport de *proportion,* c'est-à-dire qu'il établit que deux propositions expriment deux notions variables conjointement (« Pierre travaille d'autant plus qu'il veut réussir »).

Il convient de séparer nettement la proposition de comparaison du complément de comparaison. Il est vrai que les deux systèmes de comparaison utilisent comme liens les mêmes outils grammaticaux. Mais seul peut être considéré comme proposition comparative l'élément de phrase où figure un verbe à un mode personnel exprimé ou aisément réintégrable. Ainsi, l'ellipse doit-elle être admise dans cette phrase :

> « Ils [les vieux] se réunissent pour les enterrements, par devoir, *comme les pompiers pour la parade* » (J. Giraudoux).

La structure sujet *(les pompiers)* + complément *(pour la parade)* autorise la restitution du verbe. En revanche, il paraît abusif de faire des subordonnées de comparaison de phrases comme :

> « Il prit sa serviette *comme une arme* » (A. Malraux).

ou :

> « Je crois qu'une touffe d'œillets rouges ou de réséda lui plaisait *autant que ces dahlias précieux* » (J. Chardonne).

Dans ces phrases, la restitution d'un verbe nécessite une réinterprétation mentale qui peut être périlleuse. Il est préférable de considérer *arme* comme complément de comparaison de *prit* dans un cas, et *ces dahlias précieux* comme complément de l'adverbe *autant que* dans l'autre.

1. Subordonnants

A part *comme,* toutes les propositions comparatives sont introduites par la conjonction *que,* soit en corrélation avec des adjectifs de comparaison, tels *autre, même, meilleur,* etc., ou des adverbes de comparaison tels *aussi, mieux, plus,* etc., soit intégrée dans des locutions conjonctives telles *aussi bien que, de même que, selon que,* etc.

NB : Si *que* est le plus souvent une conjonction, après les adjectifs *autre*, *le même*, *tel*, et conformément à son étymologie, il peut ne pouvoir s'analyser que comme un pronom relatif attribut ou complément d'objet (« Pierre reste tel qu'il a toujours été », attribut; « Pierre poursuit les mêmes études que son père avait jadis entreprises », COD).

Ces subordonnants introduisent les différentes catégories de comparaison selon des emplois spécialisés.

a | Rapport d'équivalence

- 1 - Conformité

La proposition est introduite par *ainsi que*, *comme (si)*, *de même que*, *de la même façon (manière) que*. La comparaison concerne en général l'ensemble de la principale :

> « Oh! ma Mère, partout ailleurs je traînerai mon opprobre *ainsi qu'un forçat son boulet* » (G. Bernanos).

> « Il faudrait marier l'industrie à l'agriculture *comme on marie la vigne à l'ormeau* » (Alain).

> « Le vent se chargera de disperser nos paroles, *de même qu'on efface des mots sur une page* » (J. Green).

Comme si introduit une subordonnée où se confondent les idées de comparaison et de supposition :

> « Tu as gardé longtemps, longtemps entre tes mains le visage noir du guerrier
> *Comme si l'éclairait déjà quelque crépuscule fatal* » (L. S. Senghor).

- 2 - Egalité

La proposition est introduite par *que*, en corrélation dans la principale :

- *a* - Soit avec l'adjectif *tel* marquant une équivalence qualitative. La comparaison porte sur un substantif ou un pronom :

> « Je pris des sentiers à travers *des prés tels que nos peintres n'en font guère* » (E. de Senancour).

- *b* - Soit, d'une part, avec l'adverbe *aussi*, d'ordinaire *si* quand la principale est négative, qui marque une équivalence intensive. La comparaison porte sur un adjectif ou un adverbe, ainsi à la forme du comparatif d'égalité :

> « Si le destin de l'humanité est *aussi vain que l'était cette lumière condamnée...* » (A. Malraux).

« Et la musique est revenue dans la fête celle qu'on entend d'*aussi loin qu'on se souvienne* » (L.-F. Céline).

« La vie, voyez-vous, *ça n'est jamais si bon ni si mauvais qu'on croit* » (G. de Maupassant).

et, d'autre part, avec l'adverbe *autant*, d'ordinaire *tant* quand la principale est négative, qui marque une équivalence quantitative. La comparaison porte sur un substantif ou un verbe :

« L'artiste les a représentés avec *autant de soin* dans le détail et *presque autant de force* dans le tracé *que s'ils avaient été assis sur le devant de la scène* » (A. Robbe-Grillet).

« Il est inconcevable, et pourtant vrai, que la plupart des jeunes gens aiment Napoléon *autant qu'ils l'admirent* » (F. Mauriac).

- 3 - *Identité*

La proposition est introduite par *que*, conjonction ou relatif (cf. p. 297, *NB*), en corrélation dans la principale avec l'adjectif *même* toujours précédé de l'article défini. La comparaison porte sur un substantif, un pronom ou un verbe :

« Ils [les athées] cherchent le royaume de Dieu et sa Justice, ils ne lui donnent pas *le même nom que nous autres nous lui donnons* » (F. Mauriac).

« J'ai vu toute mon enfance *rempailler* des chaises exactement *du même esprit et du même cœur, et de la même main, que ce même peuple avait taillé ses cathédrales* » (C. Péguy).

NB : Certaines de ces structures comparatives intègrent un adverbe corrélatif de rappel dans la proposition principale quand celle-ci se trouve au second rang dans une position inversée. Les adverbes employés sont *ainsi*, *aussi*, *de même*, *non plus* en cas de phrase négative, etc. :

« *Comme* il ne me faut point des choses difficiles ou privilégiées, il ne me faut pas *non plus* des choses nouvelles, changeantes, multipliées » (E. de Senancour).

b | *Rapport de dissemblance*

- 1 - *Différence*

La proposition est introduite par *que* en corrélation dans la principale avec l'adjectif *autre* ou l'adverbe *autrement* marquant une différence. La comparaison porte sur un substantif, un pronom ou un verbe :

« *Je n'agirais pas autrement que je ne l'ai fait* » (H. de Montherlant).

- 2 - *Degré*

La proposition est introduite par *que* en corrélation dans la principale avec les adverbes *moins* et *plus* marquant le degré d'infériorité ou de supériorité — ou avec les termes synthétiques comportant en eux-mêmes cette notion comme *meilleur, mieux, pire*. La comparaison porte sur un verbe, un adjectif, un substantif ou un adverbe, l'adjectif et l'adverbe étant ainsi à la forme du comparatif d'infériorité ou de supériorité :

> « Mes frères et moi *ne voyagions guère plus que n'avaient fait nos grands-parents du temps des diligences* » (F. Mauriac).

> « Il faut que ce soit *plus grave que j'imagine* » (R. Radiguet).

> « Le fait est que les hommes rencontrent chez leurs compagnes *plus de complicité que l'oppresseur n'en trouve habituellement chez l'opprimé* » (S. de Beauvoir).

> « L'organisme en action s'encrasse *plus vite qu'il ne se nettoie* » (Alain).

> « Ils n'étaient pas portés à croire que ce qu'on a jamais essayé *vaut* sûrement *mieux que ce qu'on connaît* » (J. Romains).

Davantage que, refusé par les puristes, ne s'en rencontre pas moins :

> « La femme de l'homme préhistorique avait raison de croire *davantage* à l'homme quand il était sorti *que quand il était dans la caverne* » (J. Giraudoux).

La comparative notant une inégalité comporte parfois un *ne* explétif, ce qui est impossible quand elle note l'égalité :

> « Les actrices sont beaucoup *plus seules qu'on ne l'imagine* » (J. Cocteau).

> « Si vos forces et votre gaieté sont revenues, c'est que le mal est *moins sérieux qu'on ne pouvait croire* » (J. Romains).

NB : On peut ranger, à côté de ces diverses subordonnées comparatives notant la dissemblance, la subordonnée introduite par *plutôt que*, étymologiquement le comparatif *plus tôt (que)*. Cette locution comporte une nuance de préférence ou de restriction :

> « Il est vrai qu'une syntaxe abusive, [...], décompose le mouvement bien *plutôt qu'elle ne le porte* » (P. Emmanuel).

On ne peut l'employer lorsqu'il s'agit de comparer deux complétives, eu égard à la cacophonie *plutôt que que*. La langue recourt alors au tour *plutôt que de* + infinitif :

> « On s'étonnera alors que, [...], nous ayons pris soin dans l'ensemble de nous ménager un alibi littéraire ou autre *plutôt que* sans savoir nager *de nous jeter à l'eau* » (A. Breton).

Ou même, avec des verbes du sens de *préférer*, la langue réduit l'élément introduisant la comparaison à *que de* :

> « Vous avez trop d'imagination. Je préfère en rire *que de me fâcher* » (M. Aymé).

c | Rapport de proportion

La proposition est introduite soit par *que*, en corrélation dans la principale avec les adverbes *d'autant moins* et *d'autant plus*, soit par les locutions *à mesure que, au fur et à mesure que, autant que, dans la mesure où, selon que, suivant que* marquant une variation corrélative. La comparaison porte sur l'ensemble de la principale. La subordonnée exprime en fait une cause qui, selon qu'elle varie, provoque une conséquence exprimée dans la principale et variant proportionnellement :

> « C'est *d'autant plus* enivrant *que* le sentiment de solitude n'en est pas altéré » (S. Weil).

> « Je leur obéis avec *d'autant plus* d'aisance *que* les Guermantes n'y attachaient pas plus d'importance qu'au savoir un vrai savant » (M. Proust).

> « On voyait fondre les dernières traces du brouillard *à mesure que* la lumière descendait des bois vers la prairie » (M. Arland).

> « Il est vrai que les parents, *autant qu*'il est en leur pouvoir de le faire, ont pour rôle de former leurs jeunes enfants » (B. Vian).

d | Comparaison circonstancielle

Beaucoup de subordonnants de comparaison, hormis ceux qui établissent un rapport de proportion, sont susceptibles d'introduire une comparaison qui prend la forme d'une proposition circonstancielle temporelle ou hypothétique :

> « Tu es encore puissant, toi, *comme lorsque j'étais petit* » (J. Anouilh).
> • Equivalence temporelle.

> « Les gémissements sont plus forts loin de la mer, *comme quand le jeune homme qu'on aime s'éloigne d'un air pincé* » (H. Michaux).
> • Equivalence temporelle.

> « Elle eut *la même joie que si elle avait touché le cadavre lui-même* » (G. Apollinaire).
> • Equivalence hypothétique.

> « C'était bien *plus grave que s'ils l'avaient vu fusiller* » (R. Vailland).
> • Dissemblance hypothétique.

Cf. pour une comparaison à valeur de temporelle exprimant la dissemblance l'exemple de Giraudoux p. 299.

2. Mode

La proposition comparative présentant un fait qu'on ne met pas en doute, on emploie en général l'indicatif :

« Ce qu'il faut faire, c'est intégrer les connaissances *au fur et à mesure que le savoir progresse* » (G. Berger).

On peut rencontrer le subjonctif pour souligner la notion d'éventualité :

« J'ai vu l'océan malais constellé de méduses phosphorescentes *aussi loin que la nuit permît* au regard de plonger dans la baie » (A. Malraux).

« *Autant qu'il m'en souvienne*, ce revolver était chargé à blanc » (B. Vian).

L'emploi du subjonctif est même courant après *comme si*, étant donné la forte valeur d'hypothèse véhiculée par cette locution plutôt sentie comme la succession de deux conjonctions :

« Ce n'était pas seulement la grille et le parc qu'elle se représentait, mais l'intérieur des pièces, *comme si elle dût* s'y installer librement » (J. de Lacretelle).

3. Place

Hors le cas de l'absence de subordonnant où la subordonnée implicite passe toujours en tête (cf. p. 302), la proposition comparative jouit de peu de mobilité. Cela tient en particulier au lien corrélatif étroit qui intervient souvent. Les subordonnées introduites par *comme*, *ainsi que* ou *de même que* sont les plus aptes à précéder la principale :

« *De même que* la question se mêlait aux exigences de l'expérience quotidienne, il est permis d'attribuer aux commencements de réponse tout le manque de pureté et de discernement qu'on voudra » (J. Romains).

« *Comme* certains requins peuvent être vivipares sans cesser d'être des poissons, [...], certains historiens, [...], demeurent à chaque instant de cette recherche des écrivains » (H. Queffélec).

Mais l'inversion peut, à la limite, se rencontrer avec d'autres subordonnants comme ici où cette disposition évite la cacophonie *que que* puisque la comparaison porte sur une complétive :

« *Autant qu'*on les héberge, *qu'*on les nourrisse, ils ont peut-être besoin qu'on les écoute, ces jeunes gens » (F. Mallet-Joris).

4. Équivalents

On peut traduire la comparaison par d'autres procédés que la subordination. Mais ils sont peu nombreux.

a | Juxtaposition

La comparaison s'exprime souvent dans une structure de juxtaposition où la subordination est implicite. La proposition alors mise en premier rang représente la subordonnée de comparaison, la « principale » étant en second rang. En tête de chacune des propositions se trouve l'adjectif *(tel)* ou l'adverbe qui rend compte de la nature du rapport établi :

> « *Tel* il était à quatorze ans, *tel* il serait nonagénaire » (A. Boudard).

> « Et *autant* il me déplairait d'être la victime d'un meurtre, *autant* il m'arrange qu'un héros me tue » (J. Cocteau).

> « *Plus* nous avançons dans le temps, *plus* les œuvres que nous aimons nous semblent riches, proches, possédées » (G. Picon).

Il est possible que la phrase se présente sous une forme nominale, ce qui renforce le caractère énergique de la comparaison dans cette structure allégée à la fois du subordonnant et du verbe. On la rencontre dans les énoncés sentencieux :

> « *Tel peuple, tel gouvernement* » (A. de Lamartine).

b | Compléments de verbes, de comparatifs et d'adjectifs

Ces compléments expriment l'une ou l'autre des nuances de la comparaison :

> « Car les marais sont tout embués de légende,
> *Comme le ciel* que l'on découvre dans ses yeux » (P. de La Tour du Pin)

> « Les œuvres qui ne sont que le fidèle miroir d'une époque s'enfoncent dans le temps *aussi vite que cette époque* » (P. Reverdy).

> « Je ne suis pour toi qu'un renard *semblable à cent mille renards* » (A. de Saint-Exupéry).

> « Je connaîtrai un bruit de pas qui sera *différent de tous les autres* » (A. de Saint-Exupéry).

G - La proposition hypothétique

La proposition hypothétique exprime le fait posé comme une hypothèse dont dépend la réalisation du fait exposé dans la principale. Les termes de proposition de « condition » ou de « supposition » semblent moins bien appropriés dans la mesure où ils restreignent la portée des énoncés concernés à des données conditionnelles ou suppositives qui ne recouvrent qu'une partie des emplois. En revanche la notion d'hypothèse est très générale. Ou elle rend compte d'un fait conditionnel : « si tu travailles, ton succès est assuré » : le fait exprimé dans la subordonnée indique la condition dont dépend la réalisation de la principale; ou elle rend compte d'un fait supposé : « si les hommes étaient bons, ils seraient heureux » : le fait exprimé dans la subordonnée indique la supposition dont dépend la réalisation de la principale; ou elle rend compte d'un fait simplement éventuel : « si tu es innocent, prouve-le » : le fait exprimé par la subordonnée est possible ou non, la principale indique une conséquence élargie.

La distinction entre ce dernier type d'hypothétique et celui à valeur de supposition, le plus répandu, est souvent peu commode à établir. Ce n'est là qu'une des difficultés de la phrase hypothétique et les nuances varient considérablement selon les modes, les temps, les subordonnants employés, ou simplement le contexte.

L'évolution même du latin au français avec la création d'un système propre au français (création du conditionnel, élimination progressive du subjonctif) interdit de recourir au classement latin fondé sur une opposition de modes (indicatif/subjonctif) et de temps (présent/passé du subjonctif). L'indicatif rendait compte de l'hypothèse purement éventuelle, mais non mise en cause, le subjonctif de l'hypothèse conçue comme réalisable ou non réalisable et servait à exprimer le potentiel (au présent) ou l'irréel (du présent à l'imparfait, du passé au plus-que-parfait de ce mode). Ce cadre strict ne convient pas au français, l'assemblage dans le système hypothétique de l'imparfait de l'indicatif et du conditionnel pouvant concerner ainsi et le potentiel et l'irréel du présent latin (« je t'aimerais, si tu le voulais » : « te amem, si velis / te amarem, si velles »).

Il est préférable de recourir à un classement particulier adapté à la façon dont le français exprime l'hypothèse. Un classement fondé sur les subordonnants paraît le moins sujet à caution dans la mesure où différents subordonnants se répartissent les emplois. On traitera d'abord la conjonction *si*, la plus utilisée et la plus nettement marquée dans son rôle de subordonnant hypothétique car elle entraîne un système modal et surtout temporel cohérent ; ensuite, les autres conjonctions et locutions conjonctives hypothétiques.

1. *Le subordonnant* si

Le verbe de la subordonnée hypothétique introduite par *si* est toujours au mode indicatif dans la langue moderne autre que littéraire, mais jamais au futur ou au conditionnel. Le verbe de la principale est également à l'indicatif, mais peut être à tous les temps sauf le plus-que-parfait. On le rencontre aussi à l'impératif. L'emploi du subjonctif tant dans la principale que dans la subordonnée est un archaïsme, souvenir de l'ancienne langue (pour l'emploi du subjonctif, cf. p. 307, - 2 -).

> *NB :* Le conditionnel après *si* était possible au xvııe siècle :
>
> « Je meure *si je saurais* vous dire... » (Malherbe).
>
> « *Comme si* Thésée *n'aurait pas pu être touché* » (Fénelon).

Mais le plus souvent, *si* prenait la valeur de *s'il est vrai que* marquant une restriction :

> « Ou *si* d'un sang trop vil ta main *serait trempée* » (Racine).

Aujourd'hui, *si* + conditionnel est une incorrection, assez courante dans le langage populaire ou celui des enfants, qui tendent à uniformiser l'expression de l'hypothèse imaginaire en introduisant une forme en *-rais* dans la subordonnée :

> « Si je me *serais douté* » (J. Anouilh).
> • C'est un patron d'auberge qui parle.

> « Et elle [ma maman] aurait pu se marier dix fois si elle *aurait voulu* » (F. Mallet-Joris).
> • C'est une fillette qui parle.

La répartition entre les différentes formes de l'indicatif dans la subordonnée s'établit suivant que l'hypothèse est relative au présent, à l'avenir ou au passé et suivant qu'elle est supposée réalisée ou qu'elle est imaginaire. Le temps de la principale s'apparie conjointement.

Trois types principaux se dégagent, susceptibles de variations dans leurs emplois temporels et dans leur sens :

— *si* + présent, principale au présent ou au futur : hypothèse supposée réalisée ;

— *si* + imparfait, principale au conditionnel présent : hypothèse imaginaire ;

— *si* + plus-que-parfait, principale au conditionnel passé : hypothèse imaginaire.

Ces types peuvent s'organiser en deux grandes séries : selon que l'hypothèse concerne le présent ou l'avenir, cette série présentant le plus grand nombre de valeurs possibles ; ou selon que l'hypothèse concerne le passé.

a | Hypothèse concernant le présent ou l'avenir

- 1 - *Hypothèse supposée réalisée*
- *a* - L'hypothèse est supposée réalisée dans le *présent*; la subordonnée se met au présent, de même que la principale, mais l'impératif y est possible :

> « Moi *je vais y penser* tout le temps *si je fais tuer* des hommes » (J. Anouilh).

> « *Si vous voulez venir* avec nous, [...], *hâtez-vous* d'aller vous mettre en tenue » (A. Fournier).

- *b* - L'hypothèse est supposée réalisée dans l'*avenir*; la subordonnée se met au présent, la principale au futur, éventuellement à l'impératif :

> « *Si tonton se remet* avec une autre dame, *il ne viendra plus* jouer au piquet à la maison » (Colette).

> « *Si tu rencontres* la mort durant ton labeur
> *Reçois-la* comme la nuque en sueur trouve bon le mouchoir aride » (R. Char).

Le présent, par sa force actualisante, confère à l'hypothèse une quasi-valeur de certitude. Dans la principale, le futur exprime une prévision appuyée; le conditionnel qu'on y rencontre parfois permet de repousser la conséquence dans un pur éventuel.

- 2 - *Hypothèse imaginaire*
- *a* - L'hypothèse imaginaire concerne le *présent*. Le fait qu'elle exprime n'est pas supposé réalisé; la subordonnée se met à l'imparfait, la principale au conditionnel présent (c'est l'irréel du présent latin) :

> « *Si j'étais* plus jeune, les plis *seraient moins marqués* » (F. Mauriac).

Une marque lexicale temporelle peut venir éclairer la valeur exacte de l'hypothèse formulée *(maintenant, aujourd'hui)*. L'imparfait et le conditionnel, par leur valeur propre, suggèrent que les procès sont en dehors de l'actualité et s'y opposent.

Une combinaison possible introduit le conditionnel passé dans la principale, l'hypothèse restant en dehors de l'actualité présente, mais la principale indiquant une éventualité passée non réalisée :

> « VALORIN. — Je serais content si j'étais libre.
> LAMBOURDE. — Bien sûr, mais si tu étais libre, *on ne t'aurait rien dit* » (M. Aymé).

- *b* - L'hypothèse imaginaire concerne l'*avenir*. Le fait qu'elle exprime est supposé réalisable ; la subordonnée se met à l'imparfait, la principale au conditionnel présent (c'est le potentiel latin) :

« *Si nous voulions*, rien ne nous *serait* impossible » (P. Eluard).

Egalement, une marque lexicale temporelle peut venir éclairer la valeur de l'hypothèse formulée *(demain, un jour)*. Mais l'imparfait et le conditionnel, par leur valeur propre, suggèrent cette fois que les procès, tout en se situant hors de l'actualité, expriment un futur hypothétique.

On peut rencontrer, dans l'expression de l'hypothèse imaginaire concernant l'avenir, la principale au présent ou au futur et même à l'impératif. Ces emplois relèvent surtout du langage parlé, où la substitution de ces formes au conditionnel permet de sortir la conséquence de l'éventuel et de l'introduire dans l'actualité :

« Dites-moi que *vous vous tuerez s'il mourait* » (J. Giraudoux).

b | Hypothèse concernant le passé

L'hypothèse est imaginaire et le fait qu'elle exprime est supposé non réalisé ; la subordonnée se met au plus-que-parfait, la principale au conditionnel passé (c'est l'irréel du passé latin) :

« *Si j'avais décidé* comme la plupart des hommes, non seulement *je me serais cru* leur supérieur, mais *je l'aurais été* » (P. Valéry).

Le plus-que-parfait exprime un procès entièrement accompli, le conditionnel lui correspond avec une valeur d'éventualité passée non réalisée.

L'expression de l'hypothèse concernant le passé peut également être rendue par d'autres combinaisons de temps de l'indicatif et par le subjonctif.

- I - *Indicatif*
— Imparfait ou plus-que-parfait dans la subordonnée et imparfait dans la principale quand l'hypothèse se nuance d'une forte valeur temporelle souvent itérative :

« *Si Gabrielle le désirait, nous dînions* » (J. Cabanis).

— Plus-que-parfait dans la subordonnée et imparfait dans la principale avec valeur de conséquence infaillible (cf. p. 45) :

« *Si tu n'avais pas été* si nerveux, *je lui faisais* sauter la cervelle » (J. Anouilh).

— Plus-que-parfait dans la subordonnée et conditionnel présent dans la principale quand la conséquence se situe dans l'actualité :

« *Si je n'avais pas toujours bien appris* mes leçons, *je n'aurais pas* ma position de sous-préfet » (M. Aymé).

- 2 - *Subjonctif*

Subjonctif plus-que-parfait soit dans les deux propositions, soit seulement dans l'une, l'autre conservant le temps de l'indicatif du système français :

« Elle avait l'air de s'efforcer de réprimer, d'anéantir un rire qui, *si elle s'y fût abandonnée, l'eût conduite* à l'évanouissement » (M. Proust).

« Encore *s'il eût parlé* en maître, *aurait-elle retrouvé*, peut-être, assez de volonté pour discuter » (G. Bernanos).

« Les crimes d'Harcamone *n'eussent peut-être été* rien à mon âme *si je ne l'avais connu* de près » (J. Genet).

A une subordonnée au subjonctif peuvent aussi théoriquement répondre, selon la nuance qu'on veut procurer, un imparfait ou un conditionnel présent dans la principale (« Si je l'eusse voulu, je le *faisais, ferais* »).

Le subjonctif, souvenir du système hypothétique latin, n'est plus utilisé dans la langue parlée contemporaine. Les traces qu'on en trouve se rencontrent dans la langue écrite soutenue à tendance archaïsante et encore seules y sont habituellement représentées les combinaisons subjonctif + subjonctif ou subjonctif dans la principale et indicatif dans la subordonnée, surtout cette seconde combinaison.

On se gardera d'appeler ces formes de subjonctif plus-que-parfait « conditionnel passé deuxième forme », ce qui est une interprétation par le sens, mais licite ni sur le plan morphologique — il ne s'agit pas d'une forme en -*rais*, ni sur le plan syntaxique — *si* hypothétique ne peut aujourd'hui se faire suivre du conditionnel (cf. p. 304, *NB*).

NB : Le passé simple, mais surtout le passé composé dans la subordonnée, le présent, une forme du passé de l'indicatif ou l'impératif dans la principale peuvent composer une structure hypothétique concernant le passé. Mais l'hypothèse y est supposée réalisée dans le passé. La conjonction *si* introduit une valeur explicative avec le sens de « si vraiment », « s'il est vrai que » :

« *Si vous n'avez jamais assisté* à des combats de nuit, [...], *vous ne pouvez pas réaliser* exactement ce que ça peut être » (R. Vercel).

« *Si vous vous êtes introduit* chez moi pour obtenir de l'argent, *liquidons* la question et *allez-vous-en* » (M. Aymé).

c | Si en composition

La conjonction *si* peut se faire accompagner d'un élément adverbial ou conjonctif ou introduire une locution verbale lexicalisée avec *que*. Sa syntaxe ne s'en trouve pas pour autant modifiée. Les locutions conjonctives ainsi composées entraînent des nuances qui viennent se superposer à la valeur hypothétique. Ainsi l'exception avec *excepté si, sauf si*; la restriction avec *si ce n'est que, s'il est vrai que, si tant est que*; le regret ou le souhait avec *si encore, si seulement*; la comparaison avec *comme si*; le renchérissement avec *si même*; la concession avec *même si* :

> « Qu'attendre d'un homme après cinquante ans ? Nous nous y inté-
> ressons par politesse et par nécessité, *sauf s'il a du génie* » (F. Mauriac).

> « Mais *s'il est vrai que vous avez accompli une prouesse* en faisant condamner
> un innocent, vous ne devez pas oublier que c'est en faisant injure à
> votre fonction » (M. Aymé).

> «*Si seulement je pouvais m'arrêter de penser*, ça irait déjà mieux » (J.-P. Sartre).

> « Tu es pressé d'écrire
> *Comme si tu étais en retard* sur la vie » (R. Char).

> « Je proclame [...] que j'entends toujours écrire en pleine fascination,
> *même si*, selon mes détracteurs, *cela signifie mon suicide littéraire* »
> (F. Arrabal).

d | Subordonnée isolée

Dans le style affectif, la subordonnée introduite par *si* peut se trouver seule et l'on doit suppléer une principale dont le sens général est fourni par le contexte. Ces phrases incomplètes sont souvent de modalité exclamative et servent en particulier à exprimer le souhait ou le regret :

> « Si je te pouvais parler, mère! » (L. S. Senghor).

> « Ah! si on avait laissé faire les hommes d'Eglise! » (G. Bernanos).

A ces structures hypothétiques amputées se rattachent des phrases où la principale est seulement représentée par des adjectifs exprimant une forme de satisfaction comme *content, heureux, satisfait*. Ces adjectifs sont souvent accompagnés de l'intensif *trop* :

> « Autrement dit, je reste en instance d'exécution. *Trop heureux si* vous
> ne me livrez pas à la police » (M. Aymé).

2. Autres subordonnants conjonctifs

La subordonnée hypothétique peut être introduite autrement que par *si*. De nombreuses conjonctions et surtout locutions conjonctives sont aptes à jouer ce rôle. On les répartit suivant qu'elles se font suivre de l'indicatif ou du subjonctif, ce qui est le cas pour la plupart d'entre elles. Le temps de la principale s'apparie comme dans les structures hypothétiques avec *si*.

Il n'est pas rare que la notion de concession se mêle à la notion d'hypothèse, cf. p. 275, C.

a | Avec indicatif

— *Alors même que, au (dans/pour le) cas où, quand, quand (bien) même. Au (dans/pour le) cas où* indique que l'hypothèse est susceptible de concourir à la réalisation de la conséquence, les autres ajoutent à l'idée d'hypothèse une forte idée de concession. Ces locutions sont suivies du conditionnel marquant l'éventualité de l'hypothèse :

> « Il avait soumis sa liste à l'abbé Petitjeannin, *pour le cas où il y aurait eu* un seul des licenciés qui aurait été repêchable » (L. Aragon).

> « *Quand j'aurais suivi* du doigt son relief tout entier je n'en saurais pas plus » (A. Camus).

— *Dès que* souligne que l'hypothèse est antérieure à la conséquence. Les valeurs temporelles et hypothétiques sont conjointes :

> « L'agriculture est donc le plus agréable des travaux, *dès que l'on cultive* son propre champ » (Alain).

— *Selon que... ou, suivant que... ou.* Ce mode est obligatoire, mais les formes en *-rais* sont exclues. Les locutions expriment une alternative entre deux hypothèses entraînant deux conséquences différentes. Ces hypothèses sont chacune de leur côté supposées réalisées, d'où l'indicatif :

> « *Selon qu'elle s'est trouvée amincie ou épaissie,* elle [Elise] relève sur moi un œil de bonne ou de mauvaise humeur » (M. Jouhandeau).

NB : Le futur ou le conditionnel futur dans le passé après *à (la) condition que* et *moyennant que* sont possibles, mais vieillis et de peu d'usage. Ils ne s'emploient que si la réalisation de l'hypothèse passe au premier plan :

> « Il arrivait pourtant que mon père obtînt de lui qu'il parût à table ; il y consentait seulement *à la condition que sa mère ne l'embrasserait pas et qu'elle se tairait* » (M. Jouhandeau).

b | Avec subjonctif

— *A (la) condition que, moyennant que* (vieilli). L'hypothèse est considérée comme nécessaire à la réalisation de la conséquence :

> « Et le public croira aux rêves du théâtre *à la condition qu'il les prenne* vraiment pour des rêves » (A. Artaud).

> « *Moyennant qu'on le baigne* d'eau à l'aurore et le soir au crépuscule, le jardin garde toute sa fraîcheur d'oasis » (Colette).

— *A moins que, pour peu que, pourvu que.* L'hypothèse interdit pour la première locution ou autorise pour les autres la réalisation de la conséquence :

> « Lorsque les amiraux tomberont à la mer
> Ne comptez pas sur nous pour leur jeter la bouée
> *A moins qu'elle ne soit* en pierre » (J. Prévert).

> « *Pour peu qu'on prenne goût* aux plaisirs de la vie […], le tour est joué » (J. Anouilh).

> « Tous les auditeurs lui sont bons, *pourvu qu'ils ne le contredisent pas* » (A. Boudard).

— *A supposer (en supposant) que, en admettant que.* Les verbes *admettre* et *supposer* à l'impératif + *que* jouent le rôle de locutions verbales figées. L'hypothèse imaginée réalisée permet d'envisager une conséquence possible :

> « *A supposer que le petit infirme se fût trouvé en danger*, Philip aurait tout mis en œuvre pour sauver cette misérable existence » (R. Martin du Gard).

> « *Suppose que je me taise*, qu'arriverait-il ? » (M. Aymé).

— *Soit que... soit (que), que... ou (que).* L'hypothèse pose une alternative dont les deux termes engendrent la même conséquence. A l'hypothèse se surajoute une valeur concessive :

> « Il la regardait; un fragment de la fresque apparaissait dans son visage et dans son corps, que dès lors il chercha toujours à y retrouver, *soit qu'il fût auprès d'Odette, soit qu'il pensât seulement à elle* » (M. Proust).

> « *Qu'il ressemble au gorille ou à n'importe quoi*, je ne serais pas le premier à prendre en charge un enfant naturel par amour pour la mère » (Vercors).

NB : La conjonction *que* peut introduire une seconde hypothétique par reprise du subordonnant déjà exprimé, que ce soit *si* ou un autre. Mais *que* se fait alors toujours suivre du subjonctif. Tout se passe comme s'il s'établissait un rapport de conséquence entre la première proposition introduite par *si*, etc., et la proposition introduite par ce *que* de reprise :

> « *Si cela s'était passé ailleurs, dans un autre pays et qu'on eût appris cela par les journaux,* on pourrait discuter paisiblement de la chose » (J. Anouilh).

Quand il n'y a pas de reprise par *que*, les propositions ainsi introduites par *si*, etc., sont dans une simple position de juxtaposition ou coordination et prennent toutes la même valeur :

> « *Si* je n'ai pas choisi de faire du sport, *si* je demeure dans les villes et *si* je m'occupe exclusivement de négoce ou de travaux intellectuels, mon corps ne sera aucunement qualifié de ce point de vue » (J.-P. Sartre).

3. Equivalents

La subordonnée hypothétique se trouve susceptible de trouver son équivalence dans de nombreux systèmes phrastiques.

a | Juxtaposition

C'est le système le plus productif. Il établit entre les propositions un rapport de subordination implicite ou inverse. L'hypothèse se rend selon deux structures principales à l'intérieur de ce système où tous les modes personnels se rencontrent.

- I - Propositions ordinaires
— La proposition exprimant l'hypothèse par subordination implicite se trouve toujours en tête et c'est elle qui porte la mélodie montante. L'inversion du sujet dans la première proposition peut souligner l'éventualité :

> « *Tu te lèves* l'eau se déplie
> *Tu te couches* l'eau s'épanouit » (P. Eluard).

> « *Vous les gifleriez l'un après l'autre sur les deux joues,* ça ne serait pas pire ! » (R. Merle).

> « *Vous m'auriez demandé un poste d'ambassadeur ou n'importe quoi,* c'était fait tout de suite » (M. Aymé).

> « *Reparaissait-il à la maison,* mon père le grondait » (M. Jouhandeau).

Si la proposition est au subjonctif, elle peut être introduite par *que*, simple béquille de subjonctif :

> « *Que Merry eût dit à sa mère qu'il la détestait,* on aurait pu imaginer aussitôt le sourire de celle qu'on appelait justement la souriante Mme Nordling » (Y. Régnier).

Un *et* de reprise peut intervenir devant la seconde proposition :

« *Qu'il* [l'art] *traduise les souffrances et le bonheur de tous dans le langage de tous, et* il sera compris universellement » (A. Camus).

— La proposition exprimant l'hypothèse par subordination inverse, qu'elle soit au conditionnel ou éventuellement au subjonctif, se trouve aussi en tête. Elle est reliée à la « principale » par *que*, qui reste un simple outil de liaison signalant la subordination inverse :

« Nous n'avons pas envie de parler pour ne rien dire. *Le souhaiterions-nous*, d'ailleurs, *que* nous n'y parviendrions pas » (J.-P. Sartre).

« *Et l'eût-il insulté que* rien n'eût été changé » (A. Malraux).

Ces subordonnées implicites ou inverses ont fréquemment une forte valeur concessive (cf. p. 283, - 1 -).

- 2 - Locutions
La proposition indépendante à valeur hypothétique ne prend pas une place privilégiée et n'a donc pas de mélodie spécifique, quoiqu'elle soit le plus souvent en seconde position. Elle est introduite :

— par des locutions formées sur *être* à l'imparfait ou à une forme simple en -*rais* de l'indicatif comme *n'était, ne serait-ce (que)*, parfois au subjonctif plus-que-parfait : *n'eût été (que)* ; l'éventualité, marquée par l'inversion, est soulignée par la forme en -*rais* ou le subjonctif :

« Il se serait assis volontiers, *n'était* la crainte de ne pouvoir fuir au premier geste d'Antinous » (J. Giono).

« On se prend à regretter la vertu... *ne serait-ce*, papa satyre, *que* pour aller la trousser à l'orée du bout du bois » (A. Boudard).

— par des locutions formées sur *avoir, être* et *devoir* à l'imparfait ou au plus-que-parfait du subjonctif, le plus souvent à la troisième personne comme *eût-il, fût-il, dût-il*. Dans toutes ces formes, l'éventualité est notée par l'inversion du sujet et le mode :

« Poètes, la Poésie s'étiole de fabriquer des chaussons de lisière, *fussent-ils* de vair ou de diamant » (Saint-Pol-Roux).

« Oui, *n'eussions-nous* qu'une chance, cette unique chance est celle d'une créature humaine en péril » (G. Bernanos).

« Je conçois même, [...], qu'une femme tienne davantage à sa réputation qu'à la vie d'un homme, *eût-il été* l'amant d'un soir » (M. Aymé).

b | Infinitif

La notion d'hypothèse peut être rendue par l'infinitif précédé des prépositions et locutions prépositives *à* surtout, mais aussi *à condition de, à moins de, de, sans* :

> « *A en juger* par l'aspect des fenêtres, l'immeuble entier a l'air, du reste, inoccupé » (A. Robbe-Grillet).

> « *Sans même parler* des paysannes, la majorité des femmes qui travaillent ne s'évadent pas du monde féminin traditionnel » (S. de Beauvoir).

c | Formes en -ant

Le participe présent ou passé et le gérondif peuvent exprimer l'hypothèse. Le participe est toujours en apposition :

> « Mais maintenant, *même ne conduisant à rien*, ces instants me semblaient avoir en eux-mêmes assez de charme » (M. Proust).

> « *Ainsi conçue*, la beauté n'a jamais asservi aucun homme » (A. Camus).

> « *En rasant la mer à niveau* on eût eu de quoi me refaire le corps entier de Johnny » (J. Giraudoux).

La proposition participiale prend éventuellement aussi valeur hypothétique :

> « *François arrivant à cet instant*, elle était à lui » (R. Radiguet).

d | Adjectif

Il est dans ce cas en apposition détachée :

> « *Mort* avant la drôle de guerre, Giraudoux eût échappé aux tartinades des Goebbels en pantoufle du Continental; *vivant*, quelle belle vieillesse nous lui ferions! » (F. Nourissier).

e | Proposition relative

La proposition se place souvent en tête et son verbe est en général au conditionnel. Le relatif, dit « suppositif », équivaut à « si on », « si quelqu'un » :

> « Bah! *qui prévoirait tous les risques*, le jeu perdrait tout intérêt » (A. Gide).

Mais d'autres temps de l'indicatif peuvent intervenir, en particulier dans les aphorismes ou les énoncés à valeur sentencieuse :

> « Car tu sais le proverbe : "*Qui a tué* tuera."
> — Et *qui a bu* boira, reprit l'amphitryon » (G. de Maupassant).

> « *Qui m'a fait mal* doit avoir mal » (A. Camus).

III - LA PROPOSITION RELATIVE

La proposition relative est introduite par un pronom ou un adverbe relatifs, c'est-à-dire que ces termes remplacent un autre terme et établissent une relation entre deux propositions. Le pronom peut être simple *(qui, que, quoi)* ou composé *(lequel, laquelle, lesquels,* etc.). Les adverbes relatifs sont *dont* et *où* : formes simples du relatif, le terme « adverbe » rappelle leur origine. Le verbe de la proposition relative est en général à un mode personnel, mais peut être à l'infinitif.

Cette description purement formelle ne rend pas compte de la nature exacte de la proposition relative. Celle-ci fonctionne en effet différemment selon que le pronom relatif possède un antécédent ou non. Si le relatif n'a pas d'antécédent, la relative fonctionne comme un substantif. Si elle en a un, elle fonctionne comme un adjectif; mais, en tant qu'adjectif, la relative prend selon le cas deux valeurs très différentes, puisqu'elle peut être soit simplement *explicative* (on dit aussi « appositive » ou « descriptive »), soit *déterminative* (on dit aussi « restrictive » ou « sélective »), et qu'elle passe alors du simple rôle d'adjectif à celui de complément nécessaire; en outre, elle véhicule éventuellement une valeur circonstancielle.

C'est à partir de la distinction entre relatives sans ou avec antécédent qu'il convient d'établir un classement général de ces propositions, puisqu'au partage morphologique correspond un partage syntaxique. A l'intérieur de la catégorie des relatives avec antécédent s'impose de même logiquement un classement entre relatives explicatives et relatives déterminatives — même si ce dernier classement logico-sémantique prête à discussion, puisque peuvent entrer en compte le point de vue où on se place ou le côté plus ou moins ambigu de l'énoncé.

A - Relative sans antécédent

1. Forme

La relative sans antécédent est normalement introduite par un pronom relatif à valeur indéfinie comme *qui, quiconque, qui que ce soit qui, n'importe qui* renvoyant à un animé indéfini ou, rarement, par un relatif ou un adverbe relatif renvoyant à un inanimé indéfini comme *ce dont, quoi,* (là) *où* :

> « *Qui m'a crevé un œil* doit devenir borgne » (A. Camus).

> « Quant à moi, je découvris des échelons *où il n'y en avait pas* » (M. Jacob).

Elle peut l'être également par les locutions relatives neutres *ce que, ce qui,* rarement réduite à *qui,* à valeur indéfinie dans lesquelles le pronom *ce* fait référence à un inanimé de façon indéterminée :

> « Votre fils n'est pas *ce que vous dites* » (M. Aymé).

> « *Tout ce qui est humain* m'est étranger » (R. Nimier).

Cette valeur indéfinie de la locution relative peut aussi se rencontrer quand l'indéfini *tel* est conjoint au relatif ou quand le pronom démonstratif intégré dans la locution relative prend les formes *celui, celle, ceux* ou *celles* faisant référence à un animé de façon indéterminée :

> « *Tel qui rit vendredi* dimanche pleurera » (Proverbe).

> « Et pourtant ne peut rien pour le bonheur d'autrui *celui qui ne sait être heureux lui-même* » (A. Gide).

> *NB : - 1 - Que,* dans l'ancienne langue, était en concurrence avec *qui.* Dans quelques expressions qui ont survécu, on trouve un *que* indéterminé soit en fonction de sujet : « Advienne *que* pourra », au besoin renforcé par *ce* « Faire *ce que* bon semble »; soit en fonction d'objet : « *Que* je sache » (cf. dans l'ancienne langue « faire *que* fol/sage » = « faire *ce que* fait... »).

> - 2 - Etant donné que plusieurs formes pronominales sont communes aux systèmes relatif et interrogatif indirect *(ce dont, ce que, ce qui, où, qui, quoi),* on ne peut déterminer si l'on a affaire à une relative substantive ou à une interrogative indirecte que d'après le sens du verbe principal : « On apprécie ce qu'il fait » / « On demande ce qu'il fait ». Il n'en reste pas moins qu'il est parfois délicat de trancher (cf. p. 244, *NB* - 2 -).

2. Fonctions

Comme la proposition relative sans antécédent équivaut à un substantif, elle peut en assumer théoriquement toutes les fonctions.

a | Apposition

La relative prend pour support une proposition entière et, placée soit avant soit après cette proposition qu'elle spécifie, elle en est toujours séparée par une ponctuation, virgule ou tiret, marquée à l'oral par une pause :

> « *Qui pis est,* les cuisines n'ont droit qu'à l'ardoise de Nogent-la-Gravoyère » (H. Bazin).

> « Ou plutôt raccommodant, réajustant sans cesse les mêmes, en faisant une nouvelle avec deux vieilles, [...], *ce qui faisait qu'une seule robe représentait* [...] *une ingénieuse combinaison de quatre autres au minimum* » (C. Simon).

b | Sujet

La relative remplit souvent cette fonction, particulièrement dans les proverbes ou les énoncés sentencieux étant donné la valeur indéfinie de l'élément relatif :

> «*Ce qui me tourmente,* c'est le point de vue du jardinier» (A. de Saint-Exupéry).

> « *Qui aime bien* châtie bien » (Proverbe).

c | Attribut

La relative est le plus souvent attribut du sujet, mais peut être aussi, rarement, attribut de l'objet :

> « Et je m'aperçois que le problème ce n'est pas *qui je suis* » (L. Aragon).

> « Si notre amour est *ce qu'il est*
> C'est qu'il a franchi les limites » (P. Eluard).

> « Célibataire depuis mon plus jeune âge, la vie *m'a fait ce que je suis* ». (R. Queneau).

> « Non, je *le* veux [mon fils] faible, gémissant doucement, et *qui ait peur des mouches...* » (J. Giraudoux).

Le relatif indéfini *quoi* en construction prépositionnelle se trouve également susceptible d'introduire une relative attribut :

> « Qu'il y ait des substances immatérielles et intelligentes, c'est *de quoi je ne doute pas* » (Voltaire).

d | Complément du verbe

La relative peut prendre théoriquement toutes les fonctions compléments du verbe; on la trouve le plus souvent comme complément d'objet direct, y compris des présentatifs fondés sur voir *voici, voilà* :

> « Je ne sais point respecter *qui se trompe* » (A. de Saint-Exupéry).

> « Paul Valéry attend des lettres *ce qu'un philosophe n'ose pas toujours espérer de la philosophie : il veut connaître ce que peut l'homme* » (J. Paulhan).

> « Et voici donc *ce que je vous propose* » (H. de Montherlant).

ou complément d'objet indirect :

> « Tu sais, non pas contredire *à ce que je pense*, mais plutôt y ajouter ton argument » (M. Toesca).

Mais elle peut être aussi complément d'agent ou de circonstance, par exemple de lieu :

> « Ils abordaient *là où eussent abordé des hommes vivants* » (J. Giraudoux).

e | Complément de détermination

La relative se rencontre particulièrement dans cette fonction comme complément d'adjectif; elle est toujours introduite par une préposition :

> « Je tressaillis, *attentif à ce qui se passait d'extraordinaire en moi* » (M. Proust).

> « J'étais encore un enfant *trop ignorant de ce qui touchait à l'amour humain* » (F. Mauriac).

> « Je ferai comme j'ai toujours fait, dans *l'ignorance de ce que je fais, de qui je suis, d'où je suis* » (S. Beckett).

> « Mais *malheur à qui aura un sursaut !* » (H. Michaux).

> « *Contrairement à ce qu'on ânonne de toutes parts*, il n'y a plus aujourd'hui, en France, pour sauver l'honneur, que les individus » (H. de Montherlant).

3. Mode

La valeur dépourvue d'affectivité de la relative sans antécédent en élimine le subjonctif. C'est donc l'indicatif qu'on y trouve normalement, et parfois l'infinitif après *quoi* prépositionnel, étant donné la valeur nominale de ce mode :

> « Rien de ce qui me *touche* n'a d'importance » (P. Drieu La Rochelle).

> « Même un jour le cher homme, en cachette, m'offrit une pipe et du tabac, *de quoi fumer* pour me tenir éveillé » (J. Guéhenno).

B - Relative avec antécédent

L'antécédent est un substantif ou un pronom que représente un pronom relatif simple ou composé ou un adverbe relatif. La relative complète le sens de l'antécédent à la manière d'un adjectif :

> « Il était de *cette classe qui avait fait trois ans* » (L. Aragon).

> « La poésie est de toutes les eaux claires *celle qui s'attarde le moins aux reflets de ses ponts* » (R. Char).

Mais la valeur de sens que prend la relative est très différente selon la façon dont elle complète son antécédent.

1. Valeur

a | Relative explicative

La liaison est faible entre la principale et la subordonnée. Celle-ci explique son antécédent, mais cette explication n'est pas nécessaire et l'on pourrait retrancher la relative sans nuire de façon essentielle au sens de la phrase. La liaison établie par le relatif n'est, somme toute, pas très éloignée de la coordination. A l'écrit, la relative explicative est souvent séparée de la principale par une virgule, au besoin une ponctuation plus forte, et, à l'oral, elle est distinguée par une légère pause et par une mélodie basse l'opposant à la principale :

> « Au baccara, j'ai rencontré à ma grande surprise Jacques, l'air faussement dégagé, *qui jouait, ma foi, assez gros jeu* » (J. Gracq).

b | Relative déterminative

La liaison est forte entre la principale et la subordonnée. Celle-ci restreint le sens de son antécédent en le distinguant à l'intérieur de sa catégorie. Cette restriction est nécessaire au point qu'on ne peut retrancher la relative sans que le sens de la phrase en soit changé ou du moins gravement altéré. La liaison établie par le relatif rend étroitement solidaires principale et subordonnée. A l'écrit, la relative déterminative n'est pas séparée de la principale par une quelconque ponctuation ni, à l'oral, par une pause marquant un changement mélodique :

> « Gobineau vivait dans un monde *qui ressemble au nôtre* » (M. Déon).

2. Fonctions

a | Cas général

La proposition relative avec antécédent est le plus souvent complément de cet antécédent substantif ou pronom, qu'elle soit explicative ou déterminative :

> « Ailleurs les bégonias recomposent patiemment leur grande rosace de vitrail, *où domine le rouge soleil* » (A. Breton).

> « Je ne connais pas d'exemple d'une œuvre *qui ait inspiré moins de confiance à son auteur que la mienne* » (P. Reverdy).

Dans l'un et l'autre de ces exemples, les relatives sont respectivement compléments de *rosace* et de *œuvre*.

Mais il existe des structures particulières où la relative fonctionne différemment.

b | Relative attribut

La relative peut prendre cette fonction quand elle est introduite par *qui* et qu'elle exprime une manière d'être du sujet ou de l'objet. Elle est *prédicative*.

- 1 - *Attribut du sujet*

Elle se rencontre après des verbes attributifs comme *être* ou *se trouver* dans une structure où ces verbes sont accompagnés d'un complément circonstanciel de lieu :

> « *Ils* sont *là*, nombreux, *qui parlent et rient* » (R. Nimier).

- 2 - *Attribut de l'objet*

Elle se rencontre après des verbes de perception comme *entendre, sentir, voir*, etc., et les présentatifs *voici* et *voilà* formés sur le thème de *voir*, et après des verbes indiquant une rencontre ou une découverte comme *découvrir, rencontrer, trouver*, etc. :

> « Je *l'*entendais tout à l'heure — dit timidement Augustin —, *qui reprenait la vieille rengaine* » (L. Aragon).

> « Je *la* vis *qui sautait dans le lit du torrent* » (H. Bosco).

> « Elle-même a été jouée... et perdue, et *la* voilà *qui arrive brisée chez son nouveau maître* » (H. Michaux).

> « Il *la* trouva *qui mettait des cataplasmes à une vieille dame* » (A. France).

> *NB* : Certains préfèrent voir dans ces propositions relatives des appositions. Mais si l'on admet que la relative correspond ici à un participe présent (« qui reprenait » = « reprenant », « qui sautait » = « sautant », etc.), les conditions requises pour qu'un adjectif, ou son équivalent, remplisse la fonction d'apposition ne paraissent pas réunies (cf. *apposition*).

c | Relative de liaison

La relative est introduite par un pronom relatif qui n'a plus pour antécédent un terme de la principale, mais cette principale tout entière. Le lien entre principale et relative est extrêmement relâché au point qu'une ponctuation forte allant jusqu'au point peut séparer les deux propositions. Le relatif, en général sous la forme *quoi* introduit par une préposition *à, de, sur*, etc., mais aussi *ce dont, d'où*, représente l'ensemble de la principale et la structure de l'ensemble principale + relative n'est pas éloignée de la parataxe syndétique, le relatif servant d'instrument de liaison :

> « Il est d'une grande importance qu'une femme se couche tôt pour pleurer, *sans quoi* elle serait trop accablée » (H. Michaux).

« On trouva ma mère et la grosse armoire de noyer chues toutes deux en bas de l'escalier [...]. *Sur quoi* mon frère aîné exigea que ma mère se tînt en repos » (Colette).

3. Valeurs et modes

La relative ne sert très souvent qu'à compléter son antécédent sans prendre une valeur particulière, qu'elle soit explicative ou déterminative. On pose simplement le procès, le mode est l'indicatif :

« Je ressentais pour mon père une vénération un peu craintive, *qu'aggravait la solennité du lieu* » (A. Gide).

« Le poète reste fatalement enfermé dans l'œuvre *qu'il crée* » (P. Reverdy).

Mais la relative est susceptible de prendre différentes valeurs circonstancielles. A la façon d'une subordonnée conjonctive, elle exprime alors le temps, la cause, la concession, l'hypothèse la conséquence, ou la finalité. C'est la relative explicative qui prend les plus nombreuses valeurs circonstancielles.

a | *Temps, cause, concession, hypothèse*

Le mode est l'indicatif, le fait étant actualisé :

« Les enfants *qui naissent* sucent le sein en aveugles » (J. Giraudoux).
• Temps.

« Mais il est doux de mourir en Moi *qui suis la Vérité et la Vie* » (P. Claudel).
• Cause.

« L'histoire ne dit pas que les poètes romantiques, *qui semblent pourtant de l'amour s'être fait une conception moins dramatique que la nôtre*, ont réussi à tenir tête à l'orage » (A. Breton).
• Concession.

« Le châtiment, *qui sanctionne sans prévenir*, s'appelle en effet la vengeance » (A. Camus).
• Hypothèse.

b | *Conséquence*

Le mode est le subjonctif en règle normale, parfois l'indicatif.

- I - *Subjonctif*

On a le subjonctif si la relative rend compte d'un fait simplement pensé, éventuel. Ainsi, après un antécédent indéfini, une principale négative, interrogative ou hypothétique, la principale impliquant une notion d'exclusion ou d'incertitude :

« Il aime bien avoir *des gens qui aient un passé* » (M. Aymé).

« Quand je me trouve en présence de *qui que ce soit, que je connaisse depuis longtemps*, [...], je me sens comme devant une bourse méfiante, rétive et qui se ferme » (P. Reverdy).

« Je *n'ai rien connu* avant toi
Où je puisse me reposer » (P. de La Tour du Pin).

« Dans la nuit épaisse qui nous entoure, *est-il une lueur que nous puissions repousser ?* » (B. Constant).

« *Si quelque objet survient par hasard qui me fasse sentir* combien sont restreintes réellement les limites de ma puissance, je me roidis dans une folle colère » (M. Leiris).

De même, quand l'antécédent comprend un superlatif relatif ou une expression marquant aussi l'exception comme *le dernier, le premier, le seul, l'unique* :

« C'est *le cas le plus extraordinaire qu'il m'ait été donné* de contempler dans ma carrière » (P. Boulle).

« Toute la nuit il se retourna dans son lit, [...] cherchant *un dernier moyen qui lui permît* sinon de défaire ce qu'il avait fait, du moins de bien gâcher les choses » (H. Bazin).

« Peut-être est-elle empoisonnée dès l'origine, la joie qui fut donnée *au seul animal qui sache* qu'elle n'est pas éternelle » (A. Malraux).

- 2 - *Indicatif*

Mais l'indicatif peut intervenir si l'on veut actualiser le procès, insister sur le côté concret ou constatable du fait, quelles que soient la structure de la principale ou la nature du groupe antécédent. La notion d'éventuel est alors évacuée :

« Si je voulais la guerre, je ne vous demanderais pas Hélène, mais *une rançon qui vous est* plus chère... » (J. Giraudoux).

« Ce *n'est pas* seulement *le sport qui doit être chargé* de l'éducation des citoyens » (J. Giraudoux).

« Les valeurs bourgeoises étaient *les seules qui étaient* bonnes, belles, intelligentes » (M. Cardinal).

« C'était *le premier exemple qui m'était venu à l'esprit* » (M. Butor).

NB : La relative peut éventuellement avoir son verbe à l'infinitif sans sujet exprimé quand elle implique une idée de possibilité. Sa valeur est le plus souvent consécutive :

« Ah! quelqu'un *à qui parler, à qui se confier* ! » (F. Mauriac).

« Toujours la maladie lui avait paru un opium, un autre monde *où se perdre*, un acheminement au repos sans fin... » (F. Mauriac).

c | Finalité

Le verbe est au subjonctif, le fait exprimé par la relative étant pensé et simplement éventuel :

« Il rêvait de climats excessifs, atroces, *qui l'eussent accablé et fussent venus à bout de sa ferveur* » (F. Mauriac).

C - Place

1. Relative sans antécédent

Elle prend la place normalement dévolue au nom. Ainsi quand elle a fonction de sujet, elle se trouve en tête de phrase devant le verbe :

« *Tout ce qui agit* est une cruauté » (A. Artaud).

Mais il se peut que la relative sujet se trouve en seconde position :

— soit quand le verbe principal est mis en vedette ou quand, au subjonctif à valeur de *fiat*, il entraîne l'inversion :

« Ne s'amuse pas *qui veut* » (G. Bernanos).

« Comprenne *qui voudra* » (P. Eluard).

— soit quand, dans une phrase attributive, le prédicat se trouve affectivement lancé en tête dans une proposition elliptique de son verbe :

« Imbécile *qui attribuera ces aventures à l'humanité tout entière* » (R. Nimier).

Inversement, une relative substantive complément d'objet peut se trouver en tête de phrase et reprise dans la principale par un pronom ou un adverbe pronominal. Cette prolepse attire l'attention sur le contenu de la relative :

« *Ce que je peux apporter à Octave*, je *le* sais mieux que personne » (M. Aymé).

2. Relative avec antécédent

Elle suit son antécédent. Cette astreinte de la postposition de la relative tient à ce que le pronom relatif doit être le plus près possible à la suite du terme qu'il explique ou détermine afin d'éliminer toute équivoque :

> « Ce ne sont certes pas *les systèmes à penser qui manquent* » (A. Artaud).

Si l'antécédent est lui-même accompagné d'un ensemble qualifiant ou d'un complément déterminatif importants, la relative peut être coordonnée et introduite par *et* :

> « C'était un homme léger, habile en affaires, toujours curieux et vite lassé, *et qui plaisait aux femmes* » (F. Sagan).

Il n'y a que la relative attribut qui se trouve normalement séparée de son antécédent par le verbe de la principale, d'une part quand elle est attribut du sujet, de l'autre si l'objet est un pronom quand elle est attribut de l'objet :

> « Je m'efforçais de penser à autre chose. Pas commode : *l'image* est là *qui vous tire l'œil et le blesse* » (G. Duhamel).

> « Et quand ils *le* voyaient *qui rampait* honteusement pour essayer de glisser entre eux, ils abaissaient vivement leurs mains entrelacées » (N. Sarraute).

Mais, pour des raisons stylistiques, des éléments de phrase de masse plus ou moins forte peuvent séparer le relatif de son antécédent. Cette disposition se rencontre seulement dans la langue écrite et ne vise qu'à produire un effet déterminé. Son usage est délicat, eu égard aux nécessités de cohésion grammaticale de la phrase, qui exigent un lien le plus serré possible entre le relatif et son antécédent. On rencontre cette disposition essentiellement quand l'antécédent est sujet du verbe principal et que la relative est d'une ampleur assez importante. La succession directe de la relative à l'antécédent rejetterait en fin de phrase le verbe principal alors trop loin de son sujet :

> « Et *ceux-là seuls* en surent quelque chose, *dont* la mémoire est incertaine et le récit est aberrant » (Saint-John Perse).

> « *Ma tristesse* lui échappa, *qui*, en d'autres temps, eût éveillé sa sollicitude » (F. Mauriac).

IV - LA PROPOSITION INFINITIVE ET PARTICIPE

Dans le système de la subordination, la proposition infinitive et la proposition participe tiennent une place à part. Alors que les autres subordonnées ont au moins en commun d'être introduites par un élément conjonctif ou relatif, rien ne relie ces propositions à la principale dont elles dépendent. Le seul critère formel qu'on puisse relever est le mode du verbe autour duquel elles s'organisent, l'infinitif pour l'une, le participe pour l'autre.

Ces structures phrastiques, héritées du latin, ne sont pas sans poser des problèmes dans le système français. Si les grammairiens s'accordent en général à reconnaître l'existence de la subordonnée participe, certains, en revanche, contestent qu'il existe une subordonnée infinitive. Sans entrer dans le détail de cette divergence d'analyse, il convient de l'évoquer pour éclairer les raisons qui autorisent à se ranger à l'avis du plus grand nombre, c'est-à-dire à admettre la réalité pratique de ce type particulier de subordonnée.

A - La proposition infinitive

Certains considèrent que la proposition infinitive, relevant d'une syntaxe propre au latin, n'a pas d'équivalent en français. Même après les verbes où on l'admet d'ordinaire, verbes de perception et *faire* et *laisser* en particulier, les uns estiment qu'on a affaire à de simples infinitifs compléments d'objet. En somme, dans ces structures, le verbe recteur se ferait suivre d'un double objet, l'infinitif et un nom ou pronom (« j'entends *les oiseaux chanter* », « je *les* entends *chanter* »). Le peu de solidarité entre l'agent et l'infinitif, visible dans les constructions avec pronom agent où celui-ci se place alors devant le verbe principal, l'impossibilité pour le groupe substantif + infinitif de constituer une unité indépendante appuient cette analyse. D'autres voient dans les groupes verbes de perception ou *faire* et *laisser* + infinitif des périphrases verbales, eu égard au lien très fort qui unit les deux termes. Le verbe recteur joue le rôle d'un semi-auxiliaire.

Mais il reste qu'il est malaisé de ne pas reconnaître la survivance en français d'une subordonnée infinitive. Cette proposition offre par elle-même un sens, puisque sa structure reproduit la structure de base de la proposition, c'est-à-dire sujet + verbe. Si, au contraire du latin, elle ne peut être que complément d'objet direct, elle représente bien un type particulier de subordonnée proche de la complétive, puisqu'elle équivaut, comme elle, à un substantif et qu'elle assume une de ses fonctions.

Peu répandue en français, qui préfère la subordination conjonctive ou relative, la proposition infinitive, outre que son verbe est au mode infinitif, se reconnaît aux critères suivants : la nature particulière du verbe qui l'introduit et la présence obligatoire d'un sujet exprimé différent de celui du verbe principal.

1. Verbes introducteurs

Ces verbes se répartissent en trois catégories. Ils introduisent une infinitive dont le verbe est transitif ou intransitif, le plus généralement à la forme simple, et dont le sujet est un substantif ou un pronom.

a | Verbes de perception

Il s'agit d'un nombre restreint de verbes : *apercevoir, écouter, entendre, regarder, sentir* et *voir. Ouïr* n'est plus d'usage. Les présentatifs *voici* et *voilà* formés sur le radical du verbe *voir* introduisent également la proposition infinitive :

> « Dans le petit jour funèbre, Octave *entendit claquer des volets, tomber des tuiles, s'entrechoquer les fils télégraphiques* » (F. Mauriac).

> « Mon cœur devrait bondir de joie, mais je *le sens peser en moi*, lourd d'une angoisse inexprimable » (A. Gide).

> « *Voici venir les temps* où vibrant sur sa tige
> Chaque fleur s'évapore ainsi qu'un encensoir » (C. Baudelaire).

b | Verbes faire et laisser

Ils introduisent une proposition infinitive quand ils se rangent dans la catégorie des verbes de volonté et signifient pour *faire* « obtenir », « ordonner », et pour *laisser* « autoriser », « permettre » :

> « J'ai été chez lui, il *m'a laissé parler* » (R. Martin du Gard).

c | Verbes d'affirmation

Très rarement en français, surtout dans la langue contemporaine sinon littéraire, des verbes d'affirmation exprimant la déclaration *(dire)*, la connaissance *(savoir)* ou l'opinion *(croire)* peuvent introduire une infinitive. Ces verbes forment le centre d'une proposition relative dont le relatif complément d'objet direct est tenu pour sujet de l'infinitif :

> « C'était un jeune homme blond et carré, comme le sont beaucoup de peintres étrangers que l'on voit rôder dans les environs et *que nous*, pauvres gens, *nous croyons être* doux et intelligents parce qu'ils sont artistes et ont les yeux bleus » (B. Cendrars).

NB : Construction venue directement du latin, l'infinitive dépendant d'un verbe d'affirmation se rencontre jusqu'à l'époque classique, que le sujet soit pronominal ou substantif — ce qui, dans ce dernier cas, n'est plus possible aujourd'hui :

« *Vous reconnaissez ce défaut être* une source de discorde » (Bossuet).

Mais quand le sujet aurait été un pronom relatif, la tendance était à substituer à l'infinitif une proposition relative dépendant du premier relatif :

« Ne vit-on un brave Marquis *que l'on dit qui* sera bientôt Duc, prendre ma main à toute force » (C. Sorel).

Cette construction lourde et cacophonique n'est plus d'usage dans la langue, sauf coquetterie d'archaïsme appuyée.

2. Nature et place du sujet

La proposition infinitive ne peut se construire qu'avec un sujet et il faut que ce sujet soit propre, c'est-à-dire que la non-identité entre celui-ci et le sujet du verbe principal est une astreinte. Ce sujet est soit un substantif soit un pronom.

a | Infinitif sans complément

Quand l'infinitif n'est pas accompagné d'un complément d'objet, le sujet substantif se place avant ou après l'infinitif, mais toujours après avec *faire* :

« Je ne verrai pas *tes flancs*, ces essaims de faim, *se dessécher, s'emplir de ronces* » (R. Char).

« Il fait nuit dans la pièce où tremble un oreiller
Comme un voilier qui sent *venir la haute mer* » (J. Supervielle).

« [...] la coquetterie des femmes que son quintette de mannequins savait surprendre encore par quelque détour, s'il *faisait sourire les hommes et rire les enfants* » (M. Jouhandeau).

Si ce sujet est un pronom, il prend la forme directe et précède le verbe de la principale :

« Nous étions de nouveau parvenus à la petite porte du potager par où, tout à l'heure, je *l'avais vue sortir* » (A. Gide).

b | Infinitif avec complément

Quand l'infinitif est accompagné d'un complément d'objet, le sujet substantif se place avant l'infinitif :

« Je sens *mon besoin de beauté*, [...], *engendrer* à soi seul *des figures* qui le contentent » (P. Valéry).

Si ce sujet est un pronom, il précède le verbe de la principale, en général sous la forme directe :

> « Son amie, demeurée sur le talus, *la voyait* au milieu du seigle *viser le soleil* comme pour l'éteindre » (F. Mauriac).

Mais, dans ces phrases où l'infinitif a un complément, la construction du sujet, plus exactement de l'agent, peut être indirecte s'il s'agit d'un animé, essentiellement avec *faire* et *laisser*. Le substantif se trouve ainsi précédé par *à* et se place après l'infinitif et le pronom personnel, s'il est de troisième personne, prend les formes conjointes *lui* ou *leur* et précède le verbe principal :

> « La seule habitude qu'on doit *laisser prendre à l'enfant* est de n'en contracter aucune » (J.-J. Rousseau).

> « C'est pas la honte qui *leur fait baisser la tête* » (L.-F. Céline).

Ces constructions mettent tout spécialement en relief l'agent de l'action soit grâce à la présence de la très directive préposition *à* devant le substantif soit grâce à l'épaisseur phonétique et sémantique des formes conjointes du pronom personnel.

B - La proposition participe

Comme l'infinitive, la proposition participe — ou « participe absolu » c'est-à-dire « sans lien », « détaché » par rapport à la principale — se caractérise par l'absence de subordonnant, le mode de son verbe, en l'occurrence le participe, et l'obligation d'un sujet propre. Toujours séparée de la principale par une virgule, marquée à l'oral par une pause, elle équivaut pour le sens à une subordonnée circonstancielle.

1. Forme

Le participe, centre de la proposition participe, est soit présent soit passé. Son sujet est obligatoirement différent de celui de la principale :

> « Je vois annoncé qu'un vapeur de 1 700 tonnes à destination des Indes demande un médecin, *le grade de docteur n'étant pas exigé* » (J. Romains).

> « *Passées de petites entreprises*, commencent de longs murs enfermant des usines » (L. Aragon).

Le fait qu'un terme de la proposition participe puisse être représenté dans la principale sous la forme d'un pronom n'entrave en rien son indépendance formelle :

> « Le destin ne lui ayant donné que *ce visage*, l'affamée s'*en* était saisie » (F. Mauriac).

> « *Les serviteurs* l'ayant abandonnée pour se figer l'un en face de l'autre, de chaque côté de la porte, elle *les* laissa se regarder dans le blanc des yeux » (A. Pieyre de Mandiargues).

2. Valeurs circonstancielles

La proposition participe prend certaines valeurs de la proposition circonstancielle, étant exclues celles de finalité, de conséquence ou de comparaison. Elle ne peut exprimer que le temps, la cause, la concession ou l'hypothèse, essentiellement le temps et la cause. Ces propositions participes à valeur de circonstancielles ont été examinées parmi les équivalents de ces propositions (cf. *proposition circonstancielle, équivalents, formes en* -ant) :

> « *Les glaces croquées*, ils suivirent le boulevard Saint-Michel » (A. Schwartz-Bart).
> • Temps.

> « *Le vent s'étant apaisé et la pluie tombant moins serrée*, le cochon se remit en marche » (M. Aymé).
> • Cause.

La langue a hérité d'un certain nombre de locutions figées dont le centre est un participe comme *cela étant, le cas échéant, toute affaire cessante, séance tenante*, etc. On peut remarquer que certaines d'entre elles font l'accord du participe, ce qui atteste leur ancienneté.

index

Pour nombre de notions, on se reportera aux sommaires : *le verbe* p. 13-14, *les fonctions dans la proposition* p. 87-90, *le fonctionnement de la phrase* p. 219-220.

Abréviations : *adj.*, adjectif ; *adv.*, adverbe ; *ant.*, antérieur ; *antécéd.*, antécédent ; *appos.*, apposition ; *attrib.*, attribut ; *auxil.*, auxiliaire ; *CA*, complément d'agent ; *CC*, complément circonstanciel ; *circ.*, circonstanciel ; *CO*, complément d'objet ; *COD*, complément d'objet direct ; *COI*, complément d'objet indirect ; *compar.*, comparatif ; *compl.*, complément ; *complét.*, complétif ; *cond.*, conditionnel ; *coord.*, coordination ; *dériv.*, dérivation ; *dir.*, direct ; *épith.*, épithète ; *équiv.*, équivalent ; *fut.*, futur ; *imparf.*, imparfait ; *impér.*, impératif ; *impers.*, impersonnel ; *indic.*, indicatif ; *indir.*, indirect ; *infin.*, infinitif ; *interr.*, interrogatif ; *intrans.*, intransitif ; *loc.*, locution ; *n.*, nom ; *obj.*, objet ; *part.*, participe ; *partit.*, partitif ; *pers.*, personnel ; *pop.*, populaire ; *p.q.p.*, plus-queparfait ; *prés.*, présent ; *pron.*, pronom ; *prop.*, proposition ; *qual.*, qualificatif ; *rel.*, relatif ; *sub.*, subordonnée ; *subj.*, subjonctif ; *subst.*, substantif ; *suj.*, sujet ; *superl.*, superlatif ; *trans.*, transitif ; *v.*, verbe ; *val.*, valeur.

table

Imprimé en France
Imprimerie des Presses Universitaire de France
73, avenue Ronsard, 41100 Vendôme
Octobre 1993 — N° 39 576